L'homme qui prenait sa femme pour un chapeau

Du même auteur

AUX MÊMES ÉDITIONS

Migraine
1986

L'Éveil
(Cinquante ans de sommeil)
1987

Sur une jambe
1987

L'homme qui prenait sa femme pour un chapeau
et autres récits cliniques
1988 ; coll. «La couleur des idées», 1990

Des yeux pour entendre
Voyage au pays des sourds
coll. «La couleur des idées», 1990

Oliver Sacks

L'homme qui prenait sa femme pour un chapeau

et autres récits cliniques

TRADUIT DE L'ANGLAIS
PAR ÉDITH DE LA HÉRONNIÈRE

Éditions du Seuil

Cet ouvrage a paru une première fois en 1988,
puis a été réédité dans la collection
« La couleur des idées », en 1990.

TEXTE INTÉGRAL

EN COUVERTURE :
René Magritte, *Le Bouchon d'Épouvante,* 1966
© ADAGP, Paris, 1992

Titre original : *The Man Who Mistook His Wife for a Hat*
Première édition : 1985, par Gerald Duckworth & Co
Édition en 1986, par Pan Books
ISBN original : 0-330-29491-1

ISBN 2-02-014630-4
(ISBN 1res publications : 2-02-010101-7, 2-02-012223-5)

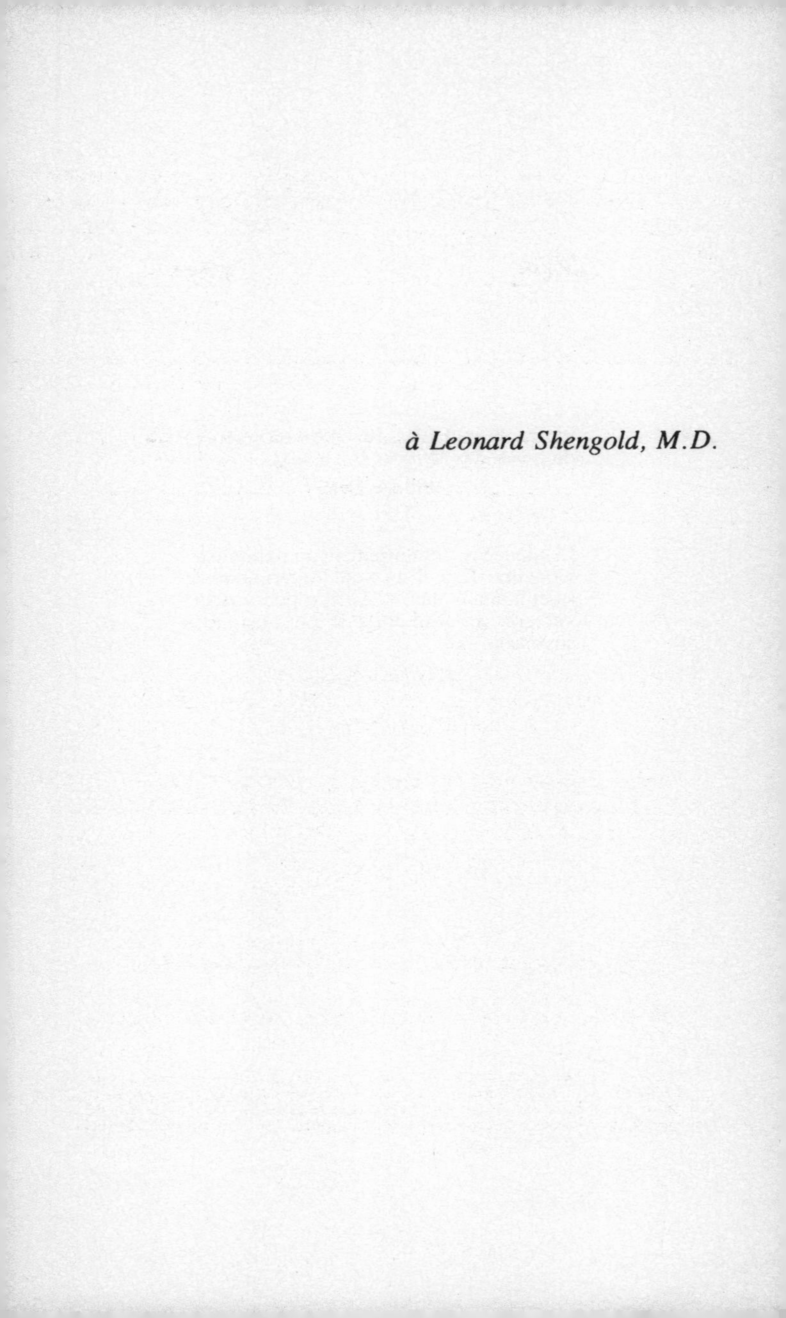

à Leonard Shengold, M.D.

Parler de maladies est un divertissement du genre des *Mille et Une Nuits*.

William Osler

Le médecin, contrairement au naturaliste, s'occupe (...) d'un seul organisme, le sujet humain, dans son effort pour préserver son identité lors de circonstances adverses.

Ivy McKenzie

Préface

« La dernière chose que l'on trouve en faisant un ouvrage est de savoir celle qu'il faut mettre la première [1] », fait observer Pascal. Aussi, ayant écrit, rassemblé et mis en ordre ces cas étranges, leur ayant choisi un titre et deux épigraphes, il me reste à examiner la nature et la raison de ce travail.

Le fait d'avoir choisi deux épigraphes et le contraste qui existe entre les deux – le contraste même qu'Ivy McKenzie a souligné entre le médecin et le naturaliste – correspondent en moi à une certaine dualité : je me sens, en effet, naturaliste *et* médecin ; les maladies m'intéressent autant que les gens ; peut-être aussi suis-je à la fois, et bien imparfaitement, théoricien et dramaturge ; le scientifique et le romantique m'attirent tout autant l'un que l'autre, et je vois sans cesse ces deux aspects dans la condition humaine, surtout dans cette quintessence de la condition humaine qu'est la maladie – les animaux attrapent certes des maladies, mais seul l'homme tombe radicalement malade.

Mon travail, ma vie se passent entièrement avec les malades – mais les malades et leurs maladies me conduisent à des pensées que je n'aurais probablement pas sans eux. Au point que je suis obligé de me demander avec Nietzsche : « La maladie ? Ne serions-nous pas presque tentés de nous demander si nous pouvons nous en passer [2]? » – et de voir les questions fondamentales qu'elle soulève. Sans arrêt, mes patients m'amè-

1. Pascal, *Pensées*, 63 (éd. 1678, XXXI, 42), Paris, Gallimard, coll. « Bibliothèque de la Pléiade », p. 1101.
2. Nietzsche, *Le Gai Savoir*, trad. fr. d'Alexandre Vialatte, Paris, Gallimard, coll. « Folio », 1987, p. 12.

nent à poser des questions et, sans arrêt, mes questions me ramènent à mes patients – aussi, dans les histoires et les études qui suivent, le va-et-vient entre les uns et les autres est-il constant.

Des études, certes ; mais pourquoi des histoires ou des cas ? Hippocrate a introduit la conception historique de la maladie, l'idée que les maladies ont un cours, depuis leurs premiers signes jusqu'à leur apogée ou crise, puis jusqu'à leur heureuse ou fatale conclusion. Hippocrate a, de cette façon, institué le récit de cas, c'est-à-dire la description, ou la peinture, de l'histoire naturelle de la maladie – ce qu'exprimait fort justement l'ancien terme de « pathographie ». Des histoires de ce genre sont des formes d'histoire naturelle, mais elles ne nous apprennent rien sur l'individu et *son* histoire ; elles ne traduisent rien de la personne, de son expérience lorsqu'elle affronte la maladie et lutte pour lui survivre. Il n'y a pas de « sujet » dans un récit de cas au sens étroit du terme ; les récits modernes font allusion au sujet en une phrase succincte (« femme albinos trisomique de vingt et un ans ») qui peut tout aussi bien s'appliquer à un rat qu'à un être humain. Pour ramener le sujet humain – le sujet humain affligé, luttant, souffrant – au centre du débat, il nous faut approfondir l'*anamnèse* jusqu'au récit ou au conte : car c'est seulement là que nous avons à la fois un « qui » et un « quoi », une personne réelle, un patient confronté à la maladie – à la réalité physique.

L'être profond du patient a beaucoup d'importance dans les sphères supérieures de la neurologie, autant qu'en psychologie ; car le patient y intervient essentiellement en tant que personne, et l'étude de sa maladie ne peut être disjointe de celle de son identité. La description de désordres de ce genre exige en fait une nouvelle discipline, que nous pouvons appeler la « neurologie de l'identité » parce qu'elle concerne les fondements neuraux du *soi*, l'éternel problème du rapport entre le cerveau et l'esprit. Il est possible que cette différence abyssale qui sépare le psychique du physique soit inévitable ; mais les études portant sur l'un et l'autre à la fois – celles qui me fascinent particulièrement et que je présente ici (en gros) – peuvent néanmoins servir à les rapprocher et nous amener à l'intersection véritable du mécanique et du vivant, au point de jonction entre les processus psychologiques et la biographie.

La relation des observations cliniques faites sur le sujet souffrant a atteint son apogée au XIXe siècle pour ensuite décliner avec l'avènement d'une science neurologique impersonnelle. Citons Louriia : « La faculté de décrire, qui était très courante chez les grands neurologues et psychiatres du XIXe siècle, a presque disparu (...) Il faut la restaurer. » Ses derniers travaux personnels, comme *Une prodigieuse mémoire* [*The Mind of a Mnemonist*] et *The Man with a Shattered World*, sont des tentatives pour ranimer cette tradition perdue. Les cas dont il est question dans ce livre renvoient donc à une ancienne tradition – celle du XIXe siècle dont parle Louriia ; celle du premier historien médical, Hippocrate –, et à cette universelle et ancestrale tradition en vertu de laquelle les patients ont toujours raconté leurs histoires aux médecins.

Les fables classiques ont des figures archétypiques – héros, victimes, martyrs, guerriers. Les patients atteints de troubles neurologiques sont tout cela à la fois – et, dans les histoires étranges racontées ici, ils sont aussi quelque chose de plus. Lequel de ces termes mythiques ou métaphoriques nous permet en effet de définir le « marin perdu » et les autres personnages insolites de ce livre ? Nous pouvons dire qu'ils sont les voyageurs de contrées inimaginables – contrées dont, autrement, nous n'aurions pas la moindre idée. C'est la raison pour laquelle leurs vies et leurs voyages me semblent relever du fabuleux, et c'est pourquoi j'ai mis l'image des « *Mille et Une Nuits* » d'Osler en épigraphe, et me suis senti obligé de parler de contes ou de fables autant que de cas. Dans des domaines de ce genre, le scientifique et le romantique tentent de se réunir – Louriia aimait à parler ici de « science romantique » : ils se réunissent à l'intersection du fait et de la fable, intersection qui est la caractéristique des vies racontées ici (comme de celles dont parle mon livre *Cinquante Ans de sommeil*).

Mais quels faits ! Quelles fables ! A quoi les comparerons-nous ? Il n'existe peut-être pas de modèles, de métaphores ou de mythes pour en parler. Peut-être le temps est-il venu de forger de nouveaux symboles et de nouveaux mythes ?

Huit chapitres de ce livre ont déjà été publiés : « Le marin perdu », « Mains », « Les jumeaux » et « L'artiste autiste » ont paru dans la *New York Review of Books* (1984 et 1985), et « Ray, le tiqueur blagueur », « Réminiscence » et « L'homme qui prenait sa femme pour un chapeau » dans la *London Review of Books* (1981, 1983, 1984) – où la version abrégée de ce dernier texte a été intitulée « Oreilles musicales ». « Au niveau » a été publié dans *The Science* (1985). L'un des tout premiers comptes rendus sur l'un de mes patients – la première version du cas de Rose R. dans *Cinquante Ans de sommeil*, qui a inspiré Harold Pinter pour la Deborah de sa pièce *Une sorte d'Alaska* – se trouve dans « Nostalgie incontinente » (publié originellement au printemps 1970 dans la revue *Lancet* sous le titre « Nostalgie incontinente provoquée par la L-DOPA »). En ce qui concerne mes quatre « Fantômes », les deux premiers ont été publiés comme « curiosités cliniques » dans le *British Medical Journal* (1984). Deux courtes histoires sont par ailleurs tirées de précédents livres : « L'Homme qui tombait de son lit » est extrait de *Sur une jambe*, et « Les visions d'Hildegarde » de *Migraine*. Les douze autres histoires sont entièrement nouvelles et encore inédites ; elles ont toutes été écrites pendant l'année 1984.

Je suis infiniment reconnaissant à mes éditeurs de l'aide précieuse qu'ils m'ont apportée ; je remercie tout particulièrement Robert Silvers de la *London Review of Books*, Kate Edgar, Jim Silberman de Summit Books à New York, et enfin Colin Haycraft de Duckworth à Londres, qui ont uni leurs efforts pour mettre au point le livre et le rendre tel qu'il est aujourd'hui.

Parmi mes collègues neurologues, je dois exprimer une gratitude particulière à feu le docteur James Purdon Martin, à qui j'ai montré des vidéos de « Rebecca » et de « Mac Gregor » et avec lequel j'ai amplement parlé de ces patients – « La femme désincarnée » et « Au niveau » expriment la dette que j'ai envers lui ; au docteur Michael Kremer, mon ancien « chef » à Londres, qui, en réponse à *Sur une jambe* (1984), a décrit un cas tout à fait similaire qu'il a pu observer – les descriptions de ces deux cas étant maintenant réunies dans « L'homme qui tombait de son lit » ; au docteur Donald Macrae, dont l'extraordinaire cas d'agnosie visuelle, presque semblable au mien, a été découvert par hasard deux ans après que j'eus achevé mon propre livre – il est cité dans un post-scriptum de « L'homme qui prenait sa femme pour un chapeau » ; plus particulièrement, enfin, à ma chère amie et collègue le docteur Isabelle Rapin, de New York, avec laquelle j'ai discuté de nombreux cas : elle m'a présenté Christina (la « femme désincarnée ») et a connu José, l'« artiste autiste », alors qu'il était tout enfant.

Je souhaite évoquer l'aide désintéressée et la générosité des patients (et, dans certains cas, de leurs familles) dont je décris ici les histoires – tout en sachant (comme c'est souvent le cas) qu'on ne pouvait les aider directement, ils m'ont néanmoins permis de raconter leurs vies et m'y ont même encouragé dans l'espoir que d'autres pourraient apprendre, comprendre et un jour, éventuellement, être en mesure de guérir. Comme dans *Cinquante Ans de sommeil*, les noms ont été modifiés ainsi que certains détails secondaires pour des raisons de secret professionnel ou personnel, mais mon but a été de rendre fidèlement la « tonalité » essentielle de leurs vies.

Enfin, je tiens à exprimer ma gratitude – et bien plus que cela – à mon mentor et médecin, auquel je dédie ce livre.

New York,
10 février 1985.

O.S.

PREMIÈRE PARTIE

Pertes

Introduction

L'expression favorite de la neurologie est « déficit » ; par ce terme, on entend une détérioration ou incapacité de la fonction neurologique : perte de parole, de langage, de mémoire, de vision, de dextérité, perte d'identité et une myriade d'autres défaillances ou pertes de fonctions ou facultés spécifiques. Pour désigner toutes ces dysfonctions (autre terme qu'on affectionne), nous avons toutes sortes de mots privatifs – aphonie, aphémie, aphasie, alexie, apraxie, agnosie, amnésie, ataxie – un mot pour chacune des fonctions neurales ou mentales dont les patients, par le biais de la maladie, d'une blessure ou d'un manque dans le développement, peuvent se trouver partiellement ou totalement privés.

L'étude scientifique de la relation entre le cerveau et l'esprit a commencé en 1861, quand Broca, en France, a découvert que les troubles spécifiques de la parole, désignés sous le terme d'« aphasie », étaient la conséquence régulière d'un dommage causé à une région précise de l'hémisphère gauche du cerveau. Cette découverte ouvrit la voie à la neurologie cérébrale, laquelle permit, en l'espace de quelques décennies, de « tracer une carte » du cerveau humain et d'attribuer des capacités spécialisées – linguistiques, intellectuelles, perceptuelles – à des « centres » également spécifiques du cerveau. Vers la fin du siècle, des observateurs plus fins – notamment Freud, dans son livre *Aphasie* – durent admettre que cette façon de cartographier le cerveau était trop simple : tous les mécanismes mentaux, en effet, ayant une structure interne compliquée, ont nécessairement une base physiologique également complexe. Freud perçut cela, tout particulièrement en ce qui concerne certains désordres de la reconnaissance et de la perception, pour lesquels il inventa le terme d'« agnosie ». Toute bonne compréhension de l'aphasie ou de l'agnosie réclamerait, pensait-il, une science nouvelle, plus sophistiquée.

La nouvelle science du cerveau et de l'esprit que Freud envisageait vit le jour durant la Seconde Guerre mondiale, en Russie ; elle fut la création conjointe de A.R. Louriia (et de son père R.A. Louriia), Leont'ev, Anokhin, Bernstein et autres, qui baptisèrent cette nouvelle science « neuropsychologie ». A.R. Louriia consacra sa vie à développer cette science infiniment prometteuse qui, si l'on songe à son importance révolutionnaire, fut plutôt lente à atteindre l'Occident. Il la développa de façon systématique dans son livre magistral intitulé *les Fonctions corticales supérieures de l'homme*, et, d'une manière tout à fait différente, dans une biographie, ou « pathographie », traduite en 1966 en anglais sous le titre *The Man with a Shattered World* [l'homme au monde disloqué]. Bien que ces livres fussent presque parfaits dans leur genre, il y avait tout un domaine que Louriia n'avait pas abordé. *Les Fonctions corticales supérieures de l'homme* traitait seulement des fonctions qui relèvent de l'hémisphère gauche du cerveau ; de même, Zazetsky, le protagoniste de *The Man with a Shattered World*, avait une très importante lésion de l'hémisphère gauche, mais le droit était intact. A vrai dire, toute l'histoire de la neurologie et de la neuropsychologie peut être considérée comme une histoire de l'hémisphère gauche. Autant il est facile de démontrer les effets des diverses lésions de l'hémisphère gauche, autant les syndromes de l'hémisphère droit sont beaucoup moins distinguables : c'est une des raisons importantes pour lesquelles on a négligé l'hémisphère droit (dit aussi « mineur » dans les traités de neurologie), et qu'on l'a supposé, généralement non sans mépris, plus « primitif » que le gauche, ce dernier étant considéré comme la fine fleur de l'évolution de l'espèce humaine. Et, en un sens, c'était vrai : l'hémisphère gauche est plus complexe et plus spécialisé ; il constitue une excroissance très tardive du cerveau du primate, et plus spécialement de l'hominidé. En revanche, c'est l'hémisphère droit qui contrôle la capacité essentielle de reconnaissance de la réalité dont toute créature vivante a besoin pour survivre. L'hémisphère gauche pourrait être comparé à un ordinateur connecté au cerveau de base de la créature, car il a pour fonction de concevoir des programmes et des schémas ; or la neurologie classique s'intéressait davantage aux schémas qu'à la réalité : c'est pourquoi, lorsque les neurologues commencèrent à observer certains syndromes liés à l'hémisphère droit, ces manifestations leur parurent si étranges.

Des tentatives avaient été faites par le passé – je pense notamment au travail d'Anton, dans les années 1890, et de Pötzl, en 1928 – pour explorer les syndromes de l'hémisphère droit, mais ces tentatives ont été étrangement ignorées. Louriia, dans *The Working Brain*, l'un de ses derniers livres, a consacré aux syndromes de l'hémisphère droit un passage court, mais fort intéressant, qui se termine ainsi :

> Ces défauts, qui n'ont encore jamais été étudiés, nous mènent à l'un des problèmes les plus fondamentaux – le rôle de l'hémisphère droit dans la conscience directe (...) Ce champ de recherche capital a été jusque-là négligé (...) Il fera l'objet d'une analyse détaillée dans une série spéciale d'articles (...) à paraître prochainement.

Louriia écrivit finalement quelques-uns de ces articles dans les derniers mois de sa vie, alors qu'il était déjà gravement malade. Il ne vit jamais leur publication, et ils ne furent du reste jamais publiés en Russie. Il les envoya à R.L. Gregory en Angleterre, et ils doivent figurer dans l'ouvrage à paraître de cet auteur : *Oxford Companion to the Mind.*

Ici, obstacles internes et externes se valent. Les patients ayant certains syndromes de l'hémisphère droit n'ont pas seulement des difficultés mais une impossibilité à reconnaître leurs propres problèmes – c'est, comme Babinski l'a appelée, une « anosagnosie » particulière et spécifique. Il est très difficile, même pour l'observateur le plus sensible, de se représenter l'état interne, la « situation » de ces patients, car elle est incroyablement éloignée de tout ce que lui-même a jamais pu connaître. Les syndromes de l'hémisphère gauche, au contraire, sont relativement plus faciles à imaginer. Bien que les syndromes de l'hémisphère droit soient aussi courants que ceux de l'hémisphère gauche – et pourquoi ne le seraient-ils pas ? – nous trouvons des milliers de descriptions des syndromes de l'hémisphère gauche dans la littérature neurologique et neuropsychologique pour une seule description d'un syndrome de l'hémisphère droit. Tout se passe comme si de tels syndromes étaient en quelque sorte étrangers à la nature même de la neurologie. Et pourtant – Louriia l'affirme – ils sont de la plus fondamentale importance. Au point qu'ils peuvent réclamer un nouveau type de neurologie, « personnaliste », ou – comme Louriia aimait à l'appeler – une science « romantique » ; car les fondements physiques de la *persona*, du soi *, sont ici livrés à notre étude. Louriia avait pensé qu'une science de ce type serait introduite au mieux par une histoire – en l'occurrence celle, détaillée, d'un homme ayant un trouble profond de l'hémisphère droit : l'histoire de ce cas serait à la fois le complément et l'opposé de « l'homme au monde disloqué ». Dans l'une des dernières lettres qu'il m'a envoyées, il écrivait : « Publiez ces histoires, même si ce sont seulement des esquisses. C'est un domaine surprenant. » Je dois avouer que mon intérêt pour ces désordres tient à ce qu'ils ouvrent ou laissent entrevoir des mondes à peine imaginés jusque-là, exigeant une neurologie et une psychologie plus larges et plus ouvertes, qui s'écartent, de façon passionnante, de la neurologie quelque peu rigide et mécaniste du passé.

Ce sont donc moins les déficits, au sens traditionnel du terme, qui ont attiré mon attention, que les désordres neurologiques affectant le soi. Ces désordres peuvent être très divers et résulter de détériorations autant que d'excès fonctionnels. Il serait bon de considérer ces deux catégories séparément. Mais il faut dire dès le début qu'une maladie n'est jamais simplement une privation ou un excès – qu'il y a toujours une réaction de la part d'un organisme ou de l'individu affecté pour restaurer, remplacer, compenser et préserver son identité, si étranges que puissent paraître les moyens de parvenir à ce résultat. Étudier ces moyens

* *The self* [*NdT*].

pour avoir une action sur eux, ainsi que sur les agressions primaires que subit le système nerveux, est une part essentielle de notre rôle de médecin. Ivy McKenzie l'a magistralement établi :

> Car qu'est-ce qui constitue une « entité-maladie » ou une « nouvelle maladie » ? Le médecin n'est pas comme le naturaliste, concerné par un large éventail d'organismes différents, théoriquement adaptés de façon moyenne à un environnement moyen, mais par un seul organisme, le sujet humain, dans son effort pour préserver son identité lors de circonstances adverses.

Cette dynamique, cet « effort pour préserver l'identité », si étranges qu'en soient les moyens ou les effets, ont été reconnus depuis longtemps en psychiatrie, et se trouvent tout spécialement associés – comme bien d'autres thèmes – à l'œuvre de Freud. Celui-ci, en effet, ne prenait pas au premier degré les délires de la paranoïa, mais il les considérait comme des tentatives, souvent maladroites, de restitution, de reconstruction d'un monde réduit à l'état de chaos. C'est dans ce même sens qu'Ivy McKenzie écrivait :

> La physiologie pathologique du syndrome parkinsonien est l'étude d'un *chaos organisé*, chaos provoqué en première instance par la destruction d'intégrations importantes et réorganisé sur une base instable au cours du processus de réhabilitation.

Cinquante Ans de sommeil était l'étude d'un « chaos organisé » engendré par une seule maladie multiforme ; de même, ce qui va suivre est une série d'études de chaos organisés, mais cette fois provoqués par des maladies très diverses.

Dans la première partie, intitulée « Pertes », le cas le plus important à mon sens est celui de « L'homme qui prenait sa femme pour un chapeau », qui est une forme d'agnosie visuelle. J'estime ce cas d'une importance fondamentale. Des cas de ce genre constituent un défi radical à l'un des axiomes les plus indéracinables de la neurologie classique – à savoir l'idée qu'une lésion cérébrale, et même *toute* lésion cérébrale, diminue ou supprime l'« attitude abstraite et catégorique » (pour employer les termes de Kurt Goldstein), réduisant l'individuel à la seule dimension de l'émotionnel et du concret. (Hughlings Jackson soutint une thèse similaire dans les années 1860.) Dans le cas du docteur P. rapporté ici, nous observons *le contraire* – un homme qui a (dans le seul domaine visuel) perdu complètement l'émotionnel, le concret, le personnel, le « réel »... et en a été réduit, de ce fait, à l'abstrait et au catégorique, avec tout ce que cela peut avoir comme conséquences particulièrement absurdes. Qu'auraient dit de *cela* Hughlings Jackson et Goldstein ? Souvent, en imagination, je leur ai demandé d'examiner le docteur P. pour leur dire ensuite : « Eh bien, messieurs ! Que dites-vous *maintenant ?* »

1

L'homme qui prenait sa femme pour un chapeau

Le docteur P. était un musicien distingué, qui s'était rendu célèbre depuis des années comme chanteur puis comme professeur à l'école de musique locale. C'est là, avec ses étudiants, que certains problèmes étranges commencèrent à apparaître. Un étudiant se présentait, et le docteur P. ne le reconnaissait pas ; ou, plus exactement, il ne reconnaissait pas son visage : c'était seulement au moment où l'étudiant parlait qu'il pouvait l'identifier d'après sa voix. Ces incidents se multipliaient et suscitaient l'embarras, la perplexité, la peur – et parfois le rire. Car, non seulement le docteur P., progressivement, ne distinguait plus les visages, mais il voyait des visages là où il n'y en avait pas : tout comme Magoo, dans la rue, tapote affectueusement les bouches d'incendie et les parcmètres en les prenant pour des têtes d'enfants, il s'adressait aimablement aux poignées sculptées des meubles et s'étonnait qu'elles ne lui répondent pas. Au début, chacun prit ces erreurs bizarres pour des plaisanteries, et le docteur P. fut le premier à en rire. N'était-il pas réputé pour avoir un sens de l'humour étrange, un goût du paradoxe ou de la plaisanterie, qui rappelait presque l'humour zen ? Ses facultés musicales étaient aussi éblouissantes qu'avant ; il ne se sentait pas malade – il ne s'était jamais senti aussi bien ; et ses erreurs étaient si ridicules – et si naïves – qu'elles pouvaient à peine être prises au sérieux. L'idée qu'il pouvait avoir « quelque chose qui n'allait pas » mit trois ans à s'imposer à son esprit, et ne lui apparut en fait pleinement que lorsqu'il se sut diabétique. Conscient que le diabète pouvait affecter ses yeux, le docteur P. consulta un ophtalmologiste qui écouta attentivement son histoire et examina soigneusement ses yeux. « Vos yeux n'ont rien, conclut le spécialiste. Mais vous avez un trouble des zones visuelles du cerveau. Vous n'avez pas besoin de moi, vous devriez voir un neurologue. » C'est ainsi que le docteur P. vint me consulter.

Il ne me fallut pas plus de quelques secondes pour m'apercevoir qu'il n'y avait pas trace chez lui de démence au sens ordinaire du terme. C'était un homme charmant et d'une grande culture, qui s'exprimait avec aisance, humour et imagination. Je ne comprenais pas pourquoi on l'avait envoyé à notre clinique.

Et pourtant, il avait quelque chose de légèrement bizarre. En parlant, il me faisait face, il était tourné vers moi, mais il y avait néanmoins quelque chose... c'était difficile à dire. Il me faisait face avec ses *oreilles,* et non avec ses yeux, en vins-je à penser. Au lieu de me regarder, de me fixer, de m'« appréhender » d'une manière normale, ses yeux se fixaient soudainement et étrangement sur moi – sur mon nez, mon oreille droite, mon menton, puis remontaient sur mon œil droit, un peu comme s'ils notaient (ou même étudiaient) ces aspects particuliers de ma personne sans voir l'ensemble de mon visage ni ses changements d'expression, sans me voir « moi », comme un tout. Je ne suis pas sûr d'avoir très bien compris cela sur le moment – j'avais simplement noté une étrangeté qui me chiffonnait, une sorte de défaut dans le jeu normal entre le regard et l'expression. Il me voyait, il me *scrutait,* et pourtant...

– Que se passe-t-il ? finis-je par lui demander.

– Rien que je sache, répliqua-t-il, mais les gens ont l'air de penser que j'ai quelque chose aux yeux.

– Mais *vous-même* ne constatez aucun problème visuel ?

– Non, pas directement, mais il m'arrive de faire des erreurs.

Je quittai la pièce un instant pour parler à sa femme. Lorsque je revins, le docteur P. était assis tranquillement près de la fenêtre, attentif ; il semblait écouter plus que regarder.

– La circulation, dit-il, les bruits de la rue, les trains dans le lointain – ils font une sorte de symphonie, vous ne trouvez pas ? Vous connaissez *Pacifique 231,* d'Honegger ?

Quel homme merveilleux ! pensais-je. Comment peut-il avoir quelque chose de sérieux ? Allait-il me permettre de l'examiner ?

– Oui, bien sûr, docteur Sacks.

Je calmai mon inquiétude, la sienne aussi peut-être, en procédant à la routine apaisante d'un examen neurologique – force des muscles, coordination, réflexes, tonus... Ce fut pendant que j'examinais ses réflexes – un rien anormal dans l'hémicorps gauche – que se manifesta la première bizarrerie. J'avais enlevé sa chaussure gauche et grattais sa plante de pied avec une clé – un test de réflexe apparemment insignifiant, mais en fait essentiel –, puis, m'excusant d'avoir à revisser mon ophtalmoscope, je l'avais laissé remettre lui-même sa chaussure. A ma surprise, une minute plus tard il ne l'avait pas encore fait.

– Puis-je vous aider ? lui demandai-je.

– Aider à quoi ? Aider qui ?

– Vous aider à remettre votre chaussure.

– Ah, dit-il, j'avais oublié la chaussure », ajoutant *sotto voce* : « La chaussure ! La chaussure ! » Il semblait déconcerté.

– Votre chaussure, lui répétai-je, peut-être devriez-vous la remettre.

Il continuait à regarder le sol, à côté de la chaussure, avec une concentration intense mais mal placée. Finalement, son regard se fixa sur son pied :

– C'est ma chaussure, n'est-ce pas ?

Avais-je mal entendu ? Avait-il mal vu ?

« Mes yeux, expliqua-t-il, et il mit la main sur son pied. Voici ma chaussure, n'est-ce pas ?

– Non, c'est votre pied. Voilà votre chaussure.

– Ah, je pensais que c'était mon pied.

Plaisantait-il ? Était-il fou ? Aveugle ? Si c'était là une de ses « étranges erreurs », c'était l'erreur la plus étrange que j'aie jamais rencontrée.

Je l'aidai pour sa chaussure (son pied) afin d'éviter d'autres complications. Le docteur P. lui-même ne semblait pas du tout troublé, plutôt indifférent, amusé peut-être. Je repris mon examen. Son acuité visuelle était bonne : il n'avait pas de difficulté à voir une épingle par terre, bien qu'il pût parfois lui arriver de ne pas la voir si elle se trouvait sur sa gauche.

Il voyait bien, mais que voyait-il ? J'ouvris un exemplaire du

National Geographic Magazine et lui demandai d'en décrire quelques photos.

Ses réponses furent très curieuses. Ses yeux sautaient d'un point à un autre, il remarquait des détails imperceptibles, comme il avait fait pour mon visage. Une brillance, une couleur, une forme arrêtaient son attention et lui tiraient un commentaire, mais en aucun cas il ne voyait une scène dans son ensemble. Il ne parvenait pas à voir le tout, mais seulement des détails qu'il enregistrait comme des taches sur un écran radar. Il ne considérait jamais l'image dans son ensemble – il n'affrontait pour ainsi dire jamais la physionomie de l'image : le paysage ou la scène n'avait pour lui aucun sens. Je lui montrai la photographie de couverture, représentant une étendue infinie de dunes sahariennes.

– Que voyez-vous ici ? lui demandai-je.

– Je vois une rivière, dit-il. Et une petite auberge avec sa terrasse sur l'eau. Des gens sont en train de dîner sur la terrasse. Je vois des parasols de couleur ici et là. Il regardait, si l'on peut dire, au-delà de la couverture, en l'air, et inventait des détails inexistants comme si l'absence de détails dans la photo en question l'avait conduit à imaginer la rivière, la terrasse et les parasols colorés.

Je devais avoir l'air consterné, mais lui semblait plutôt satisfait de ses réponses. Il y avait un début de sourire sur son visage. Il semblait aussi avoir décidé que l'examen était terminé, et commençait à chercher son chapeau. Il leva la main et attrapa la tête de sa femme, essayant de la soulever pour se la mettre sur la tête. Il avait apparemment pris la tête de sa femme pour un chapeau ! Sa femme le regarda comme si elle en avait l'habitude.

Je ne pouvais pas expliquer ce qui venait de se passer par la neurologie (ou la neuropsychologie) classique. En un certain sens, il semblait en parfait état de santé, et, en un autre, il paraissait complètement, incompréhensiblement perturbé. Comment pouvait-il à la fois prendre sa femme pour un chapeau et continuer, comme il le faisait apparemment, à exercer son métier de professeur à l'école de musique ?

Je devais y repenser et le revoir – le voir chez lui, dans son milieu familial.

Quelques jours plus tard, je rendis visite au docteur P., avec, dans ma serviette, la partition des *Dichterliebe* (je savais qu'il aimait Schumann) et divers objets pour tester ses perceptions. Madame P. me fit entrer dans un vaste appartement (qui rappelait le Berlin de la fin du XIXe siècle). Au milieu de la pièce, il y avait un magnifique Bösendorfer ancien et, tout autour, de petits porte-musique, des instruments, des partitions... Il y avait aussi des livres, des tableaux, mais la musique était au centre de tout. Le docteur P. entra, un peu voûté, et, distrait, avança en tendant la main vers l'horloge du grand-père ; au son de ma voix, il se reprit et me serra la main. Nous échangeâmes des salutations et parlâmes un peu des concerts et représentations en cours. Incertain, je lui demandai s'il voulait chanter.

– Les *Dichterliebe* ! s'exclama-t-il. Mais je ne peux plus lire la musique. Vous les jouerez, n'est-ce pas ?

Je lui dis que j'allais essayer. Sur ce merveilleux piano ancien, même mon piètre jeu semblait juste. Le docteur P. était une sorte de Fischer-Dieskau d'un certain âge, à la voix veloutée, qui alliait une oreille et une voix parfaites à une intelligence musicale des plus pénétrantes. Il était évident que l'école de musique ne lui faisait pas la charité.

Les lobes temporaux du docteur P. étaient manifestement intacts : il avait un merveilleux cortex musical. Que se passait-il, me demandais-je, dans ses lobes pariétaux et occipitaux, et en particulier dans ces zones où se déroule le processus visuel ? J'avais emporté des corps platoniques * dans ma trousse de neurologue et je décidai de commencer par là.

– Qu'est-ce donc que cela ? demandai-je en sortant le premier.

– Un cube, bien sûr.

– Et ça ? demandai-je en brandissant un autre polyèdre.

Il voulut examiner l'objet, ce qu'il fit rapidement et systématiquement :

* On attribue à Platon la découverte des polyèdres réguliers, d'où le nom de « corps platoniques » sous lequel on les désignait autrefois [*NdT*].

– Un dodécaèdre, bien sûr. Et pas la peine de vous fatiguer pour les autres – ceci est un icosaèdre.

Les formes abstraites ne lui posaient manifestement aucun problème. Mais les visages ? Je sortis un paquet de cartes. Toutes, il les identifia instantanément, y compris les valets, les dames, les rois et les jokers. Mais, après tout, il s'agissait de dessins stylisés, de sorte qu'on ne pouvait pas savoir s'il voyait des visages ou simplement des motifs. Je décidai de lui montrer un livre de caricatures que j'avais dans ma serviette. Là encore, dans l'ensemble, il vit juste. Le cigare de Churchill, le nez de Schnozzle : dès qu'il avait saisi un détail clé, il pouvait identifier le visage. Mais les caricatures, elles aussi, sont formelles et schématiques. Je me demandais comment il se débrouillerait avec des visages réels, représentés d'une manière réaliste.

J'allumai la télévision, en coupant le son, et tombai sur un vieux film de Bette Davis. C'était une scène d'amour. Le docteur P. ne put identifier l'actrice – peut-être parce qu'elle n'avait jamais fait partie de son univers. Ce qui était plus frappant, c'était qu'il ne parvenait pas à comprendre les expressions de son visage ou de celui de son partenaire, bien que, en une seule scène tumultueuse, se fussent succédé le désir fou, la passion, la surprise, le dégoût, la fureur, et, pour finir, une attendrissante réconciliation. Le docteur P. n'y comprenait rien. Il était incapable de dire ce qui se passait ou de reconnaître l'identité, ou même le sexe, des partenaires. Il commentait la scène absolument comme l'eût fait un Martien.

Il était possible, tout simplement, que certaines de ses difficultés soient liées à l'irréalité de cette sorte d'univers de Celluloïd qu'est Hollywood ; et je pensais qu'il lui serait plus aisé d'identifier des visages de personnes connues. Des photographies de sa famille, de ses collègues, de ses élèves, de lui-même étaient accrochées aux murs de son appartement : j'en rassemblai une pile et les lui présentai, non sans une certaine appréhension. Ce qui avait été drôle ou grotesque dans le cas du film devenait tragique dans la vie réelle. En fait, il ne reconnut personne : ni sa famille, ni ses collègues, ni ses élèves, ni lui-même. Il put reconnaître un portrait d'Einstein grâce à la chevelure et à la moustache caractéristiques du savant ; il en fut de même pour deux ou trois personnes. « Ah, Paul ! s'écria-t-il quand je lui montrai un portrait de son frère. Ce menton carré, ces grandes dents, je reconnaîtrais Paul où qu'il soit ! »

Mais était-ce Paul qu'il reconnaissait, ou bien deux ou trois détails de sa personne à partir desquels il pouvait raisonnablement déduire l'identité du sujet ? Car, lorsque manquaient de tels « repères » évidents, il était complètement perdu. Mais ce n'était pas simplement la capacité de reconnaître, la « gnosie », qui était défaillante ; il y avait quelque chose d'erroné dans toute sa manière de procéder. Car il abordait ces visages – même ceux de ses proches ou d'êtres chers – comme s'il s'agissait de puzzles ou de tests abstraits. Ces visages ne lui disaient rien, il ne les voyait pas. Un visage n'était pour lui qu'un ensemble de traits, un « ça » ; aucun n'avait pour lui la familiarité d'un « tu ». Il y avait donc une gnosie formelle, mais pas trace de gnosie personnelle. Et cela allait de pair avec son indifférence ou sa cécité aux expressions. Pour nous, un visage est une personne qui regarde – nous voyons, pour ainsi dire, la personne à travers sa *persona*, son visage. Mais, pour le docteur P., il n'y avait pas en réalité de *persona* – ni de *persona* extérieure, ni de personne intérieure.

En venant, je m'étais arrêté chez un fleuriste et avais acheté une extravagante rose rouge pour ma boutonnière. Je l'enlevai et la lui tendis. Il la prit comme un botaniste ou un morphologiste s'empare d'un spécimen et non comme une personne reçoit une fleur.

– Environ quinze centimètres de long, commenta-t-il. Une forme rouge enroulée avec une attache linéaire verte.

– Oui, dis-je, encourageant. Et que pensez-vous que ce soit, docteur P. ?

– Pas facile à dire. » Il semblait perplexe. « Ça manque de la simple symétrie des corps platoniques, bien que ça puisse avoir une symétrie propre... Je pense que ce pourrait être une inflorescence ou une fleur.

– Une fleur, vraiment ? demandai-je.

– Oui, confirma-t-il.

– Sentez-la », lui suggérai-je, et de nouveau il prit l'air intrigué, comme si je lui avais demandé de sentir une symétrie supérieure. Mais il s'y soumit avec courtoisie et porta la rose à son nez. Soudain, il s'anima. « C'est beau ! s'exclama-t-il. Une rose précoce. Quelle odeur divine ! » Il commença à fredonner : « *Die Rose, die Lillie...* » On aurait dit qu'il percevait la réalité de la rose par l'odorat et non par la vue.

J'essayai un dernier test. Il faisait encore froid, en ce début de printemps, et j'avais jeté mon manteau et mes gants sur le sofa.

– Qu'est-ce que c'est ? lui demandai-je en lui tendant un gant.

– Puis-je l'examiner ? me demanda-t-il alors et, me le prenant, il procéda à son examen comme s'il s'agissait d'une forme géométrique.

– Une surface continue, annonça-t-il enfin, repliée sur elle-même. Elle a l'air d'avoir [*il hésita*] cinq excroissances, si l'on peut dire.

– Oui, dis-je prudemment, vous m'avez fait une description, maintenant dites-moi ce que c'est.

– Une sorte de récipient ?

– Oui, dis-je, et que contient-il ?

– Il contient son contenu ! dit le docteur P. en riant. Il y a beaucoup de possibilités. Ce pourrait être un porte-monnaie, par exemple, destiné à des pièces de cinq tailles différentes. Ce pourrait...

J'interrompis ce discours absurde.

– Est-ce que ça ne vous est pas familier ? Pensez-vous qu'il pourrait convenir à une partie de votre corps, ou la contenir ?

Aucune lueur de reconnaissance n'apparut dans ses yeux [1].

Jamais un enfant n'aurait la faculté de voir et de parler d'une « surface continue... repliée sur elle-même », mais n'importe quel enfant reconnaîtrait immédiatement un gant, verrait en lui quelque chose de familier, l'associerait à une main. Le docteur P., non. Rien ne lui était familier. Visuellement, il était perdu dans un

1. Plus tard, il l'enfila par hasard et s'exclama : « Mon Dieu, c'est un gant ! » Cela faisait penser à « Lanuti », le patient de Kurt Goldstein, qui ne pouvait reconnaître les objets qu'en essayant de les utiliser.

monde d'abstractions inertes. Manifestement, il avait totalement perdu contact avec le monde visuel réel, de la même façon qu'il n'avait plus, pour ainsi dire, de « soi » visuel. Il pouvait parler des choses, mais il ne leur faisait pas face. Hughlings Jackson dit, à propos de patients atteints de lésions de l'hémisphère gauche et d'aphasie, qu'ils ont perdu la pensée « abstraite » et « propositionnelle » – il les compare aux chiens (ou plutôt, il compare les chiens à des patients aphasiques). Le docteur P., lui, fonctionnait exactement comme une machine. Non seulement il manifestait l'indifférence d'un ordinateur au monde visuel, mais, chose plus frappante encore, il décomposait le monde comme le fait un ordinateur, au moyen d'indices clés et de rapports schématiques. Il parvenait à identifier la combinaison – par une sorte de « portrait-robot » – sans avoir besoin d'appréhender la réalité en tant que telle.

Les tests que j'avais effectués jusque-là ne m'apprenaient rien sur l'univers intérieur du docteur P. Sa mémoire visuelle et son imagination étaient-elles encore un tant soit peu intactes ? Je lui demandai de s'imaginer en train de pénétrer dans l'un des squares situés au nord de la ville, de le traverser en mémoire ou en imagination, et de me citer les édifices devant lesquels il passait. Il énuméra tous les bâtiments qui se trouvaient sur sa droite, mais aucun sur sa gauche. Puis, je lui demandai d'imaginer qu'il entrait maintenant dans le square par le sud. De nouveau, il mentionna seulement les bâtiments situés sur sa droite, c'est-à-dire ceux-là même qu'il avait oubliés dans le premier test. Il ne « voyait » probablement plus du tout ceux qu'il avait « vus » intérieurement avant. A l'évidence, les difficultés qu'il avait avec le côté gauche, les déficits de son champ visuel, étaient tout autant internes qu'externes et divisaient à la fois sa mémoire visuelle et son imagination.

Qu'en était-il, à un échelon supérieur, de sa visualisation interne ? Pensant à l'intensité presque hallucinatoire avec laquelle Tolstoï visualise et anime ses personnages, j'interrogeai le docteur P. sur *Anna Karenine*. Il n'avait aucun mal à se rappeler les divers incidents du roman et se souvenait parfaitement de l'intrigue, mais il omettait complètement tous les détails d'ordre visuel, toutes les descriptions et les scènes liées au sens de la vue. Il se rappelait les discours des personnages, mais non leurs visages ; et pourtant, si on le lui demandait, il pouvait citer avec une mémoire remarquable, et presque mot pour mot, les descriptions visuelles originelles, même si celles-ci étaient à l'évidence presque vides de contenu pour lui et dénuées de réalité sensorielle, imaginative ou émotionnelle. Il y avait donc bien une agnosie interne [1].

Mais seulement dans certains cas, semblait-il. Certains types de visualisation étaient profondément détériorés, presque absents : notamment la visualisation des visages et des scènes, celle du narratif et du dramatique. Celle des *schémas*, en revanche, était intacte, peut-être même renforcée. Aussi, quand je l'entraînai dans une mentale partie d'échecs, il n'eut aucune difficulté à visualiser l'échiquier ou les coups – aucune difficulté à me battre à plate couture.

Louriia a dit de Zazetsky qu'il avait complètement perdu sa capacité de jouer, mais que son « imagination vive » était intacte. En fait, Zazetsky et le docteur P. vivaient dans des mondes qui étaient exactement l'opposé l'un de l'autre. Mais, parmi toutes les différences qui les séparaient, la plus triste était que Zazetsky,

1. Je me suis souvent demandé si les descriptions visuelles d'Hélène Keller *, de par leur éloquence même, ne sont pas en quelque sorte dépourvues de contenu. Ou si, par le transfert d'images du tactile au visuel, ou – plus extraordinaire encore – du verbal et du métaphorique au sensoriel et au visuel, elle n'*acquérait* pas la faculté de créer des images visuelles, quand bien même son cortex visuel n'avait jamais été directement stimulé par les yeux. Mais, dans le cas du docteur P., c'était précisément le cortex qui était atteint, c'est-à-dire le préalable organique à tout l'imaginaire pictural. Ainsi, pour prendre un exemple, il ne rêvait plus en images : le « message » du rêve était transmis en termes non visuels.

* Hélène Keller est une femme célèbre en Angleterre. Devenue sourde et aveugle à l'âge de un an, elle perdit toute possibilité de communication avec l'extérieur. Jusqu'au jour où un professeur remarquable (une certaine Miss Sullivan) lui inventa un langage par signes, qui lui permettait de communiquer avec les mains. Le premier mot qu'elle put ainsi reconnaître fut « eau » que Miss Sullivan lui marqua dans la main en lui faisant toucher un filet d'eau coulant au robinet. Le *premier* mot d'Helen, son premier concept *identifié* fut donc « eau »... Hélène Keller devint par la suite une femme éminente et fort cultivée. Elle fit le tour du monde et écrivit son autobiographie. Elle fut le premier et le meilleur exemple de ce à quoi peuvent parvenir des personnes à la fois sourdes et aveugles (c'est là le sujet de mon prochain ouvrage).

comme a dit Louriia, « se battait pour retrouver ses facultés perdues avec la ténacité indomptable d'un damné », tandis que le docteur P. ne se battait pas, car il ignorait ce qu'il avait perdu et n'avait même pas conscience d'une perte quelconque. Mais lequel était le plus tragiquement atteint, lequel était le véritable damné ? Celui qui le savait ou celui qui ne le savait pas ?

Lorsque l'examen fut terminé, madame P. nous convia à passer à table ; il y avait du café et un choix exquis de petits gâteaux. Le docteur P. attaqua les gâteaux de bon appétit, en fredonnant. Il mangeait rapidement, avec une grâce instinctive, tout en continuant à chanter. Il attirait les assiettes vers lui et se servait ici et là tout en poursuivant son gargouillis, comme s'il chantait ce qu'il mangeait. Et il ne s'interrompit brusquement que lorsqu'un coup violent, autoritaire, fut frappé à la porte. Le docteur P. s'arrêta alors de manger et s'assit à la table, glacé, immobile, le visage totalement égaré : la table qu'il voyait jusque-là, il ne la voyait plus, ne la percevait plus comme une table couverte de gâteaux. Sa femme lui versa alors du café : l'odeur chatouilla ses narines et le ramena à la réalité. Et la mélodie du repas reprit.

Comment peut-il faire quoi que ce soit, me demandai-je ? Que se passe-t-il quand il s'habille, quand il va aux toilettes, quand il prend un bain ? Je suivis sa femme dans la cuisine et lui demandai comment il faisait pour s'habiller.

– C'est comme pour manger, expliqua-t-elle, je sors ses vêtements habituels, aux endroits habituels, et il s'habille sans difficulté, en chantant. Il fait tout en chantant. Mais, s'il est interrompu et perd le fil, il s'arrête complètement, ne reconnaît plus ses vêtements – ni son propre corps. Il chante tout le temps – il y a les chants du repas, les chants de l'habillage, les chants du bain, un chant pour tout. Il ne peut rien faire sans en faire un chant.

Pendant que nous parlions, mon attention fut attirée par les tableaux accrochés aux murs.

« Oui, dit madame P., il était aussi doué comme peintre que comme chanteur. Chaque année, l'école exposait ses tableaux.

Je les observai avec curiosité – ils étaient en ordre chronologique. Toutes ses premières œuvres étaient naturalistes et réalistes, finement détaillées et concrètes ; leur atmosphère était étonnamment vivante. Puis, elles perdaient de leur éclat, devenaient moins concrètes, moins réalistes ou naturalistes, plus abstraites, voire géométriques ou cubistes. Ses dernières toiles tournaient à l'absurde, du moins à mes yeux – ce n'étaient plus que de simples lignes chaotiques et des taches de peinture. Je le fis remarquer à madame P.

– Ah, vous autres médecins, vous êtes tellement philistins ! s'exclama-t-elle. Ne voyez-vous donc pas son évolution artistique – comment il a renoncé au réalisme des premières années et progressé dans l'art abstrait, non figuratif ?

Non, ce n'est pas cela, me dis-je en moi-même (en me gardant bien d'en faire part à la pauvre Mme P.). Il était bien passé du réalisme au non-figuratif, mais ce processus était moins dû au progrès de l'artiste qu'au développement de sa pathologie – qui, ayant entre-temps évolué vers une profonde agnosie visuelle, était en train de détruire irrémédiablement toutes ses facultés d'invention et de représentation des images, tout son sens du concret et de la réalité. Ce mur de peintures était une tragique pièce à conviction pathologique, qui relevait de la neurologie et non de l'art.

Et pourtant, me demandai-je, sa femme n'avait-elle pas en partie raison ? Car il existe souvent une lutte, et parfois même une collusion, entre les pouvoirs de la pathologie et ceux de la création. Peut-être sa période cubiste aurait-elle pu donner lieu à un développement à la fois artistique et pathologique, unissant ces deux forces pour engendrer une forme originale ; ayant perdu le concret, il aurait peut-être pu gagner dans l'ordre de l'abstrait et développer une plus grande sensibilité à tous les éléments structurels que sont la ligne, la limite, le contour – et devenir une sorte de Picasso, capable de voir et de dépeindre ces organisations abstraites incluses dans le concret et normalement perdues en lui... Bien que, dans ses derniers tableaux, il n'y eût, j'en ai peur, que du chaos et de l'agnosie.

Nous retournâmes au grand salon de musique, avec le Bösendorfer au centre de la pièce ; le docteur P. était en train de grignoter la dernière tarte en fredonnant.

– Bien, docteur Sacks, me dit-il, vous avez l'air de trouver que je suis un cas intéressant. Pouvez-vous me dire ce qui, à votre avis, ne va pas, et me faire quelques recommandations ?

– Je ne peux pas vous dire ce qui ne va pas, répliquai-je, mais je vais vous dire ce qui va. Vous êtes un merveilleux musicien et la musique est votre vie. Ce que je prescrirais dans un cas comme le vôtre, c'est une vie qui soit entièrement consacrée à la musique. La musique a été au centre de votre vie, maintenant livrez-lui toute votre existence.

C'était il y a quatre ans de cela. Je ne l'ai jamais revu, mais bien souvent je me suis demandé comment il appréhendait le monde avec cette étrange perte de visualité qui était la sienne, et ce sens musical par ailleurs miraculeusement préservé. Je pense que, chez lui, la musique avait remplacé l'image. Il n'avait pas d'image corporelle, mais une musique corporelle : c'est pourquoi il pouvait se mouvoir et agir si facilement, mais pouvait en arriver à une interruption et une confusion totales dès que sa « musique intérieure » s'arrêtait. De même avec le monde extérieur... [1].

Dans *le Monde comme volonté et comme représentation,* Schopenhauer parle de la musique comme d'une « volonté pure ». Combien il aurait été fasciné par le docteur P., cet homme qui avait perdu complètement le monde comme représentation, mais l'avait intégralement conservé comme musique ou volonté.

Et cela, heureusement, dura jusqu'au bout – car, malgré la progression de son mal (une tumeur ou une dégénérescence massive de la partie visuelle du cerveau), le docteur P. vécut la musique et l'enseigna jusqu'à ses derniers jours.

1. Ainsi, comme je l'appris plus tard par sa femme, il ne pouvait pas reconnaître ses étudiants s'ils étaient assis tranquillement et n'étaient que de simples « images », mais les identifiait aussitôt qu'ils *bougeaient.* « C'est Karl, s'écriait-il, je reconnais ses mouvements, sa musique corporelle. »

POST-SCRIPTUM

Comment doit-on comprendre l'incapacité singulière du docteur P. à percevoir, à interpréter un gant comme étant un gant ? Il ne pouvait manifestement pas porter de jugement cognitif, bien qu'il fût très prolixe lorsqu'il s'agissait d'émettre des hypothèses cognitives. C'est qu'un jugement est une opération intuitive, personnelle, globale et concrète – nous « voyons » les choses les unes par rapport aux autres et par rapport à nous-mêmes. Or, c'était précisément cette disposition, cette aptitude à établir un rapport, qui manquait au docteur P. (même si son jugement, dans tous les autres domaines, était rapide et normal). Était-ce dû au manque d'information visuelle ou bien à un défaut dans le processus de l'information visuelle (explication que donnerait une neurologie classique, schématique) ? Ou bien y avait-il quelque chose qui clochait dans l'attitude du docteur P., l'empêchant de faire le rapport entre lui-même et ce qu'il voyait ?

Ces explications, ou modes d'explication, ne s'excluent pas : jouant sur des registres différents, elles peuvent toutes deux être justes et coexister. La neurologie classique l'admet d'ailleurs implicitement ou explicitement : implicitement avec Macrae, quand il juge insuffisante l'explication par des schémas défectueux ou par des défaillances des intégrations et des processus visuels, et de manière explicite avec Goldstein, quand il parle d'« attitude abstraite * ». L'attitude abstraite, qui permet la « catégorisation », manque son but dans le cas du docteur P. – peut-être aussi le concept de « jugement » en général. Le docteur P. a une attitude *abstraite* – mais rien de plus. Et c'est précisément cela, son absurde propension à l'abstraction – absurde parce que stérile – qui le rend incapable de percevoir une identité ou une particularité, incapable de jugement.

Curieusement, la neurologie et la psychologie ne parlent jamais

* *Abstract attitude* [*NdT*].

de « jugement », alors qu'elles parlent de tout le reste – pourtant, c'est justement la faillite du jugement (dans des domaines spécifiques, comme dans le cas du docteur P., ou dans le cas plus général des malades présentant le syndrome de Korsakov ou le syndrome du lobe frontal – voir, ci-dessous, les chapitres XII et XIII) qui constitue l'essence de tant de troubles neuropsychologiques. Le jugement et l'identité peuvent en faire les frais – mais la neuropsychologie ne les évoque jamais.

Et cependant, que ce soit en un sens philosophique (le sens kantien) ou en un sens empirique et évolutionniste, le jugement est notre faculté la plus importante. L'animal ou l'homme peuvent très bien fonctionner sans « attitude abstraite », mais périront rapidement s'ils sont privés de leur jugement. Le jugement est sans doute la *première* faculté du cerveau ou de la vie supérieure – même si la neurologie classique, dont les modèles ressemblent à ceux de l'informatique, l'ignore ou l'interprète mal. Et, si nous nous demandons comment on peut en arriver à une telle absurdité, nous trouvons la réponse dans les postulats et l'évolution de la neurologie elle-même. Car la neurologie classique (comme la physique classique) a toujours été mécaniste – depuis les analogies mécaniques d'Hughlings Jackson jusqu'aux analogies informatiques actuelles.

Bien sûr, le cerveau *est* une machine et un ordinateur – tout est correct dans la neurologie classique. Mais les processus mentaux qui constituent notre être et notre vie ne sont pas seulement abstraits et mécaniques, ils sont aussi personnels – et, en tant que tels, n'impliquent pas seulement l'action de classer et de catégoriser, mais aussi celle, incessante, de juger et d'éprouver. Si cela fait défaut, nous devenons comme le docteur P., pareils à des ordinateurs. Et, de la même façon, si nous supprimons des sciences cognitives tout ce qui est de l'ordre du personnel, nous *les* réduisons à quelque chose d'aussi anormal que le cas du docteur P. – et nous réduisons par là même notre appréhension du concret et du réel.

Par une sorte d'analogie, à la fois comique et terrible, nos neurologie et psychologie cognitives ne ressemblent à rien tant qu'au pauvre docteur P. ! Comme lui, nous avons besoin du concret et du réel ; et, comme lui, nous passons à côté d'eux sans les voir. Nos sciences cognitives souffrent d'une agnosie fondamentalement analogue à celle du docteur P., si bien que le cas de ce dernier peut servir d'avertissement et d'exemple – montrer ce qui arrive à une science qui évite le particulier, le personnel, tout ce qui relève du jugement, pour devenir, tel un ordinateur, entièrement abstraite.

J'ai toujours beaucoup regretté de n'avoir pas été en mesure, pour des raisons échappant à mon contrôle, de suivre son cas plus avant, que ce soit par des observations et des investigations comme celles décrites ici, ou simplement en me tenant au courant de l'évolution de sa maladie.

On craint toujours qu'un cas soit « unique », surtout s'il prend une forme aussi extraordinaire que celui du docteur P. Ce fut donc avec grand intérêt, et un plaisir non dépourvu de soulagement, que je tombai, presque par hasard – en parcourant la revue *Brain* de 1956 –, sur une description détaillée d'un cas presque similaire (ou même identique) d'un point de vue neuropsychologique, bien que la pathologie sous-jacente (une grave blessure à la tête) comme toutes les données personnelles fussent ici et là complètement différentes. Les auteurs parlent de ce cas comme « unique dans l'histoire de ce trouble » – et ils ont été évidemment stupéfaits, comme moi, de découvrir qu'il en existait un autre [1]. Voici un résumé de cet article (Macrae et Trolle 1956) accompagné de quelques citations. Les lecteurs qui le désireront pourront se reporter à l'original (voir bibliographie).

1. C'est seulement après avoir achevé ce livre que j'ai découvert qu'il existait, en fait, une littérature assez étendue sur l'agnosie visuelle en général et sur la prosopagnosie en particulier. J'ai eu récemment le grand plaisir de rencontrer le docteur Andrew Kertesz, qui a lui-même publié quelques études extrêmement détaillées sur les patients atteints de ce type d'agnosie (voir, par exemple, son article sur l'agnosie visuelle, Kertesz 1979). Le docteur Kertesz m'a parlé du cas d'un fermier qui avait contracté une prosopagnosie à la suite de laquelle il ne pouvait plus *distinguer* ses vaches les unes des autres, et d'un autre patient du même genre, gardien du Museum d'histoire naturelle, qui prenait son propre reflet pour le diorama d'un singe. Comme chez le docteur P. et chez le patient de Macrae et Trolle, c'est plus particulièrement l'animé qui fait l'objet d'une absurde erreur de perception. A.R. et H. Damasio (voir Mesulam 1985, p. 259-288 ; ou voir plus loin, p. 109) ont commencé à étudier en détail ces agnosies, ainsi que le processus visuel en général.

Leur patient était un homme de trente-deux ans qui, à la suite d'un grave accident de voiture ayant entraîné une perte de conscience de trois semaines, « s'était plaint exclusivement de son incapacité à reconnaître les visages, y compris ceux de sa femme et de son enfant ». Pas un seul visage ne lui était « familier », mais il y en avait certains qu'il pouvait tout de même identifier ; c'étaient ceux de trois de ses camarades de travail : l'un d'eux avait un tic qui le faisait cligner de l'œil, l'autre un énorme grain de beauté sur la joue et le troisième était « si grand et si maigre qu'il ne ressemblait à personne ». Macrae et Trolle font remarquer que « chacun se faisait reconnaître uniquement par la caractéristique en question ». En général (comme le docteur P.), il reconnaissait ses proches à leur voix.

Il avait même des difficultés à se reconnaître dans une glace. Macrae et Trolle le décrivent en détail :

> Dans la première phase de sa convalescence, il lui arrivait souvent de se demander, notamment en se rasant, si le visage qui le regardait était bien le sien, et, même s'il savait bien que ce ne pouvait physiquement pas en être un autre, il n'en faisait pas moins des grimaces répétées et tirait la langue « juste pour en être sûr ». En étudiant soigneusement son visage dans la glace, il commençait lentement à le reconnaître, mais « pas en un éclair », comme avant – il se repérait aux cheveux ou aux traits du visage, et à deux petits grains de beauté sur sa joue gauche.

D'une façon générale, il ne pouvait pas reconnaître les objets « en un coup d'œil », mais devait chercher et deviner d'après une ou deux caractéristiques. Il arrivait que ses conjectures soient absurdes. En particulier, notent les auteurs, l'*animé* lui posait des problèmes.

En revanche, de simples objets schématiques – ciseaux, montre, clé, etc. – ne présentaient aucune difficulté. Macrae et Trolle notent aussi : « Sa *mémoire topographique* était étrange : paradoxalement, il pouvait retrouver son chemin de la maison à l'hôpital, mais ne pouvait pas nommer les rues *en route* * [contrai-

* En français dans le texte.

rement au docteur P., il avait aussi un peu d'aphasie] et ne paraissait pas visualiser la topographie. »

Il était évident aussi que ses souvenirs visuels des gens, même s'ils remontaient à longtemps avant l'accident, étaient gravement détériorés : il lui restait la mémoire d'un comportement, voire d'un maniérisme, mais il avait perdu tout souvenir de l'apparence visuelle ou du visage. Il apparaissait également, quand on l'interrogeait avec soin, que ses *rêves* étaient dépourvus d'images visuelles. Comme dans le cas du docteur P., ce n'était pas seulement la perception visuelle qui chez ce patient était endommagée, mais aussi l'imagination et la mémoire visuelle, les facultés fondamentales de représentation visuelle – du moins pour ce qui, en elles, relève du personnel, du familier, du concret.

Une dernière touche, humoristique. Si le docteur P. pouvait prendre sa femme pour un chapeau, le patient de Macrae et Trolle était tout aussi incapable de reconnaître sa femme et avait besoin qu'elle se fasse reconnaître par un *signe* visuel, « ...un détail d'habillement qui se remarque, comme par exemple un grand chapeau ».

2

Le marin perdu [1]

> Il faut commencer à perdre la mémoire, ne serait-ce que par bribes, pour se rendre compte que cette mémoire est ce qui fait toute notre vie. Une vie sans mémoire ne serait pas une vie (...) Notre mémoire est notre cohérence, notre raison, notre sentiment, et même notre action. Sans elle, nous ne sommes rien (...) (Je ne peux qu'attendre l'amnésie finale, celle qui effacera une vie entière, comme cela s'est passé pour ma mère...) (Luis Buñuel [2]).

Ce passage effrayant et émouvant tiré des Mémoires de Buñuel pose des questions fondamentales, qui sont de nature à la fois clinique, pratique, existentielle et philosophique : quelle sorte de vie (si l'on peut parler de vie), quelle sorte de monde, de soi, peuvent être préservés chez un homme qui a perdu une grande part de sa mémoire et, avec elle, son passé et son ancrage dans le temps ?

J'ai immédiatement pensé à l'un de mes patients qui est

1. Après avoir écrit et publié cette histoire, j'entrepris, en collaboration avec le docteur Elkhonon Goldberg (élève de Louriia et éditeur de l'édition originale russe de son œuvre *The Neuropsychology of Memory*), une étude neuropsychologique serrée et systématique à propos de ce patient. Le docteur Goldberg avait exposé certaines découvertes préliminaires au cours de conférences, et nous espérons un jour en publier les résultats complets. Un film extraordinaire et singulièrement émouvant *(Prisoner of Consciousness)*, réalisé par le docteur Jonathan Miller sur un patient atteint d'amnésie profonde, vient de sortir en Angleterre (septembre 1986). Un autre film a été réalisé par Hilary Lawson sur un patient qui ressemble beaucoup au docteur P. Ce genre de film est précieux pour soutenir notre imagination : « Ce qui peut être montré ne peut pas être dit. »

2. Luis Buñuel, *Mon Dernier Soupir*, Paris, R. Laffont, 1982.

l'illustration même de ces questions : Jimmie G., homme charmant, intelligent, amnésique, fut admis dans notre Institut pour personnes âgées près de New York au début de 1975, avec cette note de transfert sibylline : « Abandonné, dément, confus et désorienté. »

Jimmie était un bel homme aux cheveux gris, foisonnants et bouclés ; à quarante-neuf ans, il respirait la santé, il était gai, amical, chaleureux.

– Salut, docteur ! dit-il en entrant. Belle matinée ! Je peux m'asseoir là ? » C'était un homme cordial, prêt à parler et à répondre à toutes mes questions. Il me donna son nom et sa date de naissance, et évoqua la petite ville, dans le Connecticut, où il était né. Il me la décrivit avec des détails qui disaient son attachement à ce lieu et en dessina même le plan. Il parla des maisons où sa famille avait vécu – il se souvenait encore de leur numéro de téléphone. Il parla de sa période scolaire, des amis qu'il avait à cette époque, de son goût pour les mathématiques et les sciences. Il évoqua avec enthousiasme le temps qu'il avait passé dans la Marine – il avait alors dix-sept ans et sortait tout juste du lycée, lorsqu'il fut incorporé en 1943. Avec ses talents d'ingénieur – c'était un radio et un électronicien né – et après un cours accéléré au Texas, il se retrouva assistant-radio sur un sous-marin. Il se rappelait les noms des différents sous-marins sur lesquels il avait servi, leurs missions, leurs lieux de stationnement, les noms de ses compagnons de bord. Il se rappelait le morse et savait encore envoyer des messages ; il connaissait aussi la dactylographie.

Une jeunesse intéressante et bien remplie, qu'il se remémorait d'une façon vivante, en détail et avec attachement. Mais, à partir de là, pour je ne sais quelle raison, ses réminiscences s'arrêtaient. Il se souvenait de son temps de guerre et de son service, de la fin de la guerre et de ses projets d'avenir, les revivant presque. Il s'était pris d'affection pour la Marine, et pensait qu'il pourrait y rester. Mais, avec le *G.I. Bill* * et un soutien, il sentait qu'il

* *G.I. Bill* : aide financière allouée aux anciens combattants américains [*NdT*].

ferait mieux d'entrer au collège. Son frère aîné suivait une école de comptabilité et s'était fiancé à une fille qui était une « vraie beauté » de l'Oregon.

Quand il s'agissait de se rappeler, de revivre les événements, Jimmie était très animé ; il ne donnait pas l'impression de parler du passé mais plutôt du présent, et je fus très frappé par son changement de temps lorsqu'il passait des souvenirs de sa scolarité à ceux de sa période dans la Marine : il avait employé le passé, il employait maintenant le présent – et il ne s'agissait pas, me semblait-il, du présent formel ou fictif du souvenir, mais du présent actuel de l'expérience immédiate.

Un brusque, invraisemblable soupçon me saisit.

– En quelle année sommes-nous, monsieur G. ? demandai-je en dissimulant ma perplexité sous un air désinvolte.

– Quarante-cinq, mon gars. Pourquoi ?

Il continua :

« Nous avons gagné la guerre, Roosevelt est mort. Truman est à la barre. L'avenir nous appartient.

– Et vous, Jimmie, quel âge avez-vous donc ?

Chose curieuse, il hésita un moment comme s'il calculait.

– Voyons, je dois avoir dix-neuf ans, docteur. J'aurai vingt ans au prochain anniversaire.

Regardant l'homme aux cheveux gris qui se tenait en face de moi, j'eus une impulsion que je ne me suis jamais pardonnée – et qui eût été le summum de la cruauté si Jimmie avait eu la possibilité de s'en souvenir.

– Là, dis-je, et je lui tendis une glace. Regardez dans la glace et dites-moi ce que vous voyez. Est-ce bien quelqu'un de dix-neuf ans que vous voyez dans la glace ?

Il pâlit brusquement et agrippa les bords de la chaise.

– Mon Dieu, dit-il dans un souffle, Dieu, que se passe-t-il ? Que m'est-il arrivé ? C'est un cauchemar ? Je suis fou ? C'est une blague ?

Il était affolé, hors de lui.

– Ça va, Jimmie, dis-je avec douceur. C'est une erreur. Aucune raison de s'inquiéter, hein ! » Je l'amenai vers la fenêtre. « N'est-ce pas une belle journée de printemps ? Regardez les enfants qui jouent au base-ball ! » Il reprit des couleurs et recommença à sourire ; je m'éloignai furtivement en emportant l'odieux miroir.

Deux minutes plus tard, je rentrai dans la pièce. Jimmie était toujours debout près de la fenêtre, regardant avec plaisir les enfants jouer au base-ball en contrebas. Il se retourna quand j'ouvris la porte et son visage prit une expression enjouée.

– Bonjour, docteur ! dit-il. Belle matinée ! Vous voulez vous entretenir avec moi ? Je m'assieds là ?

Son visage franc et ouvert n'exprimait pas le moindre signe de reconnaissance.

– Est-ce que nous nous sommes déjà rencontrés, monsieur G. ? demandai-je d'un air détaché.

– Non, je ne crois pas. Quelle barbe vous avez ! Je ne vous aurais pas oublié, docteur.

– Pourquoi m'appelez-vous « docteur » ?

– Eh bien, vous êtes un docteur, non ?

– Oui, mais, si vous ne m'avez jamais rencontré, comment savez-vous ce que je suis ?

– Vous parlez comme un docteur. Je vois bien que vous êtes un docteur.

– Eh bien, vous avez raison, j'en suis un. Je suis le neurologue, ici.

– Neurologue ? Il y a quelque chose qui ne va pas avec mes nerfs ? Et « ici », où est-on, « ici » ? Quel est cet endroit ?

– J'allais vous poser la question. Où pensez-vous être ?

– Je vois des lits et des malades partout. On dirait une sorte d'hôpital. Mais, Bon Dieu, qu'est-ce que j'irais faire à l'hôpital, au milieu de tous ces gens bien plus âgés que moi ? Je me sens bien, je suis fort comme un bœuf. Je travaille ici, n'est-ce pas ? Quel est mon travail ?... Non, vous secouez la tête, je vois dans vos yeux que je ne travaille pas ici, on m'a mis ici. Suis-je un patient, suis-je malade sans le savoir, docteur ? C'est épouvantable, c'est dingue... C'est peut-être une plaisanterie ?

– Vous ne savez pas de quoi il s'agit ? Vraiment pas ? Vous vous souvenez de m'avoir raconté votre enfance dans le Connecticut, votre travail comme radio à bord d'un sous-marin ? Et comment votre frère s'est fiancé à une fille de l'Oregon ?

– Oui, vous dites vrai. Sauf que ce n'est pas moi qui vous ai raconté ça, je ne vous ai jamais rencontré de ma vie. Vous avez sans doute lu ça sur ma fiche.

– Bon. Je vais vous raconter une histoire. Un homme va voir son docteur en se plaignant de trous de mémoire. Le docteur lui pose quelques questions de routine et lui dit : « Alors ? Et ces lacunes ? – Quelles lacunes ? » demande le patient.

– Alors c'est ça mon problème, dit Jimmie en riant. C'est à peu près ce que je pensais. Il se trouve que j'oublie des choses de temps en temps – des choses qui viennent de se passer. Pourtant, le passé est clair.

– Me permettez-vous de vous examiner, de faire quelques tests ?

– Bien sûr, dit-il avec cordialité. Tout ce que vous voudrez.

Les tests d'intelligence prouvèrent qu'il était remarquablement doué. Il était vif, observateur, très logique, et n'avait aucune difficulté à résoudre des problèmes ou des énigmes complexes – à condition que ces opérations puissent être accomplies rapidement. S'il fallait du temps, il oubliait ce qu'il était en train de faire. Il était bon et rapide au morpion, astucieux et agressif au jeu de dames – il n'eut aucun mal à me battre. En revanche, il perdit aux échecs, car le jeu était trop lent.

Pour en revenir à sa mémoire, j'étais en présence d'une extrême et exceptionnelle perte de mémoire immédiate – tout ce que l'on pouvait lui dire ou lui montrer avait toutes les chances d'être oublié en l'espace de quelques secondes. Ainsi, je posai ma montre, ma chaîne et mes lunettes sur le bureau, les cachai et lui demandai de s'en souvenir. Puis, après une minute de conversation, je lui demandai de me dire ce que j'avais mis sous la nappe. Il ne se souvint de rien – ou du moins de rien de ce que je lui avais demandé de retenir. Je répétai le test, en lui demandant cette fois d'écrire les noms des trois objets ; de nouveau il oublia, et, quand je lui montrai le papier sur lequel il avait écrit, il fut étonné et me dit qu'il n'avait aucun souvenir d'avoir écrit quelque chose, tout en reconnaissant qu'il s'agissait bien de son écriture ; finalement, il admit timidement qu'il avait dû écrire ces noms.

Il avait parfois de vagues réminiscences, pâles échos ou impressions familières. Ainsi, cinq minutes après avoir joué au morpion avec moi, il reconnaissait qu'« un docteur » avait joué « quelque temps auparavant » à ce jeu avec lui – que le « quelque temps auparavant » fût de l'ordre de quelques minutes ou de plusieurs mois, il n'en avait pas la moindre idée. Après une pause, il me dit : « Ça aurait pu être vous ! » Lorsque je lui dis que c'était moi, il sembla amusé. Cet amusement et cette légère indifférence étaient très caractéristiques, comme l'étaient les cogitations embrouillées auxquelles il devait se livrer du fait qu'il était si désorienté dans le temps. Quand je demandai à Jimmie à quelle époque de l'année nous étions, il chercha immédiatement un indice autour de lui – je pris soin de retirer le calendrier de mon bureau – et réussit à trouver approximativement la saison en regardant par la fenêtre.

Ce n'était apparemment pas faute d'enregistrer les faits dans sa mémoire, mais parce que les traces qui s'y déposaient, fugitives à l'extrême, s'effaçaient en l'espace d'une minute, souvent même moins que cela, surtout si des stimuli distrayants ou contraires intervenaient, tandis que ses facultés intellectuelles et perceptuelles étaient intactes et même remarquables.

Les connaissances scientifiques de Jimmie étaient celles d'un brillant bachelier, il avait des dispositions pour les mathématiques et les sciences. Il était excellent en calculs arithmétiques (et algébriques), à condition que ceux-ci puissent être exécutés en un clin d'œil ; si les étapes étaient nombreuses, si trop de temps se passait, il oubliait où il en était et pouvait même oublier la question. Il connaissait les éléments chimiques, les comparait, en dressait le tableau périodique – mais oubliait les transuraniens.

– Est-ce complet ? demandai-je quand il eut fini.

– C'est complet et à jour, monsieur, autant que je sache.

– Vous ne connaissez pas d'autres éléments au-delà de l'uranium ?

– Vous voulez rire ? Il y a quatre-vingt-douze éléments et l'uranium est le dernier.

Je marquai un temps et feuilletai le *National Geographic* sur la table.

– Dites-moi quelles sont les planètes, dis-je, et ce que vous savez sur elles.

Sans hésiter, sûr de lui, il me donna les noms des planètes, les dates de leurs découvertes, leur distance par rapport au Soleil, l'estimation de leur masse, leurs traits distinctifs et leur gravité.

– Qu'est-ce que c'est que ça ? demandai-je, en lui montrant une photo dans la revue que je tenais.

– C'est la Lune, répliqua-t-il.

– Non, ce n'est pas la Lune, répondis-je. C'est une image de la Terre prise de la Lune.

– Vous plaisantez, docteur ! Il aurait fallu apporter un appareil photo là-haut !

– Naturellement.

– Bon Dieu, vous plaisantez – comment serait-ce possible ?

A moins qu'il ne fût un acteur consommé, un imposteur simulant la surprise, c'était la preuve ultime du fait qu'il vivait encore dans le passé. Ses mots, ses sentiments, l'innocence de son étonnement, l'effort qu'il faisait pour donner un sens à ce qu'il voyait, étaient ceux d'un jeune homme des années quarante confronté à l'avenir, à ce qui n'était pas encore arrivé et était à peine imaginable. « Cela, plus que tout, écrivis-je dans mes notes, me persuade de l'authenticité de la coupure qui s'est produite aux alentours de 1945 (...) Ce que je lui ai montré et ce que je lui ai dit a provoqué chez lui une véritable stupéfaction qui aurait pu être celle d'un jeune homme intelligent de l'ère pré-spatiale. »

Je trouvai une autre photo dans la revue et l'avançai vers lui.

– C'est un porte-avions, dit-il. Un modèle vraiment ultra-moderne. Je n'en ai jamais vu de pareil.

– Comment s'appelle-t-il ? demandai-je.

Il jeta un coup d'œil au bas de la page, parut déconcerté et dit : « Le *Nimitz !* »

– Et alors ?

– Tonnerre ! répliqua-t-il vivement. Je les connais tous par leurs noms, et je ne connais pas de *Nimitz*... Bien sûr, il y a un amiral Nimitz, mais je n'ai jamais entendu dire qu'ils avaient donné ce nom à un porte-avions.

Il jeta la revue par terre avec rage.

La fatigue, l'angoisse, voire la colère le gagnaient : il était soumis à la pression constante de son anomalie, de la contradiction de cette anomalie par la réalité, avec les implications effrayantes de cette situation, dont il ne pouvait être totalement inconscient. Sans le vouloir, je l'avais déjà acculé à la panique, et je sentais qu'il était temps de mettre fin à notre séance. Nous trouvâmes à nouveau une diversion du côté de la fenêtre en regardant le terrain de base-ball éclairé par le soleil ; à sa vue, son visage se détendit, il oublia le *Nimitz,* la photo satellite, ces insinuations et autres horreurs, et s'absorba dans la contemplation du jeu qui se déroulait en contrebas. Puis, comme une odeur appétissante arrivait de la salle à manger, ses narines frémirent. Il dit : « C'est l'heure du déjeuner ! », sourit et prit congé.

L'émotion m'étreignait – c'était à fendre l'âme ; il y avait quelque chose d'absurde, de profondément troublant à voir cette vie égarée dans les limbes, cette vie en train de se dissoudre.

« Il est pour ainsi dire prisonnier d'un moment unique de son existence, écrivis-je dans mes notes, avec un fossé ou un hiatus d'oublis tout autour (...) C'est un homme sans passé (ni avenir), enlisé dans un moment constamment changeant, vide de sens. » Et, plus prosaïquement : « Le reste de l'examen neurologique est entièrement normal. Mon impression est qu'il s'agit probablement du syndrome de Korsakov, dû à une dégénérescence des tubercules mamillaires liée à l'alcoolisme. » Mes notes étaient un étrange mélange de faits et d'observations, relevés avec soin et détails, auxquels s'ajoutaient d'irrépressibles méditations sur ce que peuvent « signifier » de tels problèmes, eu égard à l'identité, à l'état et à la situation de ce pauvre homme – si tant est qu'on puisse parler d'une « existence » dans le cas d'une absence de mémoire et de continuité aussi radicale.

Dans ces notes et les suivantes, je continuai de me poser des questions – non scientifiques – sur cette « âme perdue », me demandant comment on pourrait rétablir une sorte de continuité, donner quelques racines à cet homme sans racines ou enraciné dans un lointain passé.

« Seulement connecter » – mais comment pourrait-il se reconnecter, et comment pourrions-nous l'aider à le faire ? En quoi consistait une vie déconnectée ? « Je peux m'aventurer à affirmer, écrivait Hume, que nous ne sommes rien d'autre qu'un faisceau ou une collection de perceptions différentes, se succédant avec une rapidité inconcevable, et qui sont dans un flux et un mouvement perpétuels [1]. » En un sens, il était devenu un être « humien » – je ne pouvais m'empêcher de penser que Hume aurait été fasciné de voir en Jimmie l'incarnation de sa propre « chimère » philosophique, la terrible réduction d'un homme à un simple flux ininterrompu, privé de toute connexion ou cohérence.

La littérature médicale m'apporterait peut-être une aide ou un conseil – littérature qui, pour une raison ou une autre, était en grande partie russe, qu'il s'agisse de la thèse originale de Korsakov (Moscou, 1887) sur des cas analogues de perte de mémoire, aujourd'hui encore appelés « syndromes de Korsakov », ou de l'ouvrage fondamental de Louriia, dont la traduction anglaise *(The Neuropsychology of Memory)* fut publiée seulement un an après que j'ai vu Jimmie pour la première fois. En 1887, Korsakov écrivait :

> C'est presque exclusivement la mémoire des événements récents qui est perturbée. Il semble que les impressions récentes disparaissent, tandis que les impressions lointaines restent bien fixées dans la mémoire, de sorte que l'ingéniosité du patient, son acuité d'esprit, ses ressources restent en grande partie intactes.

Presque un siècle de recherches s'est ajouté aux observations brillantes, quoique assez minces, de Korsakov – la plus féconde et la plus profonde de ces recherches étant de loin celle de Louriia. Louriia sut parler de ce drame pathétique de la perte radicale de mémoire : avec lui, la science se faisait poésie. « On peut toujours observer chez ces patients, écrivait-il, de graves troubles dans l'organisation des impressions laissées par les événements et de leur succession dans le temps. Ils perdent leur

1. Hume, *Traité de la nature humaine*, livre I, quatrième partie, section VI, trad. fr. d'André Leroy, Paris, Aubier-Montaigne, 1968.

expérience intégrale du temps et commencent à vivre dans un univers d'impressions isolées. » Comme Louriia l'a noté, l'éradication des impressions (et leur désordre) peut avoir un effet rétrograde dans le temps – « dans les cas les plus graves – et même atteindre des événements relativement éloignés ».

La plupart des patients de Louriia décrits dans ce livre avaient des tumeurs cérébrales importantes et graves, dont les effets étaient identiques à ceux du syndrome de Korsakov, mais qui, par la suite, s'étendaient et leur étaient souvent fatales. Louriia ne citait aucun cas de syndrome de Korsakov « simple », impliquant cette destruction limitée que décrivait Korsakov – destruction de neurones, provoquée par l'alcool, dans les infimes mais pourtant essentiels tubercules mamillaires, le reste du cerveau restant parfaitement intact. Aussi, les cas de Louriia n'étaient-ils pas susceptibles d'avoir une suite à long terme.

J'avais d'abord été très embarrassé et sceptique, voire méfiant, au sujet de cette coupure apparemment brutale de 1945, un point, une date si symboliquement précise. J'écrivis la note suivante :

> Il y a un grand blanc. Nous ne savons pas ce qui s'est passé à ce moment-là – ni plus tard... Nous devons demander à son frère, à la Marine ou aux hôpitaux où il a séjourné, de combler ces « années manquantes »... Aurait-il subi un énorme traumatisme cérébral ou émotionnel au combat, à la guerre, et cela l'aurait-il affecté pour toujours ?... La guerre avait-elle été l'« apogée », le dernier moment de sa vie où il fut réellement vivant, et l'existence aurait-elle été depuis pour lui une longue stagnation [1] ?

1. Dans son fascinant récit oral *The Good War* (1985), Studs Terkel raconte les histoires de tous ces hommes et femmes, ces combattants surtout, qui vécurent la Seconde Guerre mondiale comme un moment intensément réel – de loin le temps le plus réel et significatif de leur vie –, de sorte que tout ce qu'ils ressentirent après leur parut très terne. Ces hommes tendent à s'appesantir sur la guerre et à revivre ses batailles, sa camaraderie, ses certitudes et son intensité. Mais cet appesantissement sur le passé accompagné d'une relative hébétude envers le présent – ce ternissement émotionnel des sentiments habituels et de la mémoire – ne ressemble en rien à l'amnésie organique de Jimmie. J'ai eu récemment

Nous lui fîmes passer différents examens (électroencéphalogramme, scanner du cerveau) qui ne mirent en évidence aucun dégât cérébral majeur, ni ne dépistèrent d'atrophie des petits tubercules mamillaires. Nous reçûmes des rapports signalant qu'il était resté dans la Marine jusqu'en 1965, et qu'il était parfaitement compétent à cette époque.

Ensuite, nous trouvâmes un bref et mauvais rapport de l'hôpital Bellevue, daté de 1971, disant qu'il était « totalement désorienté et présentait un syndrome cérébral organique avancé dû à l'alcool » (la cirrhose avait déjà fait son apparition à cette époque). De Bellevue, on l'avait envoyé dans un misérable dépotoir du Village, une soi-disant « maison de santé », d'où notre hospice l'avait sorti pouilleux, mourant de faim, en 1975.

Nous retrouvâmes son frère, dont Jimmie continuait de dire qu'il était dans une école de comptabilité et fiancé à une fille de l'Oregon. En fait, le frère avait épousé ladite fille de l'Oregon, était devenu père et même grand-père, et avait travaillé comme agent comptable pendant trente ans de sa vie.

Là où nous nous attendions à beaucoup d'informations – et d'émotions –, nous ne reçûmes de son frère qu'une lettre courtoise et, somme toute, assez mince. A sa lecture il apparaissait – surtout entre les lignes – que les deux frères s'étaient très peu vus depuis 1943 et qu'ils avaient suivi des chemins divergents, non seulement à cause des aléas de leurs lieux d'habitation et de leurs métiers, mais aussi à cause de différences plus profondes (même s'ils ne s'étaient pas brouillés pour autant). Jimmie, semblait-il, ne s'était jamais « rangé », il était « insouciant » et « buveur invétéré ». Son frère pensait que la Marine lui avait donné une structure, une vie, et que les véritables problèmes étaient survenus lorsqu'il l'avait quittée en 1965. Privé de sa structure et de son ancrage habituels, Jimmie avait cessé de travailler, il avait « éclaté en morceaux », et avait commencé à beaucoup boire. A ce moment-là, au milieu

---

l'occasion de discuter de la question avec Terkel : « J'ai rencontré des milliers d'hommes, me dit-il, qui n'ont fait que " passer le temps " depuis 1945 – mais je n'ai jamais rencontré quelqu'un pour qui le temps s'est arrêté, comme pour votre Jimmie amnésique. »

et surtout à la fin des années soixante, des altérations de la mémoire du type Korsakov avaient fait leur apparition, mais elles n'étaient pas graves au point que Jimmie ne puisse y « faire face » avec sa nonchalance habituelle.

Son alcoolisme s'aggrava encore en 1970. Aux alentours de Noël, cette année-là, aux dires de son frère, il était soudain « sorti de ses gonds » : l'excitation et la confusion l'avaient gagné, jusqu'au délire – c'était à ce moment-là qu'on l'avait amené à Bellevue. Excitation et délire se calmèrent dans les mois qui suivirent, mais il lui restait d'étranges et profonds trous de mémoire, des « déficits » pour employer le jargon médical. Son frère lui avait rendu visite à ce moment-là – ils ne s'étaient pas vus depuis trente ans – et, à sa grande épouvante, non seulement Jimmie ne le reconnut pas, mais de surcroît il lui dit : « Arrêtez de plaisanter ! Vous êtes assez âgé pour être mon père. Mon frère est un jeune homme qui vient d'entrer dans une école de comptabilité. »

Ces informations accrurent mon embarras : pourquoi Jimmie ne se souvenait-il pas de ses dernières années dans la Marine, pourquoi ne pouvait-il se rappeler ni ordonner ses souvenirs jusqu'en 1970 ? Je n'avais pas entendu dire que ce genre de patients pouvait avoir des amnésies rétrogrades (voir post-scriptum). « Je me demande de plus en plus, écrivis-je à ce moment-là, s'il n'y a pas un élément d'hystérie ou une fuite amnésique – s'il n'essaie pas de fuir quelque chose de trop horrible pour pouvoir s'en souvenir », et je suggérai de le montrer à notre psychiatre. Le rapport de celle-ci fut très fouillé et détaillé – l'examen comprenait un test à l'amytal, destiné à « libérer » des souvenirs qui pourraient être refoulés. Elle essaya aussi d'hypnotiser Jimmie dans l'espoir de faire surgir des souvenirs réprimés par l'hystérie – ce qui marche souvent pour les cas d'amnésie hystérique. Mais ce fut un échec, car on ne parvenait pas à hypnotiser Jimmie, non à cause d'une « résistance », mais parce que son extrême amnésie l'amenait à perdre le fil de ce que l'hypnotiseur était en train de dire. (Le docteur Homonoff, qui travaillait à l'hôpital de la Veterans Administration de Boston, m'a parlé d'expériences semblables : selon lui, il s'agit d'un trait tout à fait caractéristique des patients présentant un syndrome de Korsakov, contrairement à ceux qui ont une amnésie hystérique.)

« Je n'ai ni l'impression ni la preuve qu'il s'agisse d'un déficit " acquis " ou de nature hystérique, écrivait la psychiatre. Il lui manque à la fois les moyens et les raisons de se construire une façade. Ses défaillances de mémoire sont organiques, permanentes et incorrigibles, mais c'est étonnant qu'elles remontent à si loin. » Depuis qu'il n'était plus « concerné », pensait-elle, « ...il ne manifestait aucune angoisse particulière (...) il n'avait pas de difficulté à mener sa vie », elle ne pouvait rien proposer et ne voyait aucun « accès » ou « levier » thérapeutique.

Parvenu à ce point et persuadé qu'il s'agissait d'un pur Korsakov, nullement compliqué de facteurs affectifs ou organiques, j'écrivis à Louriia pour lui demander son avis. Dans sa réponse, il me parlait de son patient Bel [1], dont l'amnésie avait rétroactivement supprimé dix années de vie. Il me dit qu'il ne voyait aucune raison à ce qu'une amnésie rétrograde de ce genre n'annule des dizaines d'années, ou même presque une vie entière... « Je ne peux qu'attendre l'amnésie finale, écrit Buñuel, celle qui peut effacer une vie entière. » Mais l'amnésie de Jimmie, pour une raison inconnue, avait effacé la mémoire et le temps depuis 1945, brutalement, puis s'était arrêtée. De temps en temps, il se rappelait quelque chose de beaucoup plus récent, mais le souvenir était fragmentaire, disloqué dans le temps. Un jour, par exemple, voyant le mot « satellite » dans le titre d'un journal, il dit avec désinvolture qu'il avait été associé à un projet de dépistage par satellite lorsqu'il était à bord du *Chesapeake Bay* : ce fragment de souvenir remontait au début ou au milieu des années soixante. Mais, pour tout ce qui était d'ordre pratique, son point de rupture se situait au milieu (ou à la fin) des années quarante, et tout ce qui faisait retour au-delà de cette date était fragmentaire, sans lien. C'était le cas en 1975, c'est encore le cas aujourd'hui, neuf ans plus tard.

1. Voir A.R. Louriia, *The Neuropsychology of Memory*, New York, 1976, p. 250-252.

Que pouvions-nous faire ? Que devions-nous faire ?

> Il n'y a aucune prescription, écrivait Louriia, dans un cas comme celui-ci, faites ce que votre ingéniosité et votre cœur vous suggèrent. Il n'y a pour ainsi dire pas d'espoir qu'il retrouve la mémoire. Mais un homme n'est pas seulement une mémoire : il a une sensibilité, une volonté, des sentiments, une dimension morale – toutes choses dont la neuropsychologie ne peut parler. Et c'est à cet endroit, au-delà du champ d'action d'une psychologie non personnelle, que vous pouvez trouver des moyens de le toucher et de modifier son état. Et vos conditions de travail vous le permettent particulièrement, car vous travaillez dans un hospice, ce qui est un monde clos, tout à fait différent des cliniques et des institutions où j'exerce. D'un point de vue neuropsychologique, vous ne pouvez pas grand-chose ; mais, sur le plan de l'individuel, vous pouvez faire beaucoup.

Louriia évoquait le cas de l'un de ses patients, Kur, qui faisait preuve d'une rare conscience de soi et chez lequel l'irrémédiable s'alliait à une singulière équanimité. « Je n'ai pas la mémoire du présent, aurait dit Kur. Je ne sais pas ce que je viens de faire, ni d'où je viens (...) Je peux fort bien me rappeler le passé, mais je n'ai aucune mémoire du présent. » Quand on lui demandait s'il avait déjà vu la personne qui était en train de l'examiner, il répondait : « Je ne peux dire ni oui ni non, de même que je ne peux ni affirmer ni nier que je vous ai déjà rencontré. » C'était parfois le cas avec Jimmie ; et, tout comme Kur qui était resté de nombreux mois dans le même hôpital, Jimmie commença à éprouver des « impressions familières » ; il apprit lentement à retrouver son chemin dans la maison – l'emplacement de la salle à manger, de sa chambre, des ascenseurs, des escaliers ; en un sens, il reconnaissait aussi certains membres du personnel, bien qu'il les confondît – ce qui était peut-être nécessaire – avec des gens du passé. Il se prit rapidement d'affection pour la sœur infirmière de la maison ; il reconnaissait immédiatement sa voix, le bruit de ses pas, mais il ne cessait de dire qu'elle avait été une de ses camarades de lycée, et se montrait très surpris que je m'adresse à elle comme à une « sœur ».

– Ça alors ! s'exclamait-il, quelle drôle de surprise ! je n'aurais jamais pensé que vous étiez religieuse, ma sœur !

Depuis qu'il est arrivé chez nous – au début de 1975 –, Jimmie n'a jamais pu vraiment identifier quelqu'un. La seule personne qu'il reconnaisse est son frère, lorsque celui-ci vient de l'Oregon pour lui rendre visite. Ces rencontres sont profondément émouvantes – ce sont les seules rencontres vraiment affectives de Jimmie. Il aime son frère, le reconnaît, mais ne parvient pas à comprendre pourquoi il a l'air si vieux : « Je pense que certaines personnes vieillissent vite », dit-il. En fait, son frère fait beaucoup plus jeune que son âge ; il est de ces hommes dont le visage et la silhouette changent peu avec les années. Ce sont de vraies rencontres, et pour Jimmie il s'agit de la seule connexion réelle entre son passé et son présent, même si elle ne suffit pas à lui donner un sens de l'histoire ou de la continuité. Pour son frère et ceux qui les voient ensemble, ces rencontres ne font qu'accentuer le fait que Jimmie vit toujours dans un passé où il s'est fossilisé.

Au début, nous avions tous l'immense espoir d'aider Jimmie – il était si agréable, si aimable, si rapide et intelligent qu'il était difficile d'admettre qu'il fût incurable. Mais aucun d'entre nous n'avait jamais rencontré, ni même imaginé une amnésie aussi puissante, un fossé insondable dans lequel tomberaient tout événement, toute expérience, absolument tout, un abyssal trou de mémoire qui engloutirait le monde entier.

Lorsque je le vis pour la première fois, je lui suggérai de tenir un journal qui l'inciterait à noter chaque jour ses expériences, ses sentiments, ses pensées, souvenirs et réflexions. Au début, ses tentatives furent empêchées par le fait qu'il oubliait continuellement son journal quelque part : il fallait l'attacher à lui, d'une façon ou d'une autre. Mais cela aussi échoua : il prit certes soigneusement des notes dans un cahier, mais ne parvint pas ensuite à reconnaître ses premiers écrits. Il reconnaissait sa propre écriture et son style, mais s'étonnait toujours d'avoir écrit quelque chose la veille.

Il s'étonnait, ou bien restait indifférent – car c'était réellement un homme qui n'avait pas d'« hier ». Ses écrits restaient, si j'ose dire, déconnectés et déconnectants, ne pouvant en aucun cas lui rendre le sens du temps ou de la continuité. Pire, ils étaient insignifiants (« Œufs au petit déjeuner » – « Regardé un jeu de base-ball à la TV »), et ne touchaient jamais le fond de son être... Mais existait-il un fond, la profondeur d'un sentiment ou d'une pensée durable chez cet homme sans mémoire, ou en était-il réduit à une sorte de radotage « humien », à une simple succession d'impressions et d'événements sans lien entre eux ?

Jimmie était à la fois conscient et inconscient de cette profonde et tragique perte survenue en lui-même, de cette perte de lui-même. (Si un homme a perdu un œil ou une jambe, il sait qu'il a perdu un œil ou une jambe ; mais, s'il a perdu le *soi* – s'il s'est perdu lui-même –, il ne peut le savoir, parce qu'il n'y a plus personne pour le savoir.) Aussi m'était-il impossible de l'interroger intellectuellement sur ces sujets.

Au début, il s'était déclaré mal à l'aise de se trouver au milieu de malades, alors qu'il ne se sentait pas lui-même un patient. Mais nous nous demandions ce qu'il pouvait bien ressentir. Fortement charpenté, il faisait preuve d'une sorte de force et d'énergie animales, mais aussi d'une étrange inertie et d'une sorte d'« indifférence » passive que chacun remarquait ; il nous donnait à tous le sens irrépressible d'un « manque de quelque chose », même s'il acceptait ce manque – en supposant qu'il en fût conscient – avec cette étrange « indifférence ». Un jour, je lui posai une question, non plus sur sa mémoire ou sur son passé, mais sur le sentiment le plus simple et le plus élémentaire de tous :

– Comment vous sentez-vous ?

– Comment je me sens ? répéta-t-il en se grattant la tête. Je ne peux pas dire que je me sente malade. Mais je ne peux pas dire que je me sente bien. Je ne sais pas si j'éprouve quoi que ce soit.

– Êtes-vous malheureux ? continuai-je.

– Je ne peux pas dire que je le sois.

– Aimez-vous la vie ?

– Je ne peux pas dire que je l'aime.

J'hésitai, craignant d'aller trop loin et de mettre à nu chez cet homme un désespoir secret, inavouable, insupportable.

– Vous n'aimez pas la vie, répétai-je, hésitant quelque peu. Qu'éprouvez-vous alors vis-à-vis de la vie ?

– Je ne sais pas si j'éprouve quoi que ce soit.

– Vous sentez-vous tout de même vivant ?

– Vivant ? Pas vraiment. Il y a bien longtemps que je ne me suis pas senti vivant.

Son visage exprimait une tristesse et une résignation infinies.

Par la suite, ayant remarqué le plaisir qu'il prenait et l'habileté qu'il déployait aux petits jeux et aux devinettes, et la faculté que ceux-ci avaient de le *retenir*, au moins le temps qu'il s'y livrait, et de lui donner, pour un instant, le sentiment d'une camaraderie et d'une compétition (il ne se plaignait pas de sa solitude, mais avait l'air si seul – et si triste, bien qu'il n'exprimât jamais de tristesse), je suggérai de l'amener aux séances récréatives au foyer. Cette tentative réussit beaucoup mieux que le journal. Il s'intéressa intensément à ces jeux, mais ceux-ci cessèrent bientôt d'être un défi pour lui : il résolvait facilement toutes les devinettes ; il était bien meilleur et plus malin que n'importe qui. Dès qu'il avait trouvé, il devenait irritable, s'agitait, errait dans les couloirs, mal à l'aise, ennuyé, se sentant déshonoré, car ces jeux et devinettes étaient une distraction pour enfants. Il voulait, manifestement, passionnément, avoir quelque chose à faire : il voulait agir, être, éprouver – et ne le pouvait pas ; il voulait un sens, un but – en termes freudiens : « travail et amour ».

Serait-il capable d'accomplir un travail « ordinaire » ? D'après son frère, il avait « éclaté en morceaux » lorsqu'il s'était arrêté de travailler en 1965. Il avait deux cordes à son arc – le morse et la dactylographie. Le morse ne nous était guère utile, à moins d'en inventer pour lui un usage ; mais nous pouvions utiliser sa compétence en dactylographie, à condition qu'il soit en mesure de retrouver son doigté. De plus, ce serait un travail réel et non un jeu. De fait, Jimmie retrouva vite son ancienne aptitude et parvint à taper très rapidement – il ne pouvait pas aller lentement –, il y trouva la satisfaction et la dimension de défi que comporte un vrai travail. Mais il s'agissait encore d'une frappe et d'une dactylographie superficielles, c'est-à-dire d'une activité qui restait banale, qui ne touchait pas le fond. Et, ce qu'il tapait, il le tapait mécaniquement, il ne parvenait pas à suivre une pensée jusqu'au bout, et les phrases courtes se suivaient sans ordre significatif.

On avait tendance à parler de lui comme d'un accidenté de l'esprit – une « âme perdue » : était-il possible qu'il ait réellement été « désanimé » par la maladie ? « Pensez-vous qu'il ait une âme ? » demandai-je un jour aux sœurs. Ma question les choqua, bien qu'elles comprissent pourquoi je la posai. « Observez Jimmie à la chapelle, dirent-elles, et jugez-en par vous-même. »

C'est ce que je fis. J'en fus impressionné et profondément ému, car je vis alors chez cet homme une intensité et une stabilité de concentration et d'attention que je n'avais encore jamais remarquées et dont je ne le croyais pas capable. Je l'observai : il était agenouillé, en train de communier; je ne pouvais douter un instant de la plénitude et de la totalité de sa communion, du parfait accord entre son esprit et celui de la messe. Il participait à la sainte communion avec une intensité plénière et sereine, dans un état de concentration et d'attention totales. A ce moment-là, le phénomène d'oubli, le syndrome de Korsakov disparaissait et n'était plus même concevable, car, cessant d'être à la merci d'un mécanisme défaillant ou défectueux, celui de phrases ou de souvenirs dépourvus de signification, il se trouvait absorbé dans un acte engageant tout son être, qui portait du sens et de l'émotion en une unité et continuité organiques, unité et continuité si consistantes qu'elles ne laissaient place à aucune fissure.

Manifestement, Jimmie trouvait sa continuité et sa réalité dans le caractère absolu de l'acte spirituel, et de l'attention qu'il implique : en fait, il s'y retrouvait lui-même. Les sœurs avaient raison : c'était bien là qu'il trouvait son âme. Et Louriia aussi avait raison, dont les mots me revenaient maintenant : « Un homme n'est pas seulement constitué d'une mémoire. C'est un être de sentiments, de volonté, de sensibilité, un être moral (...) C'est là (...) que vous pouvez le toucher et constater éventuellement un changement profond. » La mémoire, l'activité mentale, la pensée ne peuvent à elles seules le retenir ; mais l'attention et l'action morales peuvent l'absorber complètement.

Peut-être « moral » était-il un mot trop restrictif – car l'esthétique et le dramatique étaient aussi en cause. Le fait d'avoir vu Jimmie à la chapelle m'ouvrit les yeux sur l'existence d'autres domaines où l'âme a droit à la parole, où elle se trouve retenue et apaisée par l'attention et la communion. Jimmie faisait preuve de la même profondeur de concentration et d'attention pour ce qui touchait à la musique et à l'art : je remarquai qu'il n'avait aucune difficulté à « suivre » un morceau de musique ou des pièces de théâtre simples, parce que chaque moment artistique renvoie à d'autres moments et les contient. Comme il aimait le jardinage, il avait pris en charge quelques travaux du jardin. Au début, il avait l'impression d'entrer chaque matin dans un jardin inconnu, puis, pour je ne sais quelle raison, celui-ci lui devint plus familier que l'intérieur de la maison. Il ne s'y perdait presque plus jamais, ne s'y sentait plus désorienté ; je pense qu'il associait cet espace à des jardins de son enfance dans le Connecticut, jardins qu'il avait aimés et dont il gardait le souvenir.

Jimmie, qui était si totalement perdu dans le temps « spatial », était parfaitement organisé dans le temps « intentionnel » au sens bergsonien du terme ; ce qui était fugitif, insupportable comme structure formelle, était parfaitement stable, parfaitement maîtrisé comme art ou comme volonté. Il y avait même quelque chose qui perdurait ou survivait. Si Jimmie était brièvement « retenu » par une tâche, une énigme, un jeu ou un calcul, par le défi purement mental que celui-ci représentait, il retombait, dès que celui-ci était accompli, dans l'abîme de son néant, de son amnésie ; mais, s'il était retenu par une attention d'ordre émotionnel ou spirituel – dans la contemplation de la nature ou d'une œuvre d'art, à l'écoute d'une musique ou en assistant à un office à la chapelle – son « humeur », son attention, sa quiétude persistaient pendant un moment ; il prenait alors un air pensif et paisible que nous avions rarement, sinon jamais, l'occasion de lui voir durant le reste de sa vie chez nous.

Cela fait maintenant neuf ans que je connais Jimmie – et, du point de vue neuropsychologique, il n'a pas changé le moins du monde. Il a toujours le Korsakov le plus grave et le plus dévastateur qui soit ; il ne se rappelle rien au-delà de quelques secondes et son amnésie depuis 1945 est profonde. Mais, du point de vue humain, spirituel, il est devenu un autre homme – il n'est plus agité, flottant, ennuyé, perdu, mais profondément attentif à la beauté et à l'âme du monde, riche au regard des catégories kierkegaardiennes – c'est-à-dire du point de vue esthétique, moral, religieux, dramatique. La première fois que je le vis, je me demandai s'il n'était pas condamné à une sorte de futilité « humienne », à un flottement sans signification à la surface de la vie, et s'il y avait un moyen possible de dépasser l'incohérence de son trouble « humien ». La science empirique me dit que non – mais la science empirique, l'empirisme, ne tient pas compte de l'âme, ni de ce qui constitue et détermine l'être humain comme sujet. Peut-être y a-t-il là une leçon à la fois philosophique et clinique : dans le syndrome de Korsakov, dans la démence ou dans d'autres catastrophes du même genre, si graves que soient les dégâts organiques qui entraînent cette dissolution « humienne », il reste toujours la possibilité entière d'une restauration de l'intégrité grâce à l'art, la communion, le contact avec l'esprit humain : et cette possibilité demeure même là où nous ne voyons de prime abord que l'état désespéré d'une destruction neurologique.

POST-SCRIPTUM

Je sais maintenant que l'amnésie rétrograde, à tel ou tel degré, est très courante, sinon universelle, chez ceux qui présentent un syndrome de Korsakov. Le syndrome de Korsakov classique, à savoir une « pure », profonde, permanente dévastation de la mémoire due à la destruction par l'alcool des tubercules mamillaires, est rare, même chez les très grands buveurs. On peut, bien sûr, le voir associé à d'autres pathologies, comme c'est le cas chez les patients de Louriia, qui étaient atteints de tumeurs.

Un cas particulièrement fascinant de syndrome de Korsakov aigu (et Dieu merci passager) a été très récemment identifié dans ce que l'on appelle l'amnésie globale transitoire (AGT), qui peut survenir dans les migraines, les blessures à la tête ou une insuffisance vasculaire cérébrale : une grave et étrange amnésie peut alors se produire et durer quelques minutes ou quelques heures, même si la personne continue d'une façon mécanique à conduire une voiture ou accomplir diverses tâches médicales ou éditoriales, par exemple. Sous cette apparente continuité gît une amnésie profonde – chaque phrase étant oubliée à l'instant même où elle est prononcée, et l'ensemble étant oublié en l'espace de quelques minutes, même si des souvenirs et des habitudes de toujours peuvent parfaitement continuer à fonctionner. (Le docteur John Hodges, d'Oxford, a réalisé récemment (en 1986) de remarquables bandes vidéo sur des patients au cours d'une AGT.)

Dans les cas d'AGT peut aussi survenir une profonde amnésie rétrograde. Mon collègue, le docteur Léon Protass, m'a parlé d'un cas de ce genre qu'il a rencontré récemment : il s'agissait d'un homme supérieurement intelligent qui fut incapable pendant quelques heures de se souvenir de sa femme et de ses enfants, et même de se rappeler qu'il avait une femme et des enfants. En fait, il avait perdu trente ans de sa vie – pour quelques heures seulement, heureusement. La guérison, après de pareilles attaques, est rapide et complète – mais celles-ci n'en ont pas moins le côté effrayant des « accès ischémiques transitoires cérébraux », par le pouvoir qu'elles ont d'annuler ou d'oblitérer complètement des dizaines d'années d'une vie bien remplie et bien ancrée dans la mémoire. Seuls les autres ressentent l'horreur de la chose – le patient, quant à lui, inconscient, amnésique pour tout ce qui touche à son amnésie, peut continuer à faire ce qu'il est en train de faire sans se sentir concerné, et ce n'est que plus tard qu'il s'aperçoit qu'il a perdu non seulement une journée (comme c'est courant dans les cas de *black-out* alcoolique ordinaire), mais toute une partie de sa vie, et qu'il ne l'a jamais su. Le fait que l'on puisse perdre de cette façon une grande partie de sa vie a quelque chose de particulièrement horrible.

A l'âge adulte, la vie, ou les fonctions supérieures de la vie, peuvent connaître une fin prématurée sous l'effet d'attaques, de sénilité, de lésions cérébrales, etc., mais la conscience d'avoir vécu une vie, d'avoir un passé, demeure en général intacte. Elle est ordinairement ressentie comme une compensation : « Au moins, j'ai bien vécu, j'ai goûté pleinement la vie avant ma lésion cérébrale, mon attaque, etc. » Ce sens d'« avoir vécu », qui peut être une consolation ou un tourment, est précisément ce qui est supprimé par l'amnésie rétrograde. L'« amnésie finale, celle qui peut effacer une vie entière », dont parle Buñuel, peut survenir dans la phase terminale de la démence, mais ne peut pas, d'après mon expérience, arriver soudainement à la suite d'une attaque.

Il existe encore une autre amnésie, assez comparable, qui peut survenir brusquement – elle est différente en ce sens qu'elle n'est pas « globale », mais obéit à une « modalité spécifique ». Ainsi, une brusque thrombose de l'irrigation postérieure cérébrale a entraîné, chez l'un de mes patients, la mort instantanée des zones visuelles du cerveau. Il devint sur-le-champ complètement aveugle – mais sans le savoir. Il avait l'air aveugle mais ne s'en plaignait pas. Les interrogatoires et les examens montraient, sans doute possible, qu'il était centralement ou « corticalement » aveugle, mais qu'en plus il avait perdu toute image et mémoire visuelles, et les avait perdues totalement. Pourtant, il n'avait aucune sensation de perte. En fait, il avait perdu le concept même de vision : non seulement il ne pouvait donner aucune description visuelle, mais il s'étonnait même que j'emploie des mots comme *vision* ou *lumière*. Il était devenu, en substance, un être non visuel. Toute sa vie de voyant, toute sa visualité lui avaient été proprement volées. Son existence visuelle avait été arasée pour toujours à l'instant même de son attaque. Une amnésie visuelle de ce genre, et (si l'on peut dire) cette cécité à sa propre cécité, cette amnésie de l'amnésie même, est en fait un syndrome de Korsakov « total », limité à la vision.

Une amnésie encore plus limitée, mais néanmoins totale, peut apparaître par rapport à certaines formes de perception, comme dans le cas évoqué dans le chapitre précédent, « L'homme qui prenait sa femme pour un chapeau ». On avait là une « prosopagnosie » absolue, une agnosie des visages. Non seulement ce patient ne pouvait reconnaître les visages, mais il était incapable d'imaginer ou de se souvenir d'un visage – il avait perdu la notion même de « visage » comme mon patient le plus atteint avait perdu la notion même de « vue » ou de « lumière ». Anton a décrit de tels syndromes dans les années 1890. Mais l'implication de ces deux syndromes – de Korsakov et d'Anton –, les conséquences qu'ils peuvent avoir sur l'univers, l'identité, la vie des patients qui en sont affligés, avaient été à peine effleurées jusqu'à ce jour.

Dans le cas de Jimmie, nous nous étions souvent demandé comment celui-ci réagirait si nous le ramenions dans sa ville natale (donc aux jours qui précédaient son amnésie), mais sa petite ville du Connecticut était devenue au fil des ans une énorme cité. Ce n'est que plus tard que j'eus l'occasion de découvrir ce qui pourrait se passer dans de pareilles circonstances : un autre patient, Stephen R., présentait un syndrome de Korsakov : il était tombé gravement malade en 1980 et son amnésie rétrograde remontait seulement à deux ans. Pour ce patient, qui avait aussi de graves attaques, de la spasticité et d'autres problèmes exigeant des soins hospitaliers, les retours chez lui en fin de semaine entraînaient une situation poignante. A l'hôpital, il ne reconnaissait rien ni personne et se trouvait dans une frénésie de désorientation presque constante. Mais, lorsque sa femme le ramenait à la maison, dans cette maison qui était en fait une « capsule-temps » des jours précédant son amnésie, il se sentait instantanément chez lui. Il reconnaissait tout, donnait une tape au baromètre, tournait le thermostat, s'installait, comme d'habitude, dans son fauteuil préféré. Il parlait des voisins, des boutiques, du bar local, du cinéma du quartier comme si ceux-ci dataient du milieu des années soixante-dix. Il était désolé et perdu si le moindre changement était intervenu dans la maison. (« Tu as changé les rideaux aujourd'hui ! reprocha-t-il une fois à sa femme. Pourquoi si soudainement ? Ils étaient verts ce matin. » En fait, ils n'étaient plus verts depuis 1978.) Il reconnaissait la plupart des maisons et des magasins voisins, ceux-ci ayant peu changé entre 1978 et 1983 – mais le

« remplacement » du cinéma le troublait (« comment avaient-ils pu l'abattre et mettre à sa place un supermarché en l'espace d'une nuit ? »

Il reconnaissait les amis et les voisins – mais les trouvait étrangement plus âgés qu'il ne pensait « Le vieux Untel, il fait vraiment son âge. Je ne l'avais jamais remarqué avant. Comment savoir l'âge des gens aujourd'hui ? »). Mais le moment véritablement horrible, poignant, était celui où sa femme le ramenait à l'hôpital – l'amenait (d'après lui) avec un air bizarre dans une étrange maison qu'il ne connaissait pas, remplie d'étrangers, et puis le laissait là. A la fois terrifié et bouleversé. Il se mettait alors à crier : « Qu'est-ce que tu fais ? Qu'est-ce que c'est que cet endroit ? Que se passe-t-il, au nom du ciel ? » Assister à ces scènes, qui devaient être pour lui une folie ou un cauchemar, était presque insoutenable. Dieu merci, il allait sans doute les oublier au bout de deux minutes.

Ces patients fossilisés dans le passé ne se sentent chez eux, rassurés, que dans le passé. Le temps pour eux a marqué un arrêt. J'entends encore Stephen R. hurler de terreur et de désarroi lorsqu'il rentrait à l'hôpital – hurler après un passé qui n'existe plus. Que pouvons-nous faire ? Pouvons-nous créer pour eux une capsule de temps, une fiction ? Je n'ai jamais connu de patient confronté à l'anachronisme qui fût tourmenté à ce point, sauf « Rose R. », dont le cas est relaté dans *Cinquante Ans de sommeil* [1].

Jimmie est parvenu à un certain calme ; William (chapitre XII) affabule continuellement ; mais le temps pour Stephen est une blessure à vif, une angoisse qui ne guérira jamais.

1. Voir plus loin, « Nostalgie incontinente », chap. XVI.

3

La femme désincarnée

> Les aspects des choses les plus importants pour nous sont cachés par leur simplicité et leur familiarité. (Nous sommes incapables de remarquer ce qui est toujours sous nos yeux.) L'homme n'est nullement frappé par les fondements réels de sa recherche (Wittgenstein [1]).

Ce que Wittgenstein écrit là au sujet de l'épistémologie peut s'appliquer à certains aspects de notre physiologie et de notre psychologie – et plus spécialement à ce que Sherrington a un jour appelé « notre sens secret, notre sixième sens » – ce flux sensoriel continu, mais inconscient, qui traverse les parties mobiles de notre corps (muscles, tendons, jointures) et grâce auquel leur position, leur tonus et leur mouvement sont en permanence contrôlés et adaptés d'une façon qui nous demeure cachée en raison de son caractère automatique et inconscient.

Nos cinq autres sens sont visibles et évidents : mais celui-ci – notre sens caché – devait être découvert par Sherrington dans les années 1890. Celui-ci lui donna le nom de « proprioception », pour le distinguer de l'« extéroception » et de l'« intéroception », et aussi parce que, sans lui, nous perdons le sens de nous-mêmes ; il nous faut en effet la permission, si l'on peut dire, de la proprioception pour éprouver notre corps comme étant nôtre, comme étant notre « propriété » (Sherrington 1906, 1940).

Qu'y a-t-il en effet de plus important pour nous, à un niveau élémentaire, que la pleine possession, la maîtrise et le bon

1. Ludwig Wittgenstein, *De la certitude*, trad. fr. de Jacques Fauve, Paris, Gallimard, coll. « Idées », 1976, p. 31.

fonctionnement de notre identité physique ? Elle va tellement de soi, elle nous est si familière, que nous ne lui accordons pas la moindre pensée.

Jonathan Miller a réalisé une belle série télévisée, « Le corps en question ». Mais le corps, normalement, n'est jamais en question : nos corps sont au-delà ou en deçà de toute question – ils sont simplement, incontestablement, là. Le côté incontestable du corps, la certitude de son existence, est pour Wittgenstein le début et la base de toute certitude. Aussi commence-t-il son dernier livre *(De la certitude)* par cette formule : « Si tu sais que c'est là une main, alors nous t'accordons tout le reste. » Mais il ajoute dans le même élan, à la même page d'introduction : « Mais, ce que l'on peut fort bien se demander, c'est s'il y a sens d'en douter... » ; et, un peu plus loin : « Pour douter, ce qui me manque, ce sont les raisons ! »

Certes, son livre pourrait aussi bien s'intituler *Sur le doute,* car il porte autant sur le doute que sur l'assertion. En particulier, Wittgenstein se pose la question – et nous pouvons nous demander, quant à nous, si ces pensées lui ont été inspirées par son travail avec des malades, à l'hôpital, pendant la guerre –, il se pose la question de savoir s'il peut exister des situations ou des conditions dans lesquelles nous sommes privés de la certitude de notre corps, fondés à en douter, et peut-être même à douter radicalement de notre corps au point de le perdre tout entier. Ces pensées semblent hanter son dernier livre comme un cauchemar.

Christina était une attachante jeune femme de vingt-sept ans, qui pratiquait le hockey et l'équitation. Sûre d'elle-même, robuste de corps et d'esprit, elle avait deux jeunes enfants et travaillait, chez elle, comme programmeuse sur ordinateur. Intelligente et cultivée, elle aimait la danse et les poètes du Lakeland (mais Wittgenstein, je ne pense pas). Sa vie était active et bien remplie. Elle n'avait jamais été malade plus d'une journée lorsque, à la suite d'une crise de douleurs abdominales, on lui découvrit, à son étonnement, des calculs biliaires. Il lui fut alors conseillé de se faire ôter la vésicule.

Elle entra à l'hôpital trois jours avant l'opération, et fut mise sous antibiotiques par simple prophylaxie microbienne. Il s'agissait d'une précaution de pure routine, car aucune complication n'était envisagée. Christina le comprenait et, bien qu'elle fût sensible, n'éprouvait aucune crainte.

La veille de l'opération, Christina, qui n'était pas coutumière de rêves ou de fantasmes, fit un rêve troublant et particulièrement intense : elle rêvait qu'elle oscillait d'une façon extravagante, qu'elle était très instable sur ses pieds et sentait à peine ce qu'elle tenait dans ses mains, lesquelles battaient l'air et laissaient tomber tout ce qu'elles attrapaient.

Ce rêve l'angoissa (« Je n'ai jamais fait un rêve pareil, dit-elle. Je ne peux pas le chasser de mon esprit ») – il l'angoissa tellement que nous demandâmes l'avis du psychiatre. « Angoisse préopératoire, dit celui-ci. Tout à fait normal, nous voyons ça tout le temps. »

Mais, un peu plus tard dans la journée, le rêve se fit réalité. Christina devint très instable sur ses pieds, elle avait des mouvements gauches et désordonnés et ses mains laissaient échapper tout ce qu'elles tenaient.

Nous fîmes de nouveau appel au psychiatre – il parut vexé qu'on le rappelle, mais aussi quelque peu dérouté. « Angoisse hystérique, laissa-t-il tomber d'un ton définitif. Symptômes typiques de conversion – c'est très fréquent. »

Mais, le jour de l'opération, Christina était encore plus mal. Il lui était impossible de tenir debout – à moins de regarder ses pieds. Elle ne pouvait rien tenir dans ses mains, qui restaient « ballantes » – sauf si elle gardait un œil sur elles. Si elle les tendait pour prendre quelque chose ou pour essayer de se nourrir, ses mains se dérobaient ou battaient l'air, comme si elle avait perdu quelque coordination ou contrôle essentiel.

Elle pouvait à peine s'asseoir – son corps « se dérobait ». Son visage était étrangement privé d'expression, sa mâchoire tombait, elle avait même perdu sa posture vocale.

– Il s'est passé quelque chose d'affreux, grimaçait-elle d'une voix éteinte et spectrale. Je ne sens pas mon corps. Je me sens bizarre – désincarnée.

C'était une chose étonnante, bouleversante, terrible à entendre.

« Désincarnée » – était-elle folle ? Mais pourquoi alors cet état physique ? Cette chute de tonus et de posture musculaires du sommet de la tête à la pointe des pieds ? Ce ballottement des mains, dont elle ne semblait pas avoir conscience ? Ces battements désordonnés, excessifs, comme si elle ne recevait pas d'information de la périphérie de son corps, comme si les centres de contrôle du tonus et du mouvement avaient été détruits de manière catastrophique ?

– Quelle étrange situation, dis-je aux internes. On a du mal à imaginer ce qui a pu provoquer un état pareil.

– Mais c'est l'hystérie, docteur Sacks – le psychiatre l'a bien dit, non ?

– Oui, il l'a dit. Mais avez-vous déjà vu une hystérie de ce genre ? Placez-vous d'un point de vue phénoménologique – prenez ce que vous voyez comme un authentique phénomène dans lequel l'état du corps et l'état de l'esprit ne sont pas des fictions, mais un tout psychophysique. Qu'est-ce qui peut bien saper à ce point le corps et l'esprit ?

« Je ne veux pas vous poser une colle, ajoutai-je. Je suis aussi dérouté que vous. Je n'ai encore jamais rien vu ni rien imaginé de semblable...

Je réfléchissais, eux aussi ; nous réfléchissions ensemble.

– Est-ce que ça pourrait être un syndrome bipariétal ? demanda l'un d'entre eux.

– C'est tout comme, répondis-je. C'est *comme si* les lobes pariétaux ne recevaient pas les informations sensorielles normales. Faisons-lui quelques tests sensoriels – et examinons ses lobes pariétaux.

C'est ce que nous fîmes, et un tableau clinique commença à apparaître. Il semblait y avoir un déficit proprioceptif très profond, presque total, de la pointe des pieds au sommet de la tête – les lobes pariétaux fonctionnaient, mais *il n'y avait rien pour fonctionner avec eux.* Christina était peut-être hystérique, mais elle avait aussi quelque chose de beaucoup plus grave qu'aucun d'entre nous n'avait jamais vu ou pu concevoir jusque-là. Nous fîmes appel d'urgence, non pas au psychiatre, mais à un spécialiste de médecine physique, à un physiothérapeute.

Il arriva sur-le-champ, répondant à l'urgence de l'appel. Lorsqu'il vit Christina, il écarquilla les yeux. Il l'examina rapidement, avec grand soin, puis il procéda à des tests électriques des fonctions nerveuses et musculaires.

– C'est tout à fait extraordinaire, dit-il. Je n'ai jamais rien vu ou lu de semblable sur la question. Elle a perdu toute proprioception – vous aviez raison – de la tête aux pieds. Elle n'a plus aucune sensibilité dans les muscles, les tendons et les jointures. Il y a une légère diminution des autres modalités sensorielles – de la sensibilité aux touches de lumière, à la température et à la douleur, et aussi de légères implications dans les fibres motrices. Mais c'est avant tout le sens de la position – la proprioception – qui a subi les dégâts.

– Quelle en est la cause ? demandâmes-nous.

– Vous êtes neurologues. C'est à vous de trouver.

L'après-midi, Christina était encore plus mal. Elle gisait sur son lit, immobile et atone ; même sa respiration était faible. Son état était aussi étrange que grave – nous envisageâmes de lui poser un masque respiratoire.

Le tableau clinique révélé par la ponction lombaire était celui d'une polynévrite aiguë d'un genre tout à fait exceptionnel : non pas un syndrome de Guillain-Barré, dont les conséquences motrices sont terribles, mais une névrite exclusivement (ou presque exclusivement) sensorielle, affectant les racines sensorielles des nerfs spinaux et crâniens d'un bout à l'autre de l'axe cérébro-spinal [1].

L'opération fut remise : c'eût été de la folie de l'opérer. Il y avait des questions plus urgentes : « Va-t-elle survivre ? Que faire ? »

– Quel est le verdict ? demanda Christina d'une voix éteinte et d'un sourire plus éteint encore, après que nous eûmes contrôlé son liquide céphalo-rachidien.

– Vous avez attrapé cette inflammation, cette névrite...

Et nous commençâmes à lui dire tout ce que nous savions. Si

1. Des polyneuropathies sensorielles de ce genre existent, mais elles sont rares. Ce qui était unique dans le cas de Christina, dans l'état de nos connaissances de l'époque (en 1977), c'était l'extraordinaire sélectivité de la crise, qui n'affectait que les fibres proprioceptives. Voir Sterman 1979.

nous oubliions quelque chose ou faisions une réserve, ses questions claires nous reprenaient.

– Est-ce qu'il y aura une amélioration ? demanda-t-elle.

Nous nous regardâmes et la regardâmes :

– Nous n'en avons aucune idée.

Le sens du corps, lui dis-je, nous est donné par la vue, par les organes de l'équilibre (le système vestibulaire) et par la proprioception – qu'elle avait perdue. Normalement, les trois vont ensemble. Si l'un fait défaut, les autres peuvent, dans une certaine mesure, le compenser ou s'y substituer. Je lui citai, en particulier, le cas d'un patient, monsieur Mac Gregor, qui utilisait ses yeux à la place de ses organes d'équilibre déficients (voir plus loin, chapitre VII). Je lui parlai aussi des malades atteints de neurosyphilis, de *tabes dorsalis*, dont les symptômes sont analogues, mais limités aux jambes – et comment ces malades sont obligés d'utiliser leurs yeux pour compenser leur défaillance (« fantômes positionnels » au chapitre VI) : si l'on demande à l'un de ces patients de remuer les jambes, il peut fort bien vous répondre : « D'accord, docteur, dès que je les aurai trouvées. »

Christina écoutait intensément, avec une sorte d'attention désespérée.

– Alors, ce que je dois faire, dit-elle lentement, c'est me servir de ma vue, de mes yeux, là où, avant, je me servais de – comment dites-vous ? – la proprioception. J'ai déjà remarqué, ajouta-t-elle avec amusement, que je peux « perdre » mes bras. Je les crois à un endroit et je les retrouve ailleurs. Cette « proprioception », c'est en quelque sorte les yeux du corps, le moyen par lequel le corps se voit lui-même. Et, ce qui m'arrive, à moi, c'est une sorte de cécité du corps. Mon corps ne peut plus se « voir » lui-même s'il a perdu ses yeux, n'est-ce pas ? Aussi je dois l'observer – être ses yeux. N'est-ce pas ?

– En effet, dis-je, c'est vrai, vous pourriez être physiologue.

– Il va falloir que je sois une sorte de physiologue, répliqua-t-elle, car ma physiologie s'est détraquée et ne redeviendra peut-être jamais naturellement normale...

C'était une bonne chose que Christina fasse preuve d'une telle force de caractère dès le début, car, même si l'inflammation aiguë avait régressé et si son liquide céphalo-rachidien était redevenu normal, les dégâts que cette inflammation avait occasionnés à ses fibres proprioceptives persistèrent, de sorte qu'elle ne connut aucune guérison neurologique, ni une semaine, ni un an plus tard, ni même, à vrai dire, durant les huit années qui viennent de s'écouler – bien qu'elle ait pu tout de même mener une certaine vie, avec une multitude d'ajustements et d'accommodations d'ordre émotionnel et moral au moins autant que neurologique.

La première semaine, Christina ne fit rien ; elle resta couchée passivement et mangea à peine. Elle était dans un état de choc, d'horreur et de désespoir violents. Quelle vie l'attendait s'il n'y avait pas de guérison naturelle possible ? Qu'adviendrait-il si chacun de ses mouvements était artificiel, et surtout si elle se sentait ainsi désincarnée ?

Puis la vie reprit, comme elle put, et Christina commença à bouger. Elle ne put d'abord rien faire sans l'usage de ses yeux ; dès qu'elle les fermait, elle s'affaissait complètement sur elle-même. Au début, elle dut se guider par la vue en regardant attentivement la partie de son corps qui était en train de bouger, ce qui exigeait une conscience et une vigilance plutôt pénibles. Dûment surveillés et réglés, ses mouvements furent d'abord des plus gauches et artificiels. Mais ensuite ils se firent plus modulés, plus gracieux, plus naturels (bien que restant encore complètement dépendants de l'usage des yeux) – et ce fut une heureuse surprise, pour elle comme pour nous, de constater qu'il y avait en elle une faculté d'automatisme qui progressait jour après jour.

Semaine après semaine, la réaction inconsciente de proprioception fut remplacée par une réaction visuelle tout aussi inconsciente, par un automatisme et des réflexes visuels de plus en plus complets et de plus en plus faciles. Quelque chose de plus fondamental était-il en train de se produire ? Le modèle visuel corporel, ou image du corps, inclus dans le cerveau – et en temps ordinaire plutôt ténu (chez l'aveugle, bien sûr, il est absent), simple auxiliaire du modèle corporel proprioceptif – le modèle visuel était-il, lui, en train d'acquérir, par un phénomène de compensation ou de substitution, une force accrue, exceptionnelle, maintenant que le modèle corporel proprioceptif avait disparu ? A cela pourrait aussi s'ajouter une augmentation compensatoire du modèle corporel ou de l'image corporelle vestibulaire... L'un et l'autre dépassant tout ce que nous pouvions attendre ou espérer [1].

Qu'il y ait eu ou non usage accru de la perception vestibulaire, ses oreilles, en tous les cas, sa perception auditive, lui devinrent de plus en plus utiles. Celles-ci, en temps ordinaire, sont plutôt accessoires et de peu d'importance dans la parole : ainsi, nous continuons à parler normalement alors qu'un rhume de cerveau nous rend sourds, et certains sourds congénitaux peuvent arriver à parler parfaitement. Car, en principe, l'inflexion de la voix est d'origine proprioceptive, c'est-à-dire commandée par des impulsions affluant de tous nos organes vocaux. Christina avait perdu cet afflux normal, cette afférence : elle avait aussi perdu son tonus vocal et sa posture vocale proprioceptive, c'est pourquoi il lui fallait utiliser à la place ses oreilles, sa rétroaction auditive.

A côté de ces formes nouvelles et compensatoires de rétroaction, commençaient à se développer chez Christina diverses formes, si l'on peut dire, d'« anté-action », nouvelles et compensatoires elles aussi. Au début, cela se fit de façon consciente et délibérée, puis progressivement inconsciente et automatique (elle était assistée en cela par un personnel de rééducation compréhensif et plein d'idées).

Ainsi, sur le moment et dans le mois qui suivit cette catastrophe, Christina resta aussi flasque qu'une poupée de chiffon, incapable même de s'asseoir. Mais, trois mois plus tard, j'eus la surprise de la voir s'asseoir très délicatement – trop délicatement, d'une manière hiératique, comme une danseuse au milieu d'une

1. Cela contraste avec le cas fascinant décrit par Purdon Martin dans *The Basal Ganglia and Posture* (1967), p. 32 : « Ce patient, en dépit d'années de physiothérapie et de rééducation, n'a jamais récupéré la faculté de marcher normalement. Sa plus grande difficulté consiste à se mettre à marcher et à se propulser en avant (...) Il est également incapable de se lever de sa chaise. Il ne peut pas ramper ni se mettre à quatre pattes. Quand il est debout ou qu'il marche, il reste entièrement dépendant de la vue et tombe dès qu'il ferme les yeux. Au début, il était incapable de se tenir sur une chaise ordinaire quand il fermait les yeux, mais il a acquis peu à peu la possibilité de le faire. »

pose. Et je m'aperçus bientôt que cette façon pour elle de s'asseoir était bien, en effet, une pose adoptée et conservée sciemment et automatiquement, une sorte de posture forcée, délibérée, théâtrale, destinée à suppléer à l'absence prolongée de toute posture naturelle, authentique. La nature ayant flanché, elle se réfugiait dans l'artifice ; mais l'artifice, lui étant suggéré par la nature, lui devint rapidement une « seconde nature ». Il en fut de même, après sa période mutique, pour sa voix.

Celle-ci aussi était posée comme devant l'auditoire d'un théâtre. C'était une voix théâtrale – non par « histrionisme » ou intention perverse, mais parce que sa posture vocale n'était pas encore naturelle. Il en était de même pour son visage – celui-ci avait encore tendance à rester mou et privé d'expression (ses émotions intérieures demeurant pourtant tout à fait normales et intenses) à cause d'un manque de tonus facial et de posture faciale proprioceptive [1], à moins qu'elle ne renforce artificiellement son expression (comme font des patients aphasiques lorsqu'ils adoptent des inflexions et des intonations exagérées).

Mais tous ces moyens demeuraient, dans le meilleur des cas, limités. Ils lui rendaient la vie possible – mais ils ne la lui rendaient pas normale. Christina apprit à marcher, à utiliser les transports en commun, à accomplir les tâches ordinaires de la vie – mais elle ne put le faire qu'à condition de s'entraîner à une vigilance extrême ; sa manière de faire les choses restait étrange, et pouvait se détraquer si son attention était distraite. Par exemple, si elle se mettait à parler en mangeant, ou si elle pensait à autre chose, elle pouvait empoigner son couteau et sa fourchette avec une force douloureuse – sous la pression, ses ongles et le bout de ses doigts en devenaient blancs ; mais, si cette pénible pression se relâchait, ses mains inertes les laissaient tomber, sans plus – il n'y avait pas d'intermédiaire, pas la moindre modulation.

1. Purdon Martin est presque le seul neurologue contemporain à avoir souvent parlé de « postures » faciale et vocale et de l'intégrité proprioceptive qui leur sert finalement de base. Il fut fort intrigué lorsque je lui parlai de Christina, et lui montrai des films et des enregistrements réalisés avec elle – nombre de suggestions et formulations développées dans ce livre viennent en fait de lui.

Ainsi, sans qu'il y ait trace de guérison neurologique (des dégâts anatomiques infligés aux fibres nerveuses), la guérison fonctionnelle, autrement dit la possibilité d'agir en utilisant divers moyens de substitution et divers trucages, fut considérable, grâce à une thérapie intensive et variée – elle resta à l'hôpital dans le service de rééducation pendant presque une année. Christina put enfin quitter l'hôpital, rentrer chez elle, retrouver ses enfants. Elle était désormais capable de se remettre à son ordinateur domestique qu'elle avait appris à manier avec une habileté et une efficacité remarquables, étant donné qu'il lui fallait tout accomplir par la vue et non par la sensation. Elle avait appris à agir – mais comment se sentait-elle ? Les moyens de remplacement avaient-ils conjuré cette impression d'être désincarnée dont elle avait parlé au début ?

La réponse, en fin de compte, est négative. Du fait qu'elle a perdu toute proprioception, elle continue à éprouver son corps comme étant mort, irréel, comme n'étant pas sien – elle ne parvient pas à se l'approprier. Elle ne trouve aucun mot pour définir cet état, et ne peut le désigner que par des analogies dérivées d'autres registres sensoriels : « Je sens mon corps comme sourd et aveugle à lui-même (...) Il n'a pas le sens de lui-même » – ce sont ses propres mots. Elle n'a aucun mot direct pour décrire cette privation, cette obscurité sensorielle (ou ce silence proche de la cécité ou de la surdité). Elle n'a pas de mots, et nous non plus. La société manque de mots et de sympathie pour des états pareils. Les aveugles, du moins, sont traités avec sollicitude – nous pouvons imaginer leur état et les traitons en fonction de cela. Mais, lorsque Christina monte péniblement, maladroitement, dans un autobus, elle ne rencontre que des grognements de colère et d'incompréhension : « Qu'y a-t-il, madame ? Êtes-vous aveugle ? Ivre ? » Que peut-elle répondre ? « Je n'ai pas de proprioception » ? L'absence de soutien et de sympathie de la part de la société est pour elle une épreuve supplémentaire : invalide, mais d'une invalidité dont la nature n'est pas claire – car, après tout, elle n'est ni aveugle, ni paralysée, elle n'a rien d'évident –, on a tendance à la traiter comme une simulatrice ou une folle. Tel est le sort de ceux dont les sens cachés sont déréglés (c'est aussi le cas des patients qui présentent des lésions vestibulaires, ou qui ont subi une labyrinthectomie *).

Christina est condamnée à vivre dans un monde indescriptible, inimaginable – mieux vaudrait dire un « non-monde », un « néant ». De temps en temps, elle s'effondre devant moi – jamais en public :

– Si seulement je pouvais *éprouver* quelque chose ! s'écrie-t-elle. Mais j'ai oublié ce que c'était... *J'étais normale,* n'est-ce pas ? *Je bougeais* comme tout le monde ?

– Oui, bien sûr.

– Il n'y a pas de « bien sûr ». Je ne le crois pas. Je veux des preuves.

Je lui montre un film pris chez elle avec ses enfants quelques semaines avant sa polynévrite.

– Oui, bien sûr, c'est moi ! Christina sourit, puis se met à pleurer : « Mais je ne peux plus m'identifier à cette fille élégante ! Elle n'est plus, je ne m'en souviens plus, *je ne peux même pas l'imaginer.* C'est comme si on m'avait extirpé quelque chose en plein milieu de moi-même... C'est ce qu'ils font aux grenouilles, non ? Ils leur extirpent les centres nerveux, leur moelle épinière, ils les *dénervent*... C'est ce que je suis, dénervée comme une grenouille... Approchez, venez voir, Chris, le premier être humain dénervé ! Elle n'a pas de proprioception, aucun sens d'elle-même – Chris la désincarnée, la femme dénervée !

Elle rit frénétiquement, à la limite de l'hystérie. « Allons, allons ! » Je la calme, tout en pensant : « N'est-ce pas elle qui aurait raison ? »

Car, en un sens, elle est dénervée, désincarnée, c'est une sorte de revenante. En perdant son sens proprioceptif, elle a perdu l'ancrage organique fondamental de son identité – ou du moins de cette identité, ce « moi-corps », que Freud considère comme étant la base du soi : « L'ego est d'abord et avant tout un " moi-corps ". » Les cas de troubles profonds de la perception du corps ou de l'image du corps entraînent toujours une dépersonnalisation

* Opération des voies vestibulaires (ou labyrinthiques) constituant l'oreille interne [*NdT*].

ou déréalisation de ce genre. Weir Mitchell l'a bien vu et remarquablement décrit lorsqu'il travaillait pendant la guerre civile américaine avec des patients amputés ou atteints de lésions nerveuses – et, dans un célèbre récit, quasi romancé, mais qui reste le plus juste que nous ayons du point de vue phénoménologique, il fait dire à George Dedlow, son médecin-patient :

> Je découvris avec horreur que j'étais par moments moins conscient de moi-même, de mon existence, que par le passé. La sensation était si nouvelle qu'au début elle me dérouta. J'avais l'impression de demander sans arrêt à quelqu'un d'autre si j'étais bien, oui ou non, George Dedlow ; mais, sachant combien mes propos pourraient être jugés absurdes, je m'abstins de parler de mon cas et m'efforçai d'analyser encore plus profondément mes impressions. Par moments, la force de mon désir d'être moi-même était accablante et terriblement douloureuse. Je ne saurais mieux décrire ce qui m'arrivait que comme une déficience de mon *ego*, du sentiment de mon individualité.

Christina a aussi cette impression générale – cette « déficience du sentiment de son individualité » – qui a régressé avec le temps, et les progrès de l'adaptation. Elle a également un sentiment spécifique de désincarnation qui est d'origine organique et qui reste aussi grave, aussi inquiétant qu'au premier jour. Ceux qui ont eu la moelle épinière coupée éprouvent le même sentiment – mais ils sont, bien sûr, paralysés ; tandis que Christina, bien que « privée de corps », est debout et mène une vie normale.

Elle connaît de courtes rémissions, provisoires, lorsque sa peau est stimulée. Si elle en a l'occasion, elle sort, elle aime les voitures décapotables qui lui permettent de sentir le vent sur son visage et sur son corps (sensations superficielles et touches légères ne sont qu'à peine atténuées). « C'est merveilleux, dit-elle. Je sens le vent sur mes bras et sur mon visage, à ce moment-là j'ai la vague impression d'*avoir* des bras et un visage. Ce n'est pas tout à fait ça, mais c'est tout de même quelque chose – cela m'ôte, pendant un instant, cet horrible voile de mort. »

Mais sa situation est et reste « wittgensteinienne ». Elle ne sait pas que « c'est là une main » – sa perte de proprioception, sa désafférenciation, l'a privée de sa base existentielle, épistémique – et rien de ce qu'elle peut faire ou penser ne pourra modifier cet état des choses. Elle n'a pas la certitude de son corps. Qu'aurait dit Wittgenstein dans sa situation ?

Elle a à la fois réussi et échoué, d'une façon remarquable. Elle a réussi à manœuvrer, mais elle n'a pas réussi à être. Elle a réalisé d'une manière incroyable toutes les adaptations que la volonté, le courage, la ténacité, l'indépendance et la plasticité des sens et du système nerveux permettent. Elle a fait face, et continue de faire face à une situation sans précédent. Elle s'est battue dans des conditions dont l'étrangeté et la difficulté sont inimaginables ; elle a survécu à tout cela comme un être humain indomptable, avec un courage impressionnant. Elle fait partie de la cohorte méconnue des héros et héroïnes de l'infirmité neurologique.

Mais elle reste à tout jamais vaincue et mal en point. Nul courage ni ingéniosité au monde, aucun des moyens de substitution ou de compensation que permet le système nerveux ne pourront, en fin de compte, modifier le fait qu'elle a perdu complètement et pour toujours sa proprioception – ce sixième sens vital sans lequel un corps reste irréel, déshabité.

La pauvre Christina est, en 1985, « dénervée » comme elle l'était il y a huit ans et comme elle le restera jusqu'à la fin de ses jours. Son existence n'a pas de précédent. Elle est, autant que je sache, la première en son genre, le premier être humain « désincarné ».

Post-scriptum

Christina a désormais des compagnons d'infortune. J'apprends par le docteur H.H. Schaumburg, qui est le premier à décrire ce syndrome, que l'on voit apparaître aujourd'hui une foule de patients atteints de graves neuropathies sensorielles. Les plus touchés ont des troubles de l'image du corps comme Christina. La plupart d'entre eux sont des maniaques de la santé et des fanatiques de mégavitamines qui ont pris d'énormes quantités de vitamines B6 (pyridoxine). Il existe donc maintenant quelques centaines d'hommes et de femmes « désincarnés » – mais la plupart d'entre eux, contrairement à Christina, peuvent espérer une amélioration de leur état dès qu'ils cesseront de s'empoisonner à la pyridoxine.

4

L'homme qui tombait de son lit

Un jour, il y a des années, à l'époque où j'étais étudiant en médecine, une infirmière m'appela. Elle était dans un état de profonde perplexité et me raconta cette curieuse histoire au téléphone : un nouveau patient venait d'arriver – un jeune homme – qu'ils avaient admis le matin même. Il avait paru très gentil, très normal, tout au long de la journée – jusqu'à ce qu'il se réveille d'un petit somme quelques minutes plus tôt. Il avait pris alors un air étrange et excité – en fait, il ne semblait plus être lui-même. Il avait trouvé le moyen de tomber de son lit et se trouvait assis par terre où il faisait des scènes, vociférait et refusait de réintégrer son lit. M'était-il possible de venir et d'essayer d'arranger la situation ?

En arrivant, je trouvai le patient par terre près de son lit, regardant fixement l'une de ses jambes. Son expression était faite de colère, d'inquiétude et d'ahurissement – d'ahurissement surtout, auquel se mêlait une certaine consternation. Je lui demandai s'il pouvait retourner dans son lit ou s'il avait besoin d'aide ; manifestement bouleversé par mes suggestions, il fit non de la tête. Je m'accroupis près de lui et écoutai son histoire. Il me dit être venu ce matin-là pour faire des tests. Il ne se plaignait de rien, mais les neurologues avaient trouvé sa jambe gauche « paresseuse » – c'était exactement le mot qu'ils avaient employé – et avaient décidé de l'hospitaliser. Il s'était senti bien toute la journée et s'était endormi dans la soirée. Quand il s'était réveillé, tout allait encore bien, jusqu'à ce qu'il bouge dans son lit. Il avait alors trouvé « la jambe de quelqu'un » dans son lit – *une jambe humaine coupée,* une chose horrible ! Il avait d'abord été stupéfait et même dégoûté – jamais il n'avait fait une expérience semblable ou imaginé une chose aussi incroyable. Puis il se résolut à tâter la jambe avec précaution. Elle semblait parfaitement normale, mais « drôle » et froide. Et, tout à coup, une idée lui était venue à l'esprit. Il avait soudain compris ce qui s'était passé : *tout cela n'était qu'une plaisanterie !* Une plaisanterie plutôt monstrueuse et de mauvais goût, mais très originale ! C'était le réveillon du Nouvel An et tout le monde faisait la fête. La moitié du personnel était ivre ; les bons mots et les pétards volaient : une vraie scène de carnaval. Une des infirmières ayant sans doute un sens macabre de l'humour s'était glissée dans la salle de dissection et y avait chapardé une jambe qu'elle avait glissée sous ses couvertures pendant qu'il dormait profondément. Cette explication l'avait beaucoup soulagé ; mais cela avait beau n'être qu'une plaisanterie, elle était tout de même un peu exagérée ; il avait donc jeté ce sacré truc hors de son lit. Mais – et à ce moment-là il cessa de parler sur un ton badin, devenant blême et se mettant à trembler –, *quand il l'avait jetée du lit, il l'avait suivie – et maintenant elle était attachée à lui.*

– Regardez-la ! criait-il, dégoûté. Est-ce que vous avez déjà vu quelque chose d'aussi horrible ? Je pensais qu'un cadavre était seulement mort. Mais en fait c'est étrange – et même épouvantable : on dirait que c'est collé à moi !

Il saisit alors sa jambe des deux mains, avec une violence extraordinaire, et essaya de l'arracher de son corps. N'y parvenant pas, il se mit à cogner dessus dans un accès de rage.

– Du calme ! dis-je. Du calme. Ne cognez pas comme ça sur votre jambe.

– Et pourquoi pas ? demanda-t-il avec colère, agressivité.

– Parce que c'est *votre* jambe, répondis-je. Vous ne reconnaissez donc pas votre jambe ?

Il me jeta un regard stupéfait, incrédule, terrifié, mais non dépourvu d'une certaine suspicion amusée.

– Ah, docteur, dit-il, vous vous payez ma tête ! Vous êtes de mèche avec cette infirmière – vous ne devriez pas faire marcher vos patients comme ça !

– Mais non, je ne plaisante pas, dis-je. C'est bien votre jambe.

Il lut sur mon visage que j'étais parfaitement sérieux – et il prit une expression terrifiée.

– Vous dites que c'est ma jambe, docteur ? Ne disiez-vous pas qu'on peut reconnaître sa propre jambe ?

– Absolument, répondis-je. On *doit* pouvoir reconnaître sa propre jambe. Je ne conçois pas qu'on en soit incapable. Mais ne serait-ce pas plutôt vous qui essayez de nous faire marcher ?

– Je vous jure que non, si je mens je vais en enfer, je n'ai pas... On *doit* reconnaître son propre corps, ce qui en fait partie ou non, mais cette jambe, cette *chose* [*il frémit à nouveau de dégoût*] n'est pas normale, n'est pas réelle – et elle n'a pas l'*air* de faire partie de moi.

– Mais de quoi fait-elle partie alors ? demandai-je, aussi stupéfait que lui.

– De quoi fait-elle partie ? répéta-t-il lentement. Je vais vous le dire. *Elle ne fait partie de rien du tout.* Comment une chose pareille pourrait-elle m'appartenir ? Je ne sais pas à quoi appartient une chose pareille...

Sa voix s'éteignit. Il avait l'air terrifié et bouleversé.

– Écoutez, lui dis-je, ça ne va pas très bien. S'il vous plaît, laissez-nous vous remettre dans votre lit. Mais je voudrais vous poser une dernière question. Si ça – cette chose – n'est pas votre jambe gauche [*au cours de la conversation il l'avait appelée une « contrefaçon » et s'était étonné que quelqu'un ait réussi à « fabriquer un « fac-similé »*], alors où est passée votre jambe gauche ?

Une fois de plus, il devint extrêmement pâle, je crus qu'il allait s'évanouir.

– Je ne sais pas, répondit-il. Je n'en ai pas la moindre idée. Elle a disparu. Elle est partie. Il faut la retrouver...

Post-scriptum

Depuis la publication de ce récit (dans mon livre *Sur une jambe*), j'ai reçu la lettre suivante d'un éminent neurologue, le docteur Michaël Kremer :

> On me demanda d'examiner un étrange patient en service de cardiologie. Il avait une fibrillation auriculaire et une hémiplégie du côté gauche, survenue à la suite d'une grave embolie. On m'avait demandé de l'examiner parce qu'il tombait sans arrêt de son lit la nuit et que les cardiologues n'en comprenaient pas la raison.
> Lorsque je lui demandai ce qui lui arrivait la nuit, il me répondit très ouvertement que, lorsqu'il se réveillait dans son sommeil, il trouvait toujours à côté de lui dans le lit une jambe morte, froide et poilue, dont il ne comprenait ni ne supportait la présence ; de son bon bras et de sa bonne jambe, il essayait alors de la pousser hors du lit et, bien sûr, le reste de son corps suivait.
> C'était un parfait exemple de cette perte complète de conscience de son membre hémiplégique ; mais, ce qui était intéressant, c'était qu'il était incapable de me dire si sa propre jambe de ce côté-là était ou non dans le lit avec lui, tant il était préoccupé par la présence déplaisante de la jambe étrangère.

5

Mains

Madeleine J. fut admise à l'hôpital Saint-Benedict, près de New York, en 1980 ; c'était une femme de soixante ans, aveugle de naissance et atteinte d'une paralysie cérébrale ; elle avait toujours été, jusque-là, prise en charge par sa famille. Étant donné son histoire et son état pathétique – elle souffrait de spasticité et d'athétose, ce qui entraînait chez elle des mouvements involontaires des deux mains, à quoi s'ajoutait une absence de développement visuel –, je m'attendais à trouver une femme à la fois arriérée et régressive.

Il n'en était rien. Bien au contraire : elle parlait facilement, non sans une certaine éloquence (la spasticité avait à peine affecté sa parole, heureusement), et s'avérait être une femme d'esprit, d'une intelligence et d'une culture exceptionnelles.

– Vous avez lu énormément, lui dis-je. Vous devez bien vous débrouiller en Braille.

– Non, pas du tout, dit-elle. On m'a fait la lecture, ou j'ai écouté des enregistrements sur cassettes. Je suis incapable de lire le Braille. Je ne peux *rien* faire avec mes mains – elles sont complètement hors d'usage.

Elle leva les mains d'un air dérisoire. « Des morceaux de pâte à tarte, voilà ! je n'ai même pas l'impression qu'elles m'appartiennent. »

C'était effrayant. En général, la paralysie cérébrale n'atteint pas les mains – ou du moins pas gravement : celles-ci peuvent être agitées de quelques spasmes, être un peu faibles ou déformées, mais elles restent éminemment utiles (contrairement aux jambes qui peuvent être complètement paralysées dans cette autre forme de la maladie que l'on appelle la diplégie cérébrale ou maladie de Little).

Les mains de mademoiselle J. étaient un peu spasmodiques et athétosiques, mais leurs capacités sensorielles – comme je pus rapidement le constater – étaient parfaitement intactes : elle reconnaissait et identifiait tout de suite un léger contact, une douleur, de la chaleur, un mouvement des doigts. La sensation élémentaire n'était nullement altérée en tant que telle, mais, en revanche, la perception était profondément et dramatiquement atteinte. Elle était incapable d'identifier un objet quel qu'il soit – je plaçai toutes sortes de choses dans sa main, y compris l'une de mes mains. Elle ne parvint pas à les reconnaître – et elle n'explorait pas ; ses mains n'exerçaient aucun mouvement « interrogateur » actif – elles étaient en effet aussi inactives, inertes, inutiles que de la « pâte à tarte ».

C'est très étrange, me disais-je en moi-même. Comment comprendre tout cela ? Il n'y a pas de déficit « sensoriel » majeur. Ses mains devraient être parfaitement utilisables – et pourtant elles ne le sont pas. Serait-ce parce qu'elles ne fonctionnent pas ? Seraient-elles « inutiles » parce qu'elle ne les a jamais utilisées ? Le fait d'avoir été « protégée », « surveillée », « infantilisée » depuis sa naissance l'aurait-il empêchée d'explorer le monde de ses mains comme tout enfant le fait dans les premiers mois de sa vie ? Avait-on pris soin d'elle, et tout fait à sa place, d'une façon telle que cela l'aurait empêchée de développer normalement les aptitudes de ses mains ? Et, si tel était le cas – c'était la seule hypothèse que je puisse trouver, même si elle était tirée par les cheveux –, lui serait-il possible d'acquérir, aujourd'hui, à soixante ans, ce qu'elle aurait dû acquérir dans les premières semaines et les premiers mois de sa vie ?

Y avait-il un précédent ? Avait-on déjà décrit – ou tenté de décrire – quelque chose du même genre ? Je l'ignorais, mais un parallèle possible me vint immédiatement à l'esprit : ce que Leont'ev et Zaporozhets ont décrit dans leur ouvrage *Rehabilitation of Hand Function.* La situation qu'ils ont évoquée était à l'origine tout à fait différente ; il s'agissait d'une « aliénation » des mains, analogue à celle de ma patiente, dont furent victimes deux cents soldats à la suite de graves blessures et d'interventions chirurgicales – leurs mains blessées semblaient « étrangères », « inertes », « inutiles », « collées », en dépit d'une intégrité neurologique et sensorielle élémentaire. Leont'ev et Zaporozhets décrivaient comment le « système gnostique », qui rend possible la « gnosie » ou l'usage perceptif des mains, peut se trouver « dissocié » dans certains cas de ce genre à la suite d'une blessure, d'une opération, et de l'interruption de plusieurs semaines ou de plusieurs mois qui s'ensuit dans l'usage des mains. Dans le cas de Madeleine, même si le phénomène était identique – des mains « inutiles », « inertes », « aliénées » –, il durait depuis toujours. Il ne lui fallait pas seulement retrouver l'usage de ses mains, mais le découvrir – l'acquérir – pour la première fois : elle ne devait pas seulement recouvrer un système gnostique dissocié, mais construire un système gnostique qu'elle n'avait jamais eu jusque-là. Était-ce possible ?

Leont'ev et Zaporozhets parlaient de soldats blessés dont les mains étaient normales avant leur blessure. Ces soldats n'avaient qu'une seule chose à faire, c'était se rappeler ce qu'ils avaient « oublié », ce qui avait été « dissocié » ou rendu « inutilisable » par leur grave blessure. Madeleine, au contraire, n'avait pas de répertoire mnémonique, car elle ne s'était jamais servie de ses mains – et elle n'avait pas le sentiment d'*avoir* des mains, ou des bras. Jamais elle ne s'était nourrie seule, jamais elle n'avait fait sa toilette elle-même, ni été en mesure de se débrouiller toute seule. Elle laissait toujours les autres faire les choses à sa place. Pendant soixante ans, elle s'était comportée comme un être privé de mains.

Voilà donc la difficulté que nous avions à affronter : une patiente ayant des sensations élémentaires parfaitement normales dans les mains, mais n'ayant apparemment pas la faculté d'intégrer ces sensations au niveau des perceptions qui la relieraient au monde et à elle-même ; ayant si peu la possibilité de dire : « je perçois, je reconnais, je veux, j'agis », que ses mains en étaient rendues « inutiles ». Mais il nous fallait, d'une façon ou d'une autre (comme Leont'ev et Zaporozhets le constatèrent avec leurs patients), l'aider à faire fonctionner et à utiliser ses mains de manière active et parvenir ainsi, nous l'espérions, à l'intégration. « L'intégration est dans l'action », a dit Roy Campbell.

Madeleine était consentante et même fascinée par tout cela, mais elle était aussi déconcertée et sceptique. « Mes mains ne sont que des blocs de mastic, comment voulez-vous que j'en fasse quelque chose ? » disait-elle.

« Au commencement est l'action », écrit Goethe. Cette assertion est peut-être vraie lorsque nous avons affaire à des dilemmes moraux ou existentiels, mais elle ne l'est plus lorsque nous sommes aux origines de la perception et du mouvement. Pourtant, là aussi, se produit toujours quelque chose de soudain – un premier pas (ou un premier mot, comme lorsque Hélène Keller dit : « eau »), un premier mouvement, une première perception, une première impulsion, globale, « tombée du ciel », là où auparavant il n'y avait rien, ou du moins rien de significatif. « Au commencement est l'impulsion. » Non pas l'action, ni le réflexe, mais une « impulsion » à la fois plus mystérieuse et plus évidente... Nous ne pouvions pas dire à Madeleine : « Faites-le ! » mais nous pouvions espérer que se produirait une impulsion ; nous pouvions l'espérer, la solliciter, et même la provoquer...

Je pensais à l'enfant lorsqu'il découvre le sein maternel. « Laissez le repas de Madeleine légèrement hors de sa portée, à l'occasion, comme par hasard, suggérai-je à ses infirmières. Ne la laissez pas mourir de faim, ne la tourmentez pas, mais faites preuve d'un peu moins d'empressement à la nourrir. » Et un jour se produisit ce qui ne s'était encore jamais produit : impatiente, affamée, Madeleine, plutôt que d'attendre passivement, avança un bras, tâtonna, trouva un *bagel* * et le porta à sa bouche. Ce fut la première fois qu'elle se servit de ses mains, son premier acte manuel en soixante ans d'existence, un acte qui marqua sa naissance comme « sujet moteur » (une expression de Sherrington désignant le sujet émergeant grâce à l'action). Il marqua aussi sa première perception manuelle et, par là, sa naissance comme « sujet perceptif » complet. Cette première perception, cette première reconnaissance, fut celle d'un *bagel*, ou de la *bagelité* si

* Nom d'un gâteau (mot d'origine yiddish) [*NdT*].

l'on peut dire – de même, la première reconnaissance d'Hélène Keller, le premier mot qu'elle émit, fut le mot « eau » (« aquosité »).

Dès lors, les progrès furent extrêmement rapides. A partir du moment où Madeleine avait tendu la main pour toucher un *bagel*, elle eut soif d'explorer tout ce qui l'entourait. Le fait de manger ouvrit la voie à la sensation, à l'exploration de différents aliments, de divers récipients et instruments. Pour effectuer ses « reconnaissances », il lui fallait employer ces moyens détournés que sont l'inférence et la conjoncture : en effet, étant aveugle et « privée de mains » depuis sa naissance, il lui manquait les images internes les plus élémentaires (Hélène Keller, pour sa part, avait au moins des images tactiles). Sans son intelligence et sa culture exceptionnelles, sans une imagination alimentée, si l'on peut dire, par les images des autres, transportées par le langage, par le *monde*, elle aurait pu rester aussi dépourvue d'initiatives qu'un bébé.

Elle reconnaissait un *bagel* comme un pain rond avec un trou dedans ; une fourchette comme un objet plat et allongé muni de plusieurs dents pointues. Mais cette analyse préliminaire débouchait sur une intuition immédiate et elle pouvait reconnaître instantanément les objets comme tels, familiers par leur caractère et leur « physionomie », uniques comme de « vieux amis ». Et ce type de reconnaissance, non pas analytique mais synthétique et immédiate, allait de pair avec un vif plaisir et l'impression d'être en train de découvrir un monde enchanteur, rempli de mystère et de beauté.

Les objets les plus banals l'enchantaient – et stimulaient en elle le désir de les reproduire. Elle demanda de l'argile et commença à modeler : sa première sculpture fut un chausse-pied auquel elle sut donner une force et un humour particuliers, avec des courbes souples, puissantes et trapues qui rappelaient les premières sculptures d'Henry Moore.

Ensuite – tout cela se passa durant le mois de ses premières reconnaissances –, son attention et son appréciation passèrent des objets aux gens. Après tout, les possibilités expressives des choses sont d'un intérêt limité, même lorsqu'elles sont transfigurées par un esprit comme le sien, ingénieux, innocent et souvent plein d'humour. Désormais, elle avait besoin d'explorer le visage et la forme humaine, au repos et en mouvement. Être « tâté » par Madeleine était du reste une expérience remarquable. Ses mains, encore inertes peu de temps auparavant, molles comme de la pâte, semblaient maintenant animées d'une vivacité et d'une sensibilité extraordinaires. On n'était pas simplement reconnu, scruté, d'une manière plus intense et plus fouillée que dans n'importe quel examen visuel, on était « goûté » et apprécié de manière méditative, imaginative, esthétique, par une artiste-née (nouvellement née). Ce n'étaient pas seulement, je pense, les mains d'une aveugle qui exploraient, mais celles d'une artiste aveugle, d'un esprit profond et créatif qui venait de s'ouvrir à la pleine réalité sensuelle et spirituelle du monde. Ces explorations réclamaient d'elle la représentation et la reproduction d'une réalité extérieure.

Elle commença à modeler des têtes et des visages et ne tarda pas à se rendre célèbre dans la région comme la sculptrice aveugle de Saint-Benedict. Ses sculptures avaient généralement la moitié ou les trois quarts de la taille humaine normale ; leurs traits étaient simples, mais reconnaissables – elles avaient une remarquable puissance d'expression. Ce fut pour moi, pour elle et pour nous tous une expérience profondément émouvante, étonnante, presque miraculeuse. Qui aurait pu penser que ces pouvoirs perceptifs fondamentaux, qui s'acquièrent normalement dans les premiers mois de la vie, puissent s'acquérir à l'âge de soixante ans ? Quelles merveilleuses possibilités d'apprentissage tardif cette expérience ouvrait, en particulier pour les handicapés ! Et qui aurait pu penser que, chez cette femme aveugle et paralysée, protégée à l'extrême toute sa vie, inactive et ensevelie dans sa cécité, existait le germe d'une étonnante sensibilité artistique (que personne ne soupçonnait, pas même elle), et que cette sensibilité germerait, fleurirait, pour devenir une réalité rare et belle, après être restée en sommeil pendant soixante ans ?

Post-scriptum

Le cas de Madeleine J., comme je devais m'en apercevoir, n'avait cependant rien d'unique. Moins d'un an après, je rencontrai un autre patient (Simon K.), qui avait aussi une paralysie cérébrale associée à une profonde détérioration de la vue. Monsieur K. avait des mains d'une force et d'une sensibilité normales, et pourtant il pouvait à peine s'en servir – et il était absolument incapable de tenir, de chercher ou de reconnaître quelque chose. Comme le cas de Madeleine J. nous avait alertés sur la question, nous nous demandions s'il n'avait pas, lui aussi, une « agnosie de développement » – et si nous ne pourrions pas le traiter en conséquence. Et, en effet, nous découvrîmes bientôt que nous pouvions réaliser avec Simon ce que nous avions réussi avec Madeleine. Moins d'un an plus tard, il était devenu très « adroit » de ses mains, dans tous les sens du terme ; il aimait particulièrement la charpenterie, le façonnage de morceaux de contreplaqué ou du bois qu'il assemblait pour en faire des jouets très simples. Il n'avait pas le goût de sculpter ou de faire des reproductions – il n'avait pas, comme Madeleine, de don artistique. Mais, après avoir passé un demi-siècle sans pratiquement employer ses mains, il aimait s'en servir de toutes les façons possibles.

Et c'était là le résultat le plus remarquable, car il était un peu retardé, un peu simplet. Madeleine J., au contraire, si passionnée et si douée, était extraordinaire en son genre, une sorte d'Hélène Keller, un être rare – ce que l'on ne pouvait pas dire de Simon le simple. Et pourtant, le résultat essentiel – le fonctionnement des mains – s'avérait pleinement possible pour tous les deux. Il est donc clair que l'intelligence en tant que telle ne joue aucun rôle dans l'affaire – et que le plus important est l'*usage*.

Des cas d'agnosie de développement, comme ceux-là, sont peut-être rares, mais il est fréquent de voir des cas d'agnosie acquise, qui illustrent le même principe fondamental de l'importance de l'usage. Ainsi, il m'arrive souvent de voir des patients atteints de cette grave neuropathie due au diabète, dite « en gants et en chaussettes ». Si celle-ci est assez grave, les patients dépassent le stade du simple engourdissement (la sensation « en gants et en chaussettes ») pour arriver à une sensation d'annihilation ou de déréalisation complète. Ils peuvent avoir l'impression (comme l'a dit un patient) d'être comme un « homme tronc », complètement privés de mains et de pieds. Quelquefois, ils ont l'impression d'avoir des moignons à la place des bras et des jambes, comme si on leur avait « collé » des morceaux de « pâte » ou de « plâtre ». Cette sensation de déréalisation survient de façon absolument subite... et la re-réalisation se fait également de façon soudaine. Il y a, si l'on peut dire, un seuil critique (à la fois fonctionnel et ontologique). Il est essentiel de pousser de tels patients à *utiliser* leurs pieds et leurs mains – ou même, s'il le faut, d'employer une astuce pour qu'ils le fassent. C'est la seule manière de déclencher chez eux une brusque re-réalisation, un bond dans la réalité et dans la « vie »... à condition qu'il y ait un potentiel physiologique suffisant (si la neuropathie est totale, si les parties distales des nerfs sont presque mortes, une telle re-réalisation n'est pas possible).

Pour des patients atteints de neuropathie grave, mais non totale, il est absolument vital de faire fonctionner un peu leurs pieds et leurs mains : c'est ce qui pour eux fera toute la différence entre l'état d'« homme tronc » et un fonctionnement raisonnable (si l'usage est excessif, la fonction nerveuse, qui est déjà limitée, peut se fatiguer, ce qui peut entraîner une nouvelle et soudaine déréalisation).

Ajoutons que ces sensations subjectives ont des corrélats objectifs précis : on trouve un « silence électrique » local dans les muscles des mains et des pieds, et, du point de vue sensoriel, une absence totale de tous les « potentiels évoqués * » à chaque étape qui mène au cortex. Dès que les mains et les pieds sont

* Réponse électrique du système nerveux à une stimulation sensorielle provoquée, repérable sur le tracé électroencéphalographique [*NdT*].

rendus à la réalité par l'usage que l'on en fait, le tableau physiologique change complètement.

C'est une sensation de mort et d'irréalité analogue à celle décrite plus haut, au chapitre III, « La femme désincarnée ».

6

Fantômes

Un « fantôme », au sens où l'entendent les neurologues, est une image ou un souvenir d'une partie du corps, en général un membre, persistant des mois et des années après sa disparition. Déjà connus dans l'Antiquité, les fantômes ont été décrits et étudiés en détail par le grand neurologue américain Silas Weir Mitchell, pendant et après la guerre de Sécession.

Weir Mitchell a répertorié de nombreuses sortes de fantômes – les uns spectraux et irréels (que l'on a appelés des « fantômes sensoriels », les autres irrépressiblement (et même dangereusement) vivants et réels ; les uns très douloureux, les autres (la plupart) indolores ; les uns d'une exactitude quasi photographique, comme s'ils étaient des répliques ou des fac-similés du membre perdu, les autres ridiculement raccourcis ou déformés... sans oublier les « fantômes négatifs » ou les « fantômes d'absence ». Weir Mitchell ne manquait pas de signaler que ces dérèglements de l'« image du corps » (le terme ne fut employé par Henry Head que cinquante ans plus tard) peuvent être la conséquence d'autres facteurs centraux (stimulation ou lésion du cortex sensoriel, notamment des lobes pariétaux) ou de facteurs périphériques (maladie des moignons nerveux, ou neuromes ; lésion nerveuse, stimulation ou blocage nerveux ; trouble des racines nerveuses vertébrales ou de l'appareil sensoriel de la moelle épinière). Je me suis moi-même penché tout particulièrement sur ces facteurs périphériques.

Les fragments qui suivent sont extrêmement courts, presque anecdotiques. Ils sont extraits d'une rubrique du *British Medical Journal* appelée « Clinical Curio ».

Doigt fantôme

Un marin s'était coupé accidentellement l'index droit. Pendant quarante ans, il fut importuné par le fantôme de ce doigt qui se tendait raide, comme au moment où il fut coupé. Chaque fois qu'il portait la main à son visage – par exemple pour manger ou pour se gratter le nez –, il avait peur d'être éborgné par ce doigt fantôme. (Il avait beau savoir que ce n'était pas possible, le sentiment en était irrépressible.) Il fut ensuite victime d'une grave neuropathie sensorielle due au diabète et perdit toute sensation, même celle d'avoir des doigts. Le doigt fantôme disparut alors, lui aussi.

Il est bien connu qu'un dérèglement pathologique central, comme une attaque sensorielle, peut « guérir » un fantôme. Un dérèglement pathologique périphérique n'a-t-il pas bien souvent le même effet ?

Disparition de membres fantômes

Tous les amputés, et tous ceux qui travaillent avec eux, savent qu'un membre fantôme joue un rôle essentiel dans l'usage d'un membre artificiel. Le docteur Michaël Kremer écrit à ce sujet : « Sa valeur pour l'amputé est énorme. Je suis absolument certain qu'aucun amputé ne peut marcher de façon correcte avec un membre inférieur artificiel avant d'y avoir incorporé une image corporelle, autrement dit le membre fantôme. »

C'est pourquoi la disparition d'un fantôme peut être désastreuse, et son retour, sa ré-animation, une question d'urgence. Celle-ci peut être effectuée de mille manières différentes : Weir Mitchell décrit comment une main fantôme qui avait disparu pendant vingt-cinq ans fut soudain « ressuscitée » par faradisation du plexus brachial. Un patient du même genre, confié à mes soins, décrit comment il doit « réveiller » son fantôme chaque matin : il commence par fléchir son moignon de cuisse vers lui, ensuite il lui donne plusieurs claques sèches – « comme sur le derrière d'un bébé ». A la cinquième ou sixième claque, le fantôme surgit d'une façon *fulgurante*, ranimé par le stimulus périphérique. A ce moment-là seulement, il peut mettre sa prothèse et marcher. Quelles sont les autres méthodes bizarres qu'utilisent les amputés ? On peut se le demander.

Fantômes positionnels

Un patient, Charles D., nous fut adressé parce qu'il trébuchait, qu'il avait des vertiges et tombait – l'hypothèse de troubles labyrinthiques s'était révélée sans fondement. En le questionnant soigneusement, nous comprîmes qu'il n'éprouvait nullement du vertige, mais une constante instabilité due à des illusions positionnelles toujours changeantes – brusquement, le plancher lui semblait plus éloigné ou plus proche qu'il n'était en réalité, il se mettait à bouger, à osciller, à s'incliner, « comme un bateau sur une mer démontée », pour reprendre son expression. Ce qui avait pour effet de le faire rouler et tanguer, *sauf s'il regardait ses pieds*. Seule la vue lui permettait de constater la bonne position de ses pieds sur le plancher. Mais la sensation elle-même, étant devenue extrêmement trompeuse et instable, l'emportait parfois sur la vue et, dans ces cas-là, le plancher et ses pieds lui semblaient mouvants et effrayants.

Nous nous rendîmes bientôt compte qu'il souffrait des premiers signes aigus du *tabes* * et (du fait que la racine dorsale était touchée) d'une sorte de délire sensoriel fait d'« illusions proprioceptives » à fluctuation rapide. Nul n'ignore ce qu'est la phase terminale classique du *tabes*, et les risques d'une « cécité » proprioceptive des jambes qui l'accompagnent. Mais ceux qui me lisent ont-ils déjà rencontré cette phase intermédiaire, où

* *Tabes dorsalis* : affection d'origine syphilitique caractérisée par des troubles moteurs (incoordination, abolition des réflexes, etc.) [*NdT*].

surviennent des illusions, des fantômes positionnels, et qui est provoquée par un délire tabétique aigu (mais réversible) ?

L'histoire de ce patient me rappelle une étonnante expérience que j'ai faite au moment de la *guérison* d'un scotome proprioceptif. Dans *Sur une jambe*, je l'ai décrite de la façon suivante :

> J'étais tout flageolant, et ne pouvais m'empêcher de fixer le sol. Je découvris sur-le-champ la source de ma commotion : c'était ma jambe – ou plutôt cette chose, ce cylindre anonyme et crayeux qui me servait de jambe, cette abstraction blafarde, qui ne méritait plus le nom de jambe. Le cylindre en question me paraissait avoir tantôt trois cents mètres de long, tantôt deux millimètres ; il me semblait tantôt adipeux, tantôt très mince ; je me voyais pencher tantôt d'un côté, tantôt de l'autre. Il changeait constamment de taille et de forme, de position et d'inclinaison, se modifiait quatre ou cinq fois par seconde. Et ces transformations, ces changements n'avaient rien de graduel : d'une « image » à l'autre, tous ces paramètres pouvaient varier dans la proportion de un à mille... *.

Fantômes – morts ou vifs ?

Une certaine confusion règne au sujet des membres fantômes : En rencontre-t-on, ou non ? Sont-ils pathologiques ou non ? Sont-ils réels ou non ? La littérature n'est pas claire sur ce sujet, mais les patients le sont – et ils contribuent à clarifier les choses en décrivant différents *types* de fantômes.

Un homme qui avait toute sa lucidité d'esprit et qui était amputé au-dessus du genou me fit cette description :

> Il y a cette *chose*, ce pied fantôme, qui me fait quelquefois un mal de chien – mes doigts de pied se crispent, ou sont pris de spasmes. C'est encore pire la nuit, lorsqu'on enlève la prothèse, ou bien lorsque je ne fais rien. Par contre, si je

* *Sur une jambe*, Paris, Éd. du Seuil, 1987, p. 114-115 [*NdT*].

> mets la prothèse et que je marche, la douleur s'en va. A ce moment-là, je sens encore nettement la jambe, mais c'est un *bon* fantôme, ce n'est pas le même – il anime la prothèse, et il me permet de marcher.

Pour ce patient, comme pour les autres, c'est bien l'*usage* qui est essentiel, car il chasse le « mauvais » fantôme (ou bien le fantôme passif, ou pathologique), s'il existe ; et permet de garder le « bon » fantôme, c'est-à-dire l'image ou le souvenir persistant, dont ils ont besoin, du membre amputé – vivant, actif, en bon état.

Post-scriptum

Nombre de patients (mais pas tous) ayant des membres fantômes souffrent de « douleur fantôme » ou de douleur dans leur membre fantôme. Cette douleur peut avoir des aspects insolites, mais la plupart du temps elle est assez « ordinaire » : elle est la simple persistance d'une douleur qui existait auparavant dans le membre, ou bien l'élancement d'une douleur qui pourrait être celle du membre actuel. Depuis la première publication de ce livre, j'ai reçu à ce sujet beaucoup de lettres fascinantes de patients : l'un d'eux parle de la gêne que lui cause un ongle incarné auquel on n'avait pas « porté attention » avant l'amputation et qui continuait à exister des années après l'amputation ; mais aussi d'une douleur complètement différente – une atroce douleur racinaire, ou « sciatique » dans le membre fantôme – à la suite d'un « déplacement de disque », douleur qui disparut avec la remise en place du disque, et une arthrodèse *. Des problèmes de ce genre ne sont pas rares du tout et n'ont rien d'« imaginaire » ; on peut les étudier par des moyens neurophysiologiques.

Le docteur Jonathan Cole, l'un de mes anciens étudiants, qui

* Opération ayant pour but de provoquer l'ankylose d'une articulation [*NdT*].

est actuellement neurophysiologue de la colonne vertébrale, décrit par exemple comment l'anesthésie de la moelle épinière par de la Lignocaïne entraîna l'anesthésie (et même la disparition) momentanée du membre fantôme chez une femme qui avait une douleur fantôme persistante à la jambe ; par contre, la stimulation électrique des racines épineuses entraîna de vifs picotements douloureux dans le membre fantôme, très différents de la douleur sourde qui régnait à l'ordinaire ; tandis que la stimulation du haut de la moelle épinière réduisait la douleur fantôme [1]. Le docteur Cole a aussi présenté des études électrophysiologiques détaillées sur un patient ayant souffert pendant quatorze ans d'une polyneuropathie sensorielle, très similaire à bien des égards à celle de Christina, la « femme désincarnée ». (Voir *Proceedings of the Physiological Society*, février 1986, p. 51.)

1. Communication personnelle.

7
Au niveau

Cela fait maintenant neuf ans que j'ai rencontré monsieur Mac Gregor à la clinique neurologique de Saint-Dunstan, une maison pour personnes âgées où j'ai travaillé pendant quelque temps, mais je me souviens de lui, je le revois, comme si c'était hier.

– Quel est le problème ? lui demandai-je. (Il se tenait debout devant moi, penché sur le côté.)

– Le problème ? Aucun problème – rien que je sache... Mais les autres n'arrêtent pas de me dire que je penche d'un côté ; ils me disent : « Vous êtes comme la tour de Pise, en un peu plus penché, et un de ces jours vous allez basculer. »

– Mais vous-même, vous n'avez pas l'impression de pencher ?

– Je me sens bien. Je ne comprends pas ce qu'ils veulent dire. D'ailleurs, comment *pourrais-je* pencher sans le savoir ?

– Ça m'a l'air d'être une drôle d'affaire, acquiesçai-je. Voyons cela. J'aimerais que vous vous leviez et fassiez quelques pas – simplement un aller-retour d'ici au mur. Je veux voir par moi-même, *et je veux que vous voyiez, vous aussi.* Nous allons vous filmer pendant que vous marchez et nous vous montrerons la bande.

« Très bien, docteur », dit-il, et après deux ou trois oscillations, il se mit debout. Quel bonhomme ! pensais-je. Quatre-vingt-treize ans – et il ne fait pas plus de soixante-dix ans. Alerte, frais comme une rose. Il ira jusqu'à cent ans. Et fort comme un Turc, même avec sa maladie de Parkinson. Il marchait rapidement, sûr de lui, mais s'inclinait d'une façon invraisemblable, d'au moins vingt degrés par rapport à la verticale, déplaçant son centre de gravité sur la gauche et gardant son équilibre en maintenant la marge la plus étroite possible.

– Voilà ! dit-il avec un sourire de satisfaction. Vous voyez ! Il n'y a pas de problème. J'ai marché droit comme un I.

– Vraiment, monsieur Mac Gregor ? lui dis-je. Je voudrais que vous en jugiez par vous-même.

Je rembobinai la cassette et la lui montrai. Il fut profondément choqué lorsqu'il se vit sur l'écran. Ses yeux s'ouvrirent grands, ses mâchoires tombèrent et il se mit à marmonner :

– Ça alors ! Ils ont raison, je *penche* d'un côté, je le vois bien, mais je ne m'en rends pas compte. Je ne le *sens* pas.

– Voilà, dis-je. C'est le nœud du problème.

Nous avons cinq sens dont nous tirons fierté et que nous célébrons ; ils construisent pour nous le monde sensible. Mais il en existe d'autres, plus secrets – des sixièmes sens, en quelque sorte –, tout aussi vitaux, qui restent méconnus et dont nous ne vantons pas les mérites. Ces sens inconscients, automatiques, ont été découverts assez tardivement : les victoriens les ont vaguement appelés « sens musculaires » – la conscience de la position relative du tronc et des membres provenant des récepteurs situés dans les jointures et les tendons ; en fait, ils ne furent vraiment définis que dans les années 1890. On les baptisa alors du nom de « proprioception ».

Les mécanismes et organes de contrôle complexes par lesquels nos corps s'alignent et s'équilibrent correctement dans l'espace n'ont finalement été précisés qu'au XXe siècle, et recèlent encore bien des mystères. Ce sera peut-être seulement à l'ère spatiale, grâce aux hasards et privilèges paradoxaux de la vie extragravitationnelle, que nous pourrons vraiment apprécier le fait d'avoir des oreilles internes, des vestibules et tous ces autres obscurs récepteurs et réflexes qui règlent notre orientation corporelle. Pour un homme normal, en temps ordinaire, ils n'existent tout simplement pas.

Pourtant, leur absence est révélatrice. Si ces sens secrets que nous négligeons sont victimes d'une défaillance ou d'une malformation, nous vivons alors quelque chose de tout à fait étrange qui s'apparente, de façon inexprimable, au fait d'être sourd ou aveugle. Si la proprioception est complètement détruite, le corps devient pour ainsi dire sourd et aveugle à lui-même – et (comme le suggère la signification de la racine latine *proprius*) il cesse de s'« appartenir », de s'éprouver comme étant lui-même (voir « La femme désincarnée », chapitre III).

Le vieil homme prit l'air soudain résolu, ses sourcils se froncèrent, ses lèvres se pincèrent. Il se tenait immobile, profondément absorbé par ses pensées, donnant un spectacle que j'aimais à voir : celui d'un patient – à mi-chemin entre l'épouvante et l'amusement – sur le point de voir pour la première fois exactement ce qui ne va pas et, dans le même instant, exactement ce qu'il faut faire. C'est le *moment thérapeutique.*

– Laissez-moi réfléchir, voyons..., murmura-t-il en partie pour lui-même, soulevant ses sourcils blancs en broussaille et ponctuant sa réflexion de ses mains puissantes, noueuses. Laissez-moi réfléchir. Réfléchissez avec moi – il doit y avoir une réponse ! Je penche d'un côté et je l'ignore, n'est-ce pas ? Je devrais le sentir, avoir un signal d'alarme, mais il n'y en a pas, c'est bien cela ? [*Il marqua une pause.*] J'étais charpentier, reprit-il, et son visage s'éclaira. Nous utilisions toujours un niveau à alcool pour savoir si une surface était droite ou penchée par rapport à la verticale. Aurions-nous donc une sorte de niveau à alcool dans le cerveau ?

J'acquiesçai.

– Est-ce que la maladie de Parkinson pourrait le supprimer ?

J'acquiesçai de nouveau.

– Est-ce ce qui s'est passé pour moi ?

J'acquiesçai une troisième fois :

– Oui, absolument.

En parlant de niveau à alcool, monsieur Mac Gregor avait mis le doigt sur une analogie fondamentale, il avait trouvé une métaphore parfaite pour définir le système de contrôle essentiel du cerveau. Certaines parties de l'oreille interne sont en effet à proprement parler des niveaux – ce sont les labyrinthes, qui sont constitués de canaux semi-circulaires contenant un liquide dont le mouvement est contrôlé en permanence. Ce n'étaient pas eux, en l'occurrence, qui étaient en cause, mais plutôt sa faculté d'*utiliser* ses organes de l'équilibre en même temps que son sens corporel et ses images visuelles du monde. Le simple symbole qu'employait monsieur Mac Gregor ne s'appliquait pas seulement aux labyrinthes, mais aussi à l'intégration complète des trois sens secrets, à savoir le sens labyrinthique, le sens proprioceptif et le sens visuel. Dans le parkinsonisme, cette synthèse-là se trouve détériorée.

Le grand neurologue Purdon Martin, aujourd'hui disparu, nous a livré les études les plus pénétrantes et les plus pratiques qui soient sur ces intégrations – et sur les étonnantes *dés*intégrations qu'elles subissent dans le parkinsonisme. Son remarquable ouvrage sur le sujet, *The Basal Ganglia and Posture*, a été publié en 1967, et continuellement revu et augmenté par la suite ; l'auteur était récemment en train de compléter une nouvelle édition lorsqu'il mourut. Purdon Martin écrit, à propos de cette intégration localisée dans le cerveau : « Il doit y avoir un centre ou une " autorité supérieure " dans le cerveau (...) une sorte de " contrôleur ", si l'on peut dire. Ce contrôleur, cette autorité supérieure, doit être informé de l'état de stabilité ou d'instabilité du corps. »

Dans la section sur les « réactions d'inclinaison », Purdon Martin insiste sur l'importance des trois sens dans le maintien d'une posture stable et droite, et il note combien cet équilibre subtil se trouve souvent bouleversé dans le parkinsonisme – comment, en particulier, l'élément labyrinthique disparaît fréquemment avant les éléments proprioceptifs et visuels. Ce triple système de contrôle, laisse-t-il entendre, est fait de telle façon qu'*un* seul sens, *un* seul contrôle peut compenser les autres, sinon complètement (car les sens ont des capacités différentes), du moins en partie, et dans une mesure utile. Les réflexes et contrôles visuels sont peut-être finalement les moins importants – en temps normal. Aussi longtemps que nos systèmes vestibulaires et proprioceptifs sont intacts, nous pouvons rester parfaitement stables les yeux fermés. Nous ne penchons ni ne tombons si nous fermons les yeux, tandis que le parkinsonien, dont l'équilibre est précaire, risque de le faire. (On voit souvent des parkinsoniens assis dans des positions exagérément penchées et n'en ayant pas la moindre conscience. Si on leur tend un miroir de façon à ce qu'ils puissent *voir* leur position, ils se redressent instantanément.)

La proprioception peut aussi compenser dans une large mesure les défauts de l'oreille interne : c'est le cas pour des patients auxquels on a ôté chirurgicalement les labyrinthes (comme on le fait parfois pour soulager quelqu'un des intolérables vertiges d'une grave maladie de Ménière) : d'abord incapables de se tenir droits ou de faire un pas, ils peuvent parfaitement bien apprendre à utiliser leur proprioception, voire à l'accroître ; en particulier à utiliser les détecteurs des larges muscles du « grand dorsal » (le réseau musculaire le plus important et le plus mobile de notre corps) comme d'originaux organes d'équilibre accessoires, une sorte de paire de larges propriocepteurs déployés comme une aile. Les patients s'y habituent et cela devient pour eux une seconde nature ; ils peuvent alors tenir debout et marcher – de façon imparfaite, peut-être, mais en toute sécurité et sans difficulté.

Purdon Martin était fort ingénieux et attentif à concevoir divers systèmes permettant à des parkinsoniens, même gravement handicapés, d'acquérir une allure et une posture artificiellement normales : lignes peintes sur le sol, contrepoids à la ceinture, stimulateurs rythmiques tictaquant qui donnent une cadence à la marche. Dans ce domaine, ses patients lui ont beaucoup appris (il leur a, d'ailleurs, dédié son livre). Profondément humain, il fut un pionnier en son genre ; la compréhension et la collaboration occupèrent une place de choix dans sa médecine : patients et médecins étaient mis sur le même plan, apprenant les uns des autres, s'aidant mutuellement et parvenant en communiquant *entre eux* à de nouvelles découvertes et à de nouveaux traitements. Mais il n'a pas, à ma connaissance, inventé de prothèse qui permette de corriger un défaut de verticalité et des réflexes vestibulaires supérieurs, ce dont souffrait justement monsieur Mac Gregor.

– C'est donc bien ça ? demanda monsieur Mac Gregor. Je ne peux pas utiliser le niveau mental qui se trouve dans ma tête. Je ne sais pas me servir de mes oreilles, mais je peux me servir de mes yeux. » D'un air railleur, pour faire un essai, il pencha la tête d'un côté : « Tout va bien maintenant – le monde ne penche pas. » Il réclama un miroir, et j'en fis rouler un grand devant lui. « *Maintenant* je me vois pencher, dit-il. *Maintenant* je peux me redresser – je pourrais peut-être même rester droit... Mais je ne peux tout de même pas vivre entouré de miroirs, ni en porter un partout avec moi. »

De nouveau, il se mit à réfléchir profondément, les sourcils froncés par la concentration – puis, soudain, son visage se détendit et s'éclaira d'un sourire.

– J'ai trouvé ! s'exclama-t-il. Oui, docteur, j'ai trouvé ! Je n'ai pas besoin de glace. C'est un niveau qu'il me faut. Comme je ne peux pas utiliser les niveaux qui sont *dans* ma tête, pourquoi n'utiliserais-je pas des niveaux *extérieurs* – des niveaux que je pourrais *voir*, dont je pourrais me servir avec mes yeux ?

Il enleva ses lunettes et se mit à les tripoter d'un air pensif tandis que son sourire s'élargissait.

« Là, par exemple, dans la monture de mes verres... quelque chose pourrait me signaler que je penche. Je commencerais par garder un œil dessus ; au début cela me demanderait beaucoup d'efforts. Mais ensuite cela pourrait devenir une seconde nature, cela se ferait automatiquement. Qu'en pensez-vous, docteur ?

– Je pense que c'est une brillante idée, monsieur Mac Gregor. Essayons.

Si le principe était clair, les mécanismes en revanche étaient un peu délicats. Nous commençâmes par expérimenter une sorte de pendule, un fil empesé accroché à ses lunettes, mais c'était trop près de ses yeux et il le voyait à peine. Puis, avec l'aide de notre optométriste, nous montâmes à l'atelier un système qui s'avançait d'une longueur de deux fois le nez depuis le pont des lunettes, avec un niveau horizontal miniature fixé de chaque côté. Nous en bricolâmes divers modèles que monsieur Mac Gregor testa et modifia. En deux semaines, nous avions mis au point un prototype, une paire de lunettes à la Heath Robinson * : « La première paire au monde ! » disait triomphalement monsieur Mac Gregor. Il les chaussa. Elles étaient un peu encombrantes et bizarres, mais guère plus, au fond, que les grosses lunettes de

* Heath Robinson : caricaturiste et illustrateur anglais (1872-1944), célèbre pour ses dessins d'une ingéniosité ridicule et compliquée. Son nom a été repris pour définir des inventions mécaniques du même genre. [*NdT*].

correction auditive que l'on commençait à voir apparaître à cette époque. Dès lors, dans notre hospice, on put voir le spectacle étrange de monsieur Mac Gregor se promenant avec les lunettes à alcool qu'il avait lui-même inventées et réalisées, le regard intense et fixe comme celui du timonier observant l'habitacle de son navire. D'une certaine façon, c'était un succès – c'est-à-dire qu'il cessa au moins de pencher : mais l'exercice ininterrompu était épuisant. Ensuite, au fil des semaines, les choses allèrent mieux : il prit l'habitude de jeter un œil sur son appareil, comme on regarde le tableau de bord de sa voiture, tout en gardant l'esprit libre pour penser, bavarder ou faire d'autres choses.

Les montures de monsieur Mac Gregor firent fureur à Saint-Dunstan. Nous avions plusieurs autres patients parkinsoniens qui souffraient aussi de détériorations des réflexes d'équilibre et des réflexes posturaux – un problème non seulement dangereux, mais échappant à tout traitement. Bientôt, un second patient, puis un troisième se mirent à porter les montures à alcool de monsieur Mac Gregor et purent, comme lui, marcher en se tenant droits, au niveau.

8

Tête à droite !

Madame S., femme intelligente d'une soixantaine d'années, a été victime d'une grave attaque qui a touché les zones antérieures profondes de son hémisphère cérébral droit. Elle a conservé toute son intelligence – et son humour.

De temps en temps, elle se plaint aux infirmières de ne pas avoir de dessert ou de café sur son plateau. Si celles-ci lui répondent : « Mais, madame S., il est là sur la gauche », elle ne semble pas comprendre et ne regarde pas à gauche. Lorsqu'elle tourne lentement la tête de façon à apercevoir le dessert dans la moitié droite intacte de son champ visuel, elle dit : « Oh, il est là ! Il n'y était pas avant. » Elle a totalement perdu l'idée de « gauche », aussi bien pour ce qui concerne le monde que pour son propre corps. Quelquefois elle se plaint de recevoir des rations trop faibles, mais c'est parce qu'elle ne mange que ce qui se trouve sur la partie droite de son assiette – il ne lui vient pas à l'idée qu'il puisse aussi y avoir une partie gauche. Parfois elle se met du rouge à lèvres et se maquille la moitié droite du visage, négligeant la moitié gauche : il est presque impossible de soigner ces problèmes, car ils ne retiennent pas son attention (« hémi-inattention », voir Battersby 1956) et elle n'a même pas idée que quelque chose ne va pas. Intellectuellement, elle le sait, le comprend et peut en rire, mais il lui est impossible d'en avoir une connaissance directe.

Le sachant intellectuellement, elle a élaboré, par induction, des stratégies qui lui permettent de vivre avec cette absence de perception. Comme elle ne peut ni regarder à gauche directement ni se tourner sur la gauche, elle se tourne donc vers la droite –

et toujours vers la droite, en décrivant un cercle. Elle a réclamé un fauteuil roulant tournant, et on le lui a donné. Aussi, lorsqu'elle ne parvient pas à trouver quelque chose qu'elle sait être là, elle pivote désormais sur la droite, décrit un cercle jusqu'à ce qu'elle le voie. Elle trouve cette méthode remarquable dans les cas où elle n'arrive pas à trouver son café ou son dessert. Si ses rations ne lui paraissent pas suffisantes, elle pivote à droite, regarde sur sa droite jusqu'à ce qu'elle aperçoive la partie manquante ; elle la mange tout entière ou à moitié et s'en trouve un peu rassasiée. Mais, si elle a encore faim, ou si elle y pense et se rend compte qu'elle n'a peut-être vu qu'une partie de la moitié manquante, elle opère une seconde rotation jusqu'à ce qu'elle voie le quart restant qu'une fois de plus elle va couper en deux. En général, cela suffit – après tout, elle a déjà mangé sept huitièmes de son repas –, mais il lui arrive, si elle se sent particulièrement affamée ou obsédée, de faire un troisième tour et de s'assurer un autre seizième de ration (laissant, bien sûr, le dernier seizième restant, celui de gauche, sur son assiette). « C'est absurde, dit-elle. Je me sens comme la flèche de Zénon – je n'y arrive jamais. Ça semble peut-être ridicule, mais que faire d'autre dans un cas pareil ? »

Il semblerait plus simple pour elle de faire tourner l'assiette plutôt que de tourner elle-même. Elle en est bien consciente et elle a essayé – ou du moins tenté d'essayer. Mais c'est étrangement difficile, cela ne se fait pas aussi naturellement pour elle que de tourner à toute vitesse en rond sur sa chaise, parce que son regard, son attention, ses mouvements et impulsions spontanés la portent maintenant exclusivement et instinctivement sur la droite.

Ce qui était le plus pénible pour elle, c'étaient les moqueries qui l'accueillaient lorsqu'elle apparaissait à moitié maquillée, le côté gauche du visage absolument dénué de rouge à lèvres et de rose. « Je regarde dans la glace, dit-elle, et je maquille ce que je vois. » Nous nous sommes demandés si nous ne pourrions pas trouver une « glace » qui lui permettrait de voir sur la droite le côté gauche de son visage. Comme si quelqu'un lui faisait face, la regardait. Nous essayâmes un système vidéo, avec une caméra et un opérateur en face d'elle, et les résultats se révélèrent étranges et inquiétants. A ce moment-là, utilisant l'écran vidéo comme « glace », elle voyait sur sa droite la moitié gauche de son visage, ce qui est une expérience troublante, même pour une personne normale (celui qui a essayé de se raser en utilisant un écran vidéo le sait), et doublement troublante, effrayante, pour elle qui n'avait plus la sensation depuis son attaque, du côté gauche de son corps et de son visage. « Retirez ça ! » se mit-elle à crier dans l'angoisse et le désarroi ; nous ne prolongeâmes donc pas l'expérience. C'est dommage, car des rétroactions vidéo de ce genre pourraient représenter un espoir – c'est aussi l'avis de R.L. Gregory – pour des patients qui sont atteints comme elle d'hémi-inattention et d'extinction du champ gauche de l'hémisphère cérébral. La question est si troublante physiquement, et même métaphysiquement, que seule l'expérience peut en décider.

Post-scriptum

Les ordinateurs et jeux électroniques (qui n'étaient pas encore utilisables en 1976, lorsque je vis madame S.) peuvent aussi se révéler d'une aide précieuse pour des patients atteints de défaillance unilatérale ; ils permettent de contrôler la moitié « manquante » ou de leur apprendre à le faire eux-mêmes. J'ai récemment (en 1986) réalisé un petit film sur ce thème.

Je n'ai pas pu mentionner dans l'édition originale de ce livre, un ouvrage fort important qui est sorti presque en même temps que le mien : *Principles of Behavioral Neurology* (Philadelphie, 1985), dirigé par M. Marsel Mesulam. Je ne peux m'empêcher de citer l'éloquente définition que donne Mesulam de la « défaillance » :

> Lorsque la défaillance est grave, le patient peut se comporter pratiquement comme si une moitié de l'univers avait soudain

cessé d'exister de façon significative pour lui... Des patients qui ont une défaillance unilatérale se comportent non seulement comme si rien ne se passait actuellement dans l'hémispace gauche, mais aussi comme si rien n'était à attendre de ce côté-là.

9
Le discours du président

Que se passait-il ? Un grand éclat de rire venait de la salle d'aphasie, juste au moment où le président commençait son discours ; pourtant, ils étaient tous si impatients d'entendre le président parler...

Il était là, le vieux charmeur, l'Acteur, avec sa rhétorique, ses comédies, sa séduction à coup d'émotions – et tous les patients se tordaient de rire. Mais ce n'était pas tout : certains avaient l'air ahuris, d'autres indignés, un ou deux semblaient anxieux, mais la plupart avaient l'air amusés. Comme toujours, le président était émouvant – mais il les touchait apparemment sur le registre du rire. Que pouvaient-ils bien penser ? Ne le comprenaient-ils donc pas, ou le comprenaient-ils tous trop bien, au contraire ?

On a souvent dit de ces patients qu'ils comprenaient à peu près tout ce qu'on leur disait ; pourtant, bien qu'intelligents, ils avaient une aphasie réceptive ou globale, l'une des plus graves qui soient, qui les rendait incapables de comprendre les mots en eux-mêmes. Leurs amis, leurs familles, les infirmières qui les connaissaient bien avaient souvent du mal à croire qu'ils étaient *réellement* aphasiques.

En effet, si l'on s'adressait à eux sur un ton naturel, ils saisissaient en grande partie la signification de ce qu'on leur disait. Et, en général, on parle « naturellement » sur un ton naturel.

Pour avoir la preuve de leur aphasie, il ne fallait donc pas hésiter, en tant que neurologue, à parler et à se comporter de manière artificielle et à supprimer toutes les indications extra-verbales que sont le ton de la voix, l'intonation, une inflexion ou un accent suggestif, et toutes les indications visuelles (notre expression, nos gestes, tout ce répertoire et ces postures qui nous sont personnels et en grande partie inconscients) : il fallait supprimer tout cela (ce qui supposait que l'on déguise totalement sa personne, que l'on dépersonnalise complètement sa voix, et, si nécessaire, que l'on emploie une voix synthétique) afin de réduire le discours aux mots seulement, le débarrassant complètement de ce que Frege a appelé le « timbre » *(Klangenfarben)* ou l'« évocation ». Chez les patients les plus sensibles, seul ce type de discours grossièrement artificiel, mécanique – un peu comme celui des ordinateurs dans *Star Trek* –, permettait de s'assurer de l'existence d'une aphasie.

Pourquoi tout cela ? Parce que le discours – le discours naturel – ne consiste pas seulement en mots, ni (comme le pense Hughlings Jackson) en « propositions ». Il consiste en une profération – par laquelle tout notre être émet tout son sens – dont la compréhension implique infiniment plus que la simple identification des mots. Là était la clé qui permettait aux aphasiques de comprendre, même lorsque les mots comme tels leur échappaient totalement. Les mots, les constructions verbales *per se,* peuvent en effet très bien ne rien transmettre, mais le langage parlé est normalement baigné de « ton », enveloppé d'une expressivité qui transcende le verbal – et c'est précisément cette expressivité, si profonde, si variée, si complexe, si subtile, qui se trouve parfaitement préservée dans l'aphasie, même si la compréhension des mots est détruite. Préservée, et souvent même amplifiée de façon surnaturelle...

C'est une évidence qui s'impose – souvent d'une manière des plus comiques ou dramatiques, frappante en tout cas – à tous ceux qui travaillent avec des aphasiques ou vivent dans leur intimité : leur famille, leurs amis, leurs infirmières ou leurs médecins. Au début, peut-être, nous ne remarquons rien de spécial ; ensuite, nous constatons qu'il s'est produit un grand changement, presque une inversion, dans leur compréhension du discours. Quelque chose a disparu, a été détruit, c'est vrai, mais quelque chose de nouveau a fait son apparition, une perception amplifiée, qui leur permet – du moins pour ce qui est de l'expression à charge émotionnelle – de comprendre entièrement la signification du discours même s'ils passent à côté des mots. Pour nous qui sommes de l'espèce *homo loquens*, cela peut apparaître comme une inversion de l'ordre normal des choses : une inversion ou une réversion vers un état plus primitif, plus élémentaire. Et c'est peut-être la raison pour laquelle Hughlings Jackson comparait les aphasiques à des chiens (comparaison insultante pour les deux !), même si, par cette comparaison, il pensait plus à leur incompétence linguistique qu'à leur remarquable, et presque infaillible, sensibilité tonale et émotionnelle. Henry Head, plus délicat à cet égard, parle dans son traité sur l'aphasie (1926) de « qualité hédonique » et fait remarquer combien celle-ci se trouve renforcée dans l'aphasie [1].

J'ai parfois le sentiment – et tous ceux d'entre nous qui travaillent avec des aphasiques l'ont aussi – qu'on ne peut pas mentir à un aphasique. Il ne peut pas saisir vos mots, donc il ne peut pas être trompé par eux ; mais, ce qu'il saisit, et il le saisit avec une précision infaillible, c'est l'*expression* qui accompagne les mots, cette expressivité totale, spontanée, involontaire, qui ne peut jamais être simulée ou truquée, comme les mots peuvent l'être trop facilement...

Nous voyons cela chez les chiens, et nous les utilisons souvent dans ce but : pour dépister le mensonge, la malice ou les intentions équivoques, pour nous désigner ceux en qui avoir confiance, celui qui est intègre, compréhensible, lorsque nous – trop sensibles aux mots – ne pouvons pas nous fier à nos instincts.

Ce dont les chiens sont capables dans ce cas, les aphasiques

1. « Qualité hédonique » *(feeling-tone)* est un des termes préférés de Head ; il ne l'emploie pas seulement pour l'aphasie, mais aussi pour les qualités affectives de la sensation, dans la mesure où celles-ci peuvent être touchées par des dérèglements thalamiques ou périphériques. En fait, nous pensons que Head a toujours été, même inconsciemment, attiré par l'exploration de la « qualité hédonique » – par une neurologie, si l'on peut dire, de la « qualité hédonique », opposée ou complémentaire d'une neurologie classique faite de propositions et de traitements. Il s'agit, soit dit en passant, d'un terme courant aux États-Unis, du moins chez les Noirs du Sud : un terme courant, élémentaire, indispensable. « Vous voyez, il y a des choses comme le *feeling-tone*... Et si vous ne l'avez pas, mon petit, vous l'avez eu » (cité par Studs Terkel comme épigraphe à son histoire *Division Street : America* (1967)).

le sont aussi, et à un niveau bien supérieur. « On peut mentir avec la bouche, écrit Nietzsche, mais les grimaces qui accompagnent n'en disent pas moins la vérité. » Les aphasiques sont extraordinairement sensibles à ces grimaces, à une posture ou un aspect corporel déplacé ou faux. Et, s'ils ne les voient pas – ce qui est le cas de nos aphasiques aveugles –, ils ont une oreille infaillible lorsqu'il s'agit de percevoir les nuances vocales, le ton, le rythme, les cadences, la musique, les plus subtiles modulations, inflexions, intonations, qui peuvent donner – ou retirer – de la vraisemblance à une voix humaine.

C'est là que réside leur faculté de comprendre – sans mots – ce qui est authentique ou inauthentique. C'étaient donc les grimaces, les cabotinages, les gestes faux et surtout les cadences et les tons artificiels de la voix qui sonnaient faux aux oreilles de ces patients infiniment sensitifs bien que privés de mots. C'était à ces incongruités et impropriétés flagrantes, voire grotesques, que répondaient mes patients aphasiques, eux que les mots ne pouvaient pas tromper.

Telle était la raison pour laquelle ils riaient du discours du président.

Si on ne peut mentir à un aphasique, étant donné sa sensibilité particulière à l'expression et au « ton », on pourrait demander : que se passe-t-il avec des patients – s'il en existe – qui *manquent* de tout sens de l'expression et du « ton » tout en conservant intacte leur faculté de comprendre les mots – cas inverse des précédents ? Nous avons un certain nombre de patients de ce genre en salle d'aphasie, même si, techniquement, ils ne souffrent pas d'aphasie mais plutôt d'une forme d'agnosie dite « tonale ». Chez ces patients, ce qui est caractéristique, c'est la disparition des qualités expressives de la voix – timbre, tonalité, sensibilité, caractère –, tandis que leur compréhension des mots (et des constructions grammaticales) reste parfaite. Ces agnosies tonales (ou « aprosodies ») sont liées à des troubles du lobe temporal *droit* du cerveau, tandis que les aphasies sont associées à des dérèglements du lobe temporal *gauche*.

Dans la salle d'aphasie, parmi les patients qui souffraient d'une agnosie tonale et écoutaient aussi le discours du président, il y avait Emily D., atteinte d'un gliome du lobe temporal droit. Ancien professeur d'anglais et poète d'un certain renom, elle montrait un goût particulier pour le langage ; ses grandes facultés analytiques et expressives la rendaient capable d'exprimer comment on vivait la situation inverse, c'est-à-dire quel effet le discours du président pouvait avoir sur une personne atteinte d'agnosie tonale. Emily D. ne pouvait plus dire si une voix était coléreuse, gaie, triste – ou autre. Depuis que les voix avaient perdu pour elle leur expression, elle devait regarder les visages des gens, leurs attitudes et les mouvements qu'ils avaient en parlant, et elle le faisait avec une attention et une intensité qu'elle n'avait jamais montrées auparavant. Mais cela ne dura pas, car elle avait un glaucome malin qui lui fit perdre rapidement la vue.

Elle comprit alors qu'elle devait porter une attention extrême à l'exactitude et à l'usage des mots, et insister pour que son entourage en fasse autant. Il lui était de plus en plus difficile de suivre un discours creux ou argotique – un discours allusif ou affectif – et elle exigeait de plus en plus souvent de ses interlocuteurs qu'ils parlent en *prose* – « les mots justes aux places justes ». La prose pouvait, pensait-elle, compenser dans une certaine mesure le manque de perception du ton et de l'affect.

Elle pouvait ainsi continuer à employer le discours « expressif » – dans lequel le bon choix et la bonne attribution des mots leur restituent pleinement leur sens – et même y recourir de façon croissante –, mais elle se trouvait de plus en plus perdue dans le discours « évocateur » (où l'usage et le sens du ton donnent au discours toute sa signification).

Emily D. écoutait aussi le discours du président avec un visage de marbre ; les impressions qu'elle en recevait étaient un étrange mélange de perceptions, les unes défaillantes et d'autres intensifiées – exactement le contraire de celles de nos aphasiques. Il ne la touchait pas – aucun discours ne la touchait plus – et tout ce qui était évocateur, sincère ou faux lui échappait complètement. Privée de réaction affective, était-elle séduite ou dupée (comme nous l'étions) ? Absolument pas : « Il n'est pas convaincant, dit-elle. Sa prose n'est pas bonne. Il n'utilise pas correctement les mots. Ou bien il a le cerveau touché, ou bien il a quelque chose à cacher. » Le discours du président ne prenait donc pas sur Emily D., en raison de son hypersensibilité à l'usage du langage formel, à la pureté de la prose, pas plus qu'il ne prenait sur nos aphasiques dont la surdité aux mots s'accompagnait d'une intensification de la sensibilité tonale.

C'était là le paradoxe de ce discours : il n'y avait que nous, les gens normaux – soutenus sans doute par notre désir d'être dupés –, qui étions en effet bel et bien dupés *(« populus vult decipi, ergo decipiatur »)*. L'usage trompeur des mots se trouvait si astucieusement uni à un ton de voix trompeur que seul celui dont le cerveau était lésé pouvait échapper à la supercherie.

DEUXIÈME PARTIE

Excès

Introduction

« Déficit », nous l'avons dit, est l'un des termes favoris de la neurologie – mais il ne s'applique qu'à un trouble fonctionnel : soit la fonction est normale (comme un condensateur ou un fusible), soit elle est défectueuse ou imparfaite. Une neurologie mécaniste, qui consiste essentiellement en un système d'aptitudes et de connexions, peut-elle offrir d'autres possibilités ?

Qu'en est-il du cas contraire : lorsqu'il y a excès ou surabondance fonctionnelle ? La neurologie n'a pas de mot pour décrire ce qui se passe alors – car elle manque de concept. Une fonction (ou un système fonctionnel) marche ou ne marche pas : ce sont les seules possibilités qu'il offre. Une maladie de nature « exubérante » ou productive sera donc un défi aux concepts mécanistes élémentaires de la neurologie ; c'est sans doute une des raisons pour lesquelles les troubles de ce genre – si courants, importants et mystérieux qu'ils fussent – n'ont jamais reçu l'attention qu'ils méritaient. Ils la reçoivent en psychiatrie, où l'on parle de troubles de l'excitation et de la production pour qualifier les extravagances de l'imagination, de l'impulsion... de la manie. Et ils la reçoivent en anatomie et en pathologie, où l'on parlera d'hypertrophies, de monstruosités – de tératome. Mais, en physiologie, il n'y a pas d'équivalent – rien de comparable aux manies ou aux monstruosités. Et cela seul suffit à prouver que la manière dont nous envisageons le système nerveux comme une sorte de machine ou d'ordinateur est tout à fait inadaptée et aurait besoin d'être enrichie de concepts plus dynamiques, plus vivants.

Cette radicale insuffisance n'apparaît pas tout de suite si nous considérons seulement la perte – la privation fonctionnelle que nous avons étudiée dans la première partie. Mais elle s'impose immédiatement si nous considérons l'excès : non plus l'amnésie mais l'hypermnésie, non l'agnosie mais l'hypergnosie ; et tous les autres « hyper » possibles.

La neurologie classique, « jacksonienne », n'envisage jamais de dérèglement allant dans le sens de l'excès – c'est-à-dire des surabondances ou des foisonnements fonctionnels primaires (sinon les prétendus « déblocages »). Hughlings Jackson parle bien, il est vrai, d'états « hyperphysiologiques » et « superpositifs ». Mais, ce faisant, il faut le dire, il se laisse aller à plaisanter ou fait simplement confiance à son expérience clinique, même si cela va contre ses concepts mécanistes de fonctions (ce genre de contradiction était caractéristique de son génie, de l'abîme existant entre son naturalisme et son formalisme rigide).

Il faut presque en arriver à nos jours pour trouver un neurologue qui *envisage* seulement un excès. Les deux biographies cliniques de Louriia sont, à cet égard, symétriques : *The Man with a Shattered World* traite de la perte, tandis qu'*Une prodigieuse mémoire* traite de l'excès. Je trouve la seconde biographie de beaucoup la plus intéressante et la plus originale, car elle est en fait une exploration de l'imagination et de la mémoire (et aucune exploration de ce genre n'est possible dans la neurologie classique).

Dans l'univers de *Cinquante Ans de sommeil,* il existait un équilibre interne, si l'on peut dire, entre les terribles pertes constatées avant la L-DOPA [1] – akinésie, aboulie, adynamie, anergie, etc. – et les excès presque aussi terribles survenant après la prise de L-DOPA – hyperkinésie, hyperboulie, hyperdynamie, etc.

Nous assistons là à l'émergence d'un nouveau type de termes et de concepts, différents de ceux qui qualifient une fonction – impulsion, volonté, dynamisme, énergie –, termes essentiellement cinétiques et dynamiques (tandis que ceux de la neurologie classique sont essentiellement statiques). Dans la pensée du « mnémoniste », d'*Une prodigieuse mémoire,* nous voyons à l'œuvre des dynamismes d'un ordre très supérieur – la poussée d'images

1. Voir *Cinquante Ans de sommeil,* Paris, Éd. du Seuil, 1987, p. 44-45.

et d'associations presque incontrôlables, en bourgeonnement perpétuel, une excroissance monstrueuse de la pensée, une sorte de tératome de l'esprit, que le « mnémoniste » lui-même appelle un « ça ».

Mais le mot « ça », autrement dit l'automatisme, est lui aussi trop mécaniste. Le terme « bourgeonnement » exprime mieux la nature du processus, sa vie inquiétante. Nous voyons chez le « mnémoniste » – ou chez mes patients suractivés, galvanisés par la L-DOPA – une sorte d'entrain devenu extravagant, monstrueux ou fou : non seulement un excès, mais une prolifération organique, un processus génératif ; non pas simplement un déséquilibre, un désordre fonctionnel, mais un dérèglement de ce processus.

Nous pourrions imaginer que, dans le cas d'une amnésie ou d'une agnosie, seule une fonction ou compétence se trouve endommagée, mais nous voyons chez des patients atteints d'hypermnésies ou d'hypergnosies que la mnésie et la gnosie sont naturellement actives et productives, à tout moment, et qu'elles sont aussi naturellement – et virtuellement – monstrueuses. Nous sommes donc contraints de passer d'une neurologie de la fonction à une neurologie de l'action, de la vie. Cette étape décisive, sans laquelle nous ne pourrions pas commencer à explorer la « vie de l'esprit », nous est imposée par les maladies de l'excès. La neurologie traditionnelle, par son côté mécaniste, son intérêt exagéré pour les déficits, nous cache ce qui est pur instinct dans toutes les fonctions cérébrales – ou du moins dans ces fonctions supérieures que sont l'imagination, la mémoire et la perception. Elle nous cache la vie même de la pensée. C'est à ces dispositions du cerveau et de la pensée – vivantes (et souvent éminemment personnelles), surtout lorsque l'activité se trouve renforcée et, par là, mise en lumière – que nous nous intéresserons maintenant.

L'exagération ne rend pas seulement possible une saine plénitude et une exubérance, mais aussi une extravagance, une aberration, une monstruosité de mauvais augure : ce « trop » qui apparaît tout au long de *Cinquante Ans de sommeil* lorsque les patients surexcités tendent vers la désintégration et la perte de contrôle ; écrasés par l'impulsion, l'image et le vouloir ;

possédés (ou dépossédés) par une physiologie devenue sauvage.

Ce risque appartient à la nature même de la croissance et de la vie. La croissance peut devenir surcroissance, la vie « hypervie ». Tous les « hyper »-états peuvent devenir des « para »-états monstrueux, pervers, aberrants : l'hyperkinésie tend à la parakinésie – d'où mouvements anormaux, chorée, tics ; l'hypergnosie devient vite paragnosie – d'où perversions, apparitions, excitation morbide des sens ; les ardeurs des « hyper »-états peuvent devenir de très violentes passions.

Le paradoxe d'une maladie qui peut passer pour de la bonne santé – pour une agréable impression de santé et de bien-être – et ne révéler que par la suite sa malignité potentielle est une des chimères, ruses et ironies de la nature. Elle a fasciné bien des artistes, surtout ceux qui mettent sur le même plan l'art et la maladie : c'est un thème – pour le moins dionysiaque, vénérien et faustien – qui revient continuellement chez Thomas Mann, depuis les fébriles et tuberculeux sommets de *la Montagne magique* jusqu'aux inspirations spirochétales de *Docteur Faustus* et à la malignité aphrodisiaque de son dernier conte, *le Cygne noir.*

De telles ironies, que j'ai déjà traitées dans d'autres ouvrages, m'ont toujours intrigué. Dans *Migraine,* j'évoquais l'euphorie qui peut précéder la crise migraineuse ou en constituer le début – et je citai la remarque de George Eliot disant que se sentir « dangereusement bien » était souvent pour elle le signe avant-coureur d'une crise. « Dangereusement bien » – quelle ironie ! Et comme elle exprime bien la dualité, le paradoxe qu'il y a dans le fait de se sentir « trop bien ».

Car « se sentir bien » n'est naturellement pas en soi un motif de plainte – les gens savourent en général cet état, s'en réjouissent et sont donc aux antipodes de la plainte. Les gens se plaignent lorsqu'ils se sentent malades, non lorsqu'ils se sentent bien. A moins que ce soit, comme dans le cas de George Eliot, une sorte d'alerte devant « quelque chose qui ne va pas », devant un danger, venant de quelque connaissance ou association, ou d'un excès même au sein de l'excès. Ainsi, s'il est rare qu'un patient se plaigne de se sentir « très bien », il sera en revanche facilement méfiant quand il se sent « trop bien ».

C'était là un des thèmes essentiels et (si l'on peut dire) cruels de *Cinquante Ans de sommeil :* le fait que des patients gravement malades, atteints des déficits les plus profonds pendant des dizaines d'années, puissent se trouver brusquement bien, comme par miracle, par le seul fait de passer du déficit à l'excès, avec ce qu'il suppose de hasards et tribulations, toutes leurs fonctions se trouvant alors stimulées bien au-delà des limites « admises ». Certains patients s'en rendaient compte, en avaient la prémonition – mais d'autres non. Ainsi Rose R., dans les premiers élans et les premières joies de la santé retrouvée, dit : « C'est fabuleux, c'est magnifique ! » Mais, quand les choses se précipitent vers l'incontrôlable, elle dit alors : « Ça ne peut plus durer. Quelque chose d'affreux va se produire. » Et de la même façon, avec plus ou moins de clairvoyance, chez la plupart des autres patients – comme Leonard L. lorsqu'il passait de la réplétion à l'excès : « le flux de santé et d'énergie – de “ grâce ”, pour parler comme lui – qui l'avait envahi devint *trop* abondant et commença à prendre une forme extravagante. La sensation d'harmonie et de bien-être et l'impression de rester maître des événements qu'il avait eues jusque-là firent place à la sensation d'un *trop* (...) une surabondance, une grande *pression* de... (toute sorte de choses) », qui menaçait de le désintégrer, de le faire exploser.

Bénéfices et maléfices, délices et angoisses sont l'apanage de l'excès. Les patients lucides ressentent bien son côté contestable et paradoxal. « J'ai trop d'énergie, dit un patient souffrant d'un syndrome de Tourette. Tout est trop brillant, trop puissant, trop. C'est une énergie fiévreuse, une acuité morbide. »

« Bien-être dangereux », « acuité morbide », euphorie décevante cernée d'abîmes – *voilà* la menace, le piège que recèle l'excès, qu'il vienne de la nature, sous la forme d'un dérèglement exaltant, ou de nous-mêmes, comme dans les cas de toxicomanie.

Dans des situations pareilles, l'homme se trouve confronté à des dilemmes extraordinaires : car les patients ont ici affaire à la maladie comme séduction, ce qui est fort éloigné du thème habituel de la maladie considérée comme une souffrance et une affliction – et bien plus équivoque. Or personne, absolument personne, n'est à l'abri de telles bizarreries et de telles indignités. Dans les dérèglements de l'excès peut se produire une sorte de collusion où le moi s'aligne de plus en plus sur sa maladie et s'identifie de plus en plus à elle, au point de sembler finalement perdre toute existence indépendante et n'être plus rien qu'un produit de cette maladie. Ray le tiqueur, au chapitre X de ce livre, exprime cette crainte lorsqu'il dit : « Je ne suis qu'une succession de tics – et rien d'autre », ou lorsqu'il envisage la possibilité d'avoir une « tumeur de l'esprit » – un « tourettome » – qui risque de l'engloutir. Pour lui, qui avait un ego puissant et un syndrome de Tourette relativement bénin, un pareil danger n'existait pas, en réalité. Mais, pour des patients qui ont un ego faible ou peu développé, associé à des maladies d'une extrême gravité, le risque de « possession » ou de « dépossession » est réel. C'est cela que j'évoque dans « Les possédés ».

10

Ray, le tiqueur blagueur

En 1885, Gilles de la Tourette, élève de Charcot, décrivait le surprenant syndrome qui maintenant porte son nom. Le « syndrome de Tourette », comme on le surnomma tout de suite, se caractérise par un excès d'énergie nerveuse et une précipitation exagérée de mouvements et d'idées étranges : tics, saccades, maniérismes, grimaces, bruits, jurons, imitations et compulsions involontaires de toutes sortes, s'accompagnant d'un humour espiègle et d'une tendance à la bouffonnerie et aux incongruités. Dans ses formes « extrêmes », le syndrome de Tourette met en cause tous les aspects de la vie affective, instinctuelle et imaginative ; dans ses formes « bénignes », peut-être plus courantes, il s'agit d'impulsions et de mouvements légèrement anormaux, comportant aussi un élément d'étrangeté. Tout ceci était bien admis et fort répandu à la fin du siècle dernier, en ces années où une neurologie à l'esprit large n'hésitait pas à associer l'organique et le psychique. Pour Tourette et ses pairs, il était clair que ce syndrome était une sorte de possession par des impulsions et poussées primitives ; mais aussi que cette possession avait une base organique – un trouble neurologique bien précis, quoique inconnu.

Dans les années qui suivirent immédiatement la publication des premiers articles de Tourette, plusieurs centaines de cas de ce syndrome furent décrits, mais il n'y avait pas deux cas semblables. Certaines formes étaient manifestement atténuées ou bénignes, d'autres d'une violence grotesque et terrible. Il apparaissait aussi que certaines personnes pouvaient être « prises » du syndrome de Tourette et l'intégrer à une personnalité assez riche, voire même tirer profit de la rapidité d'esprit, d'association et d'invention qui l'accompagne, tandis que d'autres pouvaient se trouver véritablement « possédées » et à peine capables de parvenir à une réelle identité au sein des terribles pressions et du chaos que provoquent les impulsions tourettiques. Il y avait toujours, comme Louriia le notait au sujet de son « mnémoniste », un conflit entre un « ça » et un « moi ».

Charcot et ses élèves, dont Freud, Babinski et même Tourette, furent parmi les derniers de leur profession à voir le corps et l'âme, le « moi » et le « ça », la neurologie et la psychiatrie, comme un tout. Au tournant du siècle, la rupture se fit entre une neurologie sans âme et une psychologie sans corps, et avec elle disparut toute la possibilité de compréhension du syndrome de Tourette. En fait, le syndrome de Tourette lui-même semblait avoir disparu, et il ne fut presque pas mentionné durant la première moitié de ce siècle. Certains médecins le considéraient même comme un « mythe », un fruit de l'imagination pittoresque de Tourette ; la plupart n'en avaient même jamais entendu parler. Il était tombé dans l'oubli au même titre que la grande épidémie de maladie du sommeil des années 1920.

Il y a d'ailleurs beaucoup d'analogies entre l'oubli de la maladie du sommeil (encéphalite léthargique) et l'oubli du syndrome de Tourette. Les deux dérèglements furent extraordinaires et dépassèrent en étrangeté tout ce qu'on pouvait imaginer – du moins tout ce que pouvait imaginer une médecine étriquée. Ils ne pouvaient rentrer dans le cadre conventionnel de la médecine, ils furent donc oubliés et « disparurent » mystérieusement. Mais il y a entre eux un lien beaucoup plus profond, qui se fit jour dans les années 1920 avec les formes hyperkinétiques ou frénétiques que prend parfois la maladie du sommeil : ces patients eurent tendance, au début de leur maladie, à manifester une excitation du corps et de l'esprit, à être agités de mouvements violents, de tics, de compulsions en tous genres, qui allaient en augmentant. Quelque temps plus tard, un destin contraire s'abattit sur eux, sous la forme d'une « torpeur » profonde, proche de la transe – état dans lequel je les trouvai quarante ans plus tard.

En 1969, je donnais à ces patients atteints de maladie du sommeil (ou postencéphalitiques) de la L-DOPA, un précurseur du neurotransmetteur * dopamine, dont le taux était très insuffisant dans leurs cerveaux. Ils s'en trouvèrent transformés. Ils commencèrent par être « réveillés » de leur stupeur et par retrouver la santé : ensuite ils tombèrent dans l'extrême opposé – la frénésie et les tics. Ce fut la première fois que je vis des syndromes ressemblant à celui de Tourette : excitations sauvages, impulsions violentes, souvent associées à un humour étrange et grotesque. Je commençai à parler de « tourettisme », bien que je n'aie encore jamais vu de patient atteint du syndrome de Tourette.

Au début de 1971, le *Washington Post*, qui s'était intéressé à l'« éveil » de mes patients postencéphalitiques, me demanda comment ils allaient. Je lui répondis : « Ils ont des tics », ce qui l'incita à publier un article sur les « tics ». A la suite de la publication de cet article, je reçus une foule de lettres, que je passais pour la plupart à mes collègues. Mais il y eut un patient que j'acceptai de voir – c'était Ray.

Le lendemain du jour où je vis Ray, il me sembla voir trois tourettiens dans les rues du centre de New York. J'en restai confondu, car le syndrome de Tourette avait la réputation d'être excessivement rare. Sa fréquence, avais-je lu, était d'un cas sur un million et je venais d'en voir trois en moins d'une heure. J'en fus profondément troublé et déconcerté : se pouvait-il que je sois passé à côté de ces patients depuis toujours sans les voir ou en les rejetant vaguement dans la catégorie des gens « nerveux », « timbrés », « bourrés de tics » ? Se pouvait-il que tout le monde soit passé à côté d'eux sans les voir ? Se pouvait-il que le syndrome de Tourette ne soit pas rare mais courant – mille fois plus courant que je n'aurais pu le supposer jusque-là ? Le lendemain, sans faire particulièrement attention, j'en vis deux autres dans la rue. Une idée bizarre, une sorte de blague secrète me vint alors à l'esprit : suppose (me dis-je en moi-même) que le syndrome de

* Substance libérée sous l'influence de l'excitation par les terminaisons nerveuses [*NdT*].

Tourette soit très courant mais ne soit pas reconnu, et que, une fois reconnu, on le voie facilement, tout le temps [1]. Suppose qu'un tourettien en reconnaisse un autre, et ces deux un troisième, et ces trois un quatrième, jusqu'à ce que, par une reconnaissance progressive, on en découvre toute une bande : frères et sœurs en pathologie, espèce nouvelle au sein de la nôtre, soudée par une reconnaissance et un intérêt mutuels ? Ne pourraient-ils pas s'unir, par agrégat spontané, pour former l'Association des New-Yorkais atteints du syndrome de Tourette ?

Trois ans plus tard, en 1974, je m'aperçus que mon idée avait pris corps : il s'était en effet formé une Association du syndrome de Tourette (TSA). A l'époque, elle comptait cinquante membres ; aujourd'hui, sept ans plus tard, elle en compte quelques milliers. Cet accroissement étonnant doit être mis sur le compte des efforts de la TSA, même si celle-ci n'est constituée que des patients, de leurs familles et de leurs médecins. L'association s'est montrée extrêmement efficace dans ses tentatives pour faire connaître l'état des tourettiens (pour « faire de la publicité » au meilleur sens du terme). Elle a suscité un intérêt sérieux au lieu de la répugnance et du rejet qui étaient si souvent le lot des tourettiens, et a encouragé la recherche sous toutes ses formes, depuis la physiologie jusqu'à la sociologie : recherche biochimique sur le cerveau tourettique ; sur la génétique et les autres facteurs qui contribuent à déterminer le syndrome de Tourette ; sur les associations et réactions anormalement rapides et aveugles qui les caractérisent. Des structures instinctuelles et comportementales primitives, du point de vue du développement et même de la phylogénétique, ont été mises à jour. Des recherches ont été faites sur le langage corporel, la grammaire et la structure linguistique des tics ; on a trouvé des éclairages inattendus sur

1. Une situation très semblable se produisit avec la dystrophie musculaire, que personne n'avait jamais vue avant que Duchenne ne la décrive dans les années 1860. A partir de la première description qu'il en fit vers 1860, des centaines de cas furent reconnus et décrits, tant et si bien que Charcot dit un jour : « Comment cette maladie a-t-elle pu devenir si commune, si courante, et si reconnaissable d'un seul coup – une maladie qui a sans aucun doute toujours existé –, comment se fait-il qu'elle n'ait pas été reconnue plus tôt ? Pourquoi fallait-il monsieur Duchenne pour nous ouvrir les yeux ? »

la nature des jurons et des plaisanteries (qui caractérisent également d'autres désordres neurologiques) ; qui plus est, des études ont été réalisées sur l'interaction entre les tourettiens et leurs familles, et autres gens, et sur les étranges aléas par lesquels passent ces relations. Les résultats remarquables des efforts de la TSA font partie intégrante de l'histoire du syndrome de Tourette, et, comme tels, ils restent sans précédent : jamais encore des patients n'avaient montré le chemin d'une intelligence de leur état, jamais ils n'avaient été les agents actifs et entreprenants de leur propre compréhension et guérison.

Ces dix dernières années – en grande partie sous l'égide et l'incitation de la TSA –, l'intuition de Gilles de la Tourette, selon laquelle ce syndrome a bien une base organique neurologique, s'est trouvée nettement confirmée. Le « ça » du syndrome de Tourette, comme le « ça » du parkinsonisme ou de la chorée, reflète ce que Pavlov appelait la « force aveugle du sous-cortex », un trouble de ces zones primitives du cerveau qui gouvernent les impulsions et les élans. Dans le parkinsonisme, qui touche la motricité et non l'action comme telle, la perturbation est localisée dans le mésencéphale et ses connexions. Dans la chorée * – qui est un chaos de quasi-actions fragmentaires –, le trouble est localisé dans les couches supérieures du noyau lenticulaire. Dans le syndrome de Tourette, qui se manifeste par une surexcitation des émotions et des passions, par un dérèglement des bases primitives, instinctives, du comportement, la perturbation semble se localiser dans les zones très supérieures du « paléencéphale » : le thalamus, l'hypothalamus, le système limbique et les amygdales où se logent les déterminants affectifs et instinctifs élémentaires de la personnalité. Aussi, le syndrome de Tourette – tant du point de vue pathologique que du point de vue clinique – représente-t-il une sorte de « chaînon manquant » entre le corps et l'esprit et se situe-t-il, si l'on peut dire, entre la chorée et la manie. Comme c'est le cas dans les formes hyperkinétiques rares de l'encéphalite léthargique, et chez tous les patients postencé-

* Ou danse de Saint-Guy : maladie caractérisée par des contractions musculaires involontaires provoquant des mouvements désordonnés [*NdT*].

phalitiques surexcités par la L-DOPA, les patients atteints du syndrome de Tourette ou de « tourettisme » dû à un autre facteur (attaques, tumeurs cérébrales, intoxications ou infections) semblent souffrir d'un excès des neurotransmetteurs cérébraux, en particulier d'un excès de dopamine. Et, s'il faut un surcroît de dopamine pour secouer les parkinsoniens léthargiques, tout comme il fallut administrer le précurseur dopamine L-DOPA aux patients postencéphalitiques pour les « réveiller », en revanche il faudra, chez les patients frénétiques et tourettiens, abaisser la dopamine par une substance antagoniste, comme la drogue appelée halopéridol (haldol).

Cependant, on ne trouve pas seulement une surabondance de dopamine dans le cerveau des tourettiens, de même qu'il n'y a pas seulement une insuffisance en dopamine dans le cerveau des parkinsoniens. On y trouve aussi des altérations beaucoup plus fines et plus étendues, comme on peut s'y attendre pour un trouble qui peut modifier la personnalité. Nombreux et subtils sont les chemins qui mènent à l'anormalité ; ils diffèrent d'un patient à l'autre, et d'un jour à l'autre chez chaque patient. L'haldol peut être une solution pour un syndrome de Tourette, mais ni lui ni une autre drogue ne sera *la* solution, pas plus que la L-DOPA n'est la solution du parkinsonisme. Une approche « existentielle » est indispensable en complément d'une approche purement médicinale ou médicale : en particulier une sensibilité qui permet de comprendre que l'action, l'art et le jeu sont sains et libres par essence, et donc contraires à ces impulsions et conduites grossières, au déchaînement de cette « force aveugle du sous-cortex » dont souffrent ces patients. Le parkinsonien immobile peut se mettre à chanter ou danser et, quand il le fait, être complètement libéré de son parkinsonisme ; et lorsque le tourettien galvanisé chante, joue ou agit, il est à son tour complètement libéré de son syndrome de Tourette. Dans ces moments-là, le « moi » l'emporte et règne sur le « ça ».

Entre 1973 et 1977, date de sa mort, j'ai eu le privilège de correspondre avec le grand neuropsychologue A. R. Louriia, et lui ai souvent envoyé des observations et des enregistrements sur le syndrome de Tourette. Dans l'une de ses dernières lettres, il m'écrivait : « C'est véritablement d'une importance capitale. Comprendre un tel syndrome doit nous permettre d'élargir notre compréhension de la nature humaine en général (...) Je ne connais pas de syndrome qui soit d'un intérêt comparable. »

Lorsque je vis Ray pour la première fois, il était âgé de vingt-quatre ans, et se trouvait presque complètement frappé d'incapacité par des tics multiples d'une extrême violence qui survenaient par salves toutes les quelques secondes. Il y avait été sujet dès l'âge de quatre ans, et le fait d'attirer ainsi l'attention d'autrui l'avait profondément marqué, bien que sa haute intelligence, son esprit, sa force de caractère et son sens de la réalité lui aient permis de suivre l'école et le collège, et de se faire apprécier et aimer de quelques amis et de sa femme. Cependant, depuis qu'il avait quitté le collège, il avait été mis à la porte d'une douzaine d'emplois – toujours à cause de ses tics, jamais pour incompétence. Il était en crises permanentes. Ces crises prenaient une forme ou une autre ; elles étaient dues en général à son impatience, à son caractère querelleur et son « culot » à la fois brillant et grossier ; son couple avait été menacé par des cris involontaires (« Putain ! », « Merde ! », etc.) qui lui échappaient dans des moments d'excitation sexuelle. Il était (comme beaucoup de tourettiens) remarquablement bon musicien, et aurait à peine pu survivre (affectivement comme économiquement) s'il n'avait été, pendant les week-ends, un batteur de jazz d'une réelle virtuosité, célèbre pour ses brusques et sauvages improvisations – provoquées chez lui par un tic ou un battement compulsif sur une caisse –, devenant instantanément le noyau d'une superbe composition dans laquelle la brutale entrée d'un instrument devenait un brillant avantage. Son syndrome de Tourette se révélait aussi être un atout dans certains jeux, surtout le ping-pong dans lequel il excellait grâce à sa rapidité anormale de réflexes et de réactions, et aussi, là encore, grâce à des « improvisations », des « coups très brusques, nerveux, *frivoles* » (selon son expression), si inattendus et si foudroyants qu'ils en étaient irrattrapables. Les seuls moments où il se libérait de ses tics étaient la détente postcoïtale ou le sommeil ; ou bien lorsqu'il nageait, chantait ou travaillait, d'une façon régulière et rythmée, trouvant alors une « mélodie kinésique », une activité libre de tension, libre de tics, libre de tout.

Sous une apparence exubérante, éruptive, clownesque, c'était un homme profondément sérieux – un homme désespéré. Il n'avait jamais entendu parler de la TSA (qui existait à peine à ce moment-là) et n'avait pas non plus entendu parler de l'haldol. Il avait fait lui-même le diagnostic de son syndrome de Tourette en lisant l'article sur les « tics » dans le *Washington Post*. Lorsque je lui confirmai le diagnostic et lui parlai de l'haldol, il fut à la fois excité et circonspect. Je lui fis un test à l'haldol sous forme d'injection et il s'y révéla extrêmement sensible : ses tics le laissèrent tranquille pendant une période de deux heures après que je lui eus administré une dose d'un huitième de milligramme. A la suite de cet essai heureux, je le mis sous haldol en lui prescrivant une dose d'un quart de milligramme trois fois par jour.

Il revint la semaine suivante avec un œil au beurre noir et le nez cassé en disant : « Voilà le résultat de votre foutu haldol. » Même à cette dose infime, le médicament l'avait déséquilibré, avait perturbé son allure, son rythme, ses réflexes étonnamment rapides. Comme beaucoup de tourettiens, il était attiré par les choses qui tournent et en particulier par les portes tournantes dans lesquelles il entrait et sortait en trombe : sous l'effet de l'haldol, il avait perdu la main, mal calculé ses mouvements et reçu la porte sur le nez. Par la suite, beaucoup de ses tics, loin de disparaître, ne firent que se ralentir tout en s'étendant considérablement : il pouvait se trouver « cloué au milieu d'un tic », comme il disait, et se retrouver dans des postures presque catatoniques (Ferenczi a dit un jour que la catatonie était le contraire des tics – et il suggérait de leur donner le nom de « cataclonie »). Même avec cette dose infime, il présentait le tableau d'un parkinsonisme prononcé, de dystonie, de catatonie et de « blocage » psychomoteur : réaction qui semblait de fort mauvais augure, car elle laissait prévoir non une insensibilité, mais un tel excès de sensibilité, et d'une sensibilité si pathologique, qu'il ne pourrait peut-être jamais rien faire d'autre que de passer d'un extrême à l'autre – de l'accélération et du tourettisme à la catatonie et au parkinsonisme, sans aucune possibilité de trouver un moyen terme heureux.

Cette expérience le découragea, on le comprend – de même que cette idée et d'autres qu'il parvenait à exprimer : « Supposons que vous arriviez à supprimer les tics, disait-il, que restera-t-il ? Je ne suis qu'une succession de tics – il n'y a rien d'autre. » Il semblait, même en plaisantant, avoir une pauvre idée de son identité, sauf comme tiqueur : il se désignait lui-même comme le « roi des tiqueurs de Broadway » et parlait de lui à la troisième personne comme « Ray, le tiqueur blagueur », ajoutant qu'il était si enclin aux « gags tiqueurs et aux tics blagueurs » qu'il ne savait plus si c'était un don ou une malédiction. Il dit qu'il ne pouvait imaginer la vie sans son syndrome de Tourette et qu'il n'était pas sûr de le souhaiter.

Cela me fit beaucoup penser à ce que j'avais rencontré chez certains de mes patients postencéphalitiques anormalement sensibles à la L-DOPA. Ceux-ci parvenaient en effet à transcender de tels excès de sensibilité et d'instabilité intérieures s'ils pouvaient mener une vie féconde et bien remplie : l'équilibre « existentiel » ou l'assise que donne une telle vie peut triompher d'un déséquilibre physiologique grave. Sentant que Ray avait en lui cette aptitude, et que, en dépit de ses propres paroles, il n'était pas irrémédiablement centré sur sa maladie, d'une manière exhibitionniste ou narcissique, je lui proposai de venir me voir une fois par semaine pendant une période de trois mois. Durant cette période, nous allions essayer d'imaginer la vie sans le syndrome de Tourette ; nous allions explorer (ne serait-ce que par la pensée et par la sensibilité) tout ce que la vie peut offrir, pourrait *lui* offrir, hors des attentions et des attraits pervers du syndrome de Tourette ; nous allions examiner le rôle et l'importance économique qu'avait pour lui le syndrome de Tourette, et comment il pourrait continuer à vivre en s'en passant. Pendant trois mois, nous allions explorer tout cela – et ensuite faire une nouvelle tentative d'haldol.

Suivirent alors trois mois de profonde et patiente exploration au cours desquels (souvent envers et contre bien des résistances, des rancunes, et un manque de confiance en soi et dans la vie) apparurent toutes sortes de potentiels de santé et d'aptitudes : potentiels qui avaient en quelque sorte survécu à vingt années d'un grave syndrome de Tourette et d'une vie « tourettique », enfouis au plus profond et au plus fort de sa personnalité. Cette exploration approfondie, qui avait quelque chose d'encourageant, nous donna au moins un espoir limité. Mais ce qui arriva dépassa toutes nos attentes et fut plus qu'un feu de paille : une transformation permanente et durable de la réactivité. Car, lorsque j'essayai à nouveau de mettre Ray sous haldol, à la même dose infime qu'avant, il se trouva délivré de ses tics sans pour autant subir les inconvénients importants qu'il avait eus la première fois – et cela dure depuis neuf ans.

Les effets de l'haldol, ici, furent « miraculeux » – mais ils ne le furent qu'au moment où le miracle fut rendu possible. Au début, ses effets frisèrent la catastrophe : sans doute en partie pour des raisons physiologiques, mais aussi parce que toute « guérison » ou délivrance du syndrome de Tourette aurait été à ce moment-là prématurée et économiquement impossible. Ayant été atteint de ce syndrome dès l'âge de quatre ans, Ray n'avait aucune expérience d'une vie normale : il était lourdement dépendant de son extravagante maladie qu'il utilisait et exploitait tout naturellement de diverses façons. N'étant pas préparé à renoncer à son syndrome de Tourette, il aurait pu (je ne peux m'empêcher de le penser) ne jamais l'être sans ces trois mois de préparation intense, d'analyse et de réflexion profondes, et de concentration terriblement difficile.

Les neuf années qui viennent de s'écouler ont été, somme toute, heureuses pour Ray : c'est une libération qui dépasse toute attente. Après avoir été handicapé pendant vingt années par le syndrome de Tourette, forcé par la physiologie d'accomplir des actes incongrus, il jouit maintenant d'un champ d'action et d'une liberté qu'il n'aurait jamais crus possibles (ou du moins possibles seulement en théorie durant nos séances d'analyse). Son mariage est fait de tendresse et de stabilité et il est aujourd'hui père de famille ; il a beaucoup de bons amis qui l'aiment et l'apprécient comme individu – et non simplement comme un clown tourettique –, il a un rôle important dans sa communauté locale et un poste à responsabilités dans son travail. Pourtant, certains problèmes demeurent : des problèmes peut-être inséparables du syndrome de Tourette – et de l'haldol.

Pendant ses heures de travail durant la semaine, Ray, sous l'effet de l'haldol, reste « sobre, solide, honnête » – c'est ainsi qu'il décrit sa « personnalité haldol ». Ses mouvements et ses jugements, lents et résolus, ont perdu cette impétuosité, cette impatience, dont il faisait preuve avant l'haldol ; il a perdu aussi ces improvisations et inspirations sauvages ; ses rêves eux-mêmes sont d'une teneur différente : « Accomplissement complet, dit-il, débarrassé de ces élaborations extravagantes du syndrome de Tourette. » Il est moins vif, moins rapide dans ses reparties, il ne pétille plus de tics blagueurs ou de gags tiqueurs. Il n'aime plus le ping-pong et les autres jeux du même genre et n'y excelle plus ; il n'éprouve plus cet « instinct meurtrier pressant, cet instinct de gagner, de battre quelqu'un d'autre » ; il est moins compétitif et moins enjoué ; il a perdu l'élan ou le coup de main qui, à la surprise de tout le monde, le poussait à ces gestes brusques et « frivoles ». Il ne profère plus d'obscénités et n'a plus son « culot » grossier, ni son cran. Tout doucement, il en est venu à penser que quelque chose lui manque.

Mais il y a plus grave et plus invalidant pour lui : sous l'effet de l'haldol, il se trouve musicalement « engourdi », interprète médiocre, non dépourvu de compétence, mais privé d'énergie, d'enthousiasme, de joie et d'excès – ce qui était pour lui quelque chose de vital à la fois comme moyen d'expression et comme soutien moral. Il n'a plus de tics et ne frappe plus de manière compulsive sur la batterie, mais du même coup il a perdu ses élans sauvages et créatifs.

Comme ce tableau se confirmait, Ray prit une décision capitale, après en avoir discuté avec moi : pendant la semaine de travail, il prendrait « par devoir » de l'haldol, et, durant le week-end, il arrêterait et « laisserait courir ». C'est ce qu'il a fait ces trois dernières années. Il y a donc maintenant deux Ray – l'un avec haldol, l'autre sans. Le citoyen sobre qu'il est du lundi au vendredi laisse la place, pendant le week-end, à « Ray le tiqueur blagueur », frivole, frénétique, inspiré. Situation pour le moins étrange, comme Ray est le premier à l'admettre :

> Avoir un syndrome de Tourette est aussi délirant que d'être saoul en permanence. Être sous haldol est morne, cela vous rend net et sobre. En fait, aucun des deux états n'est réellement libre... Vous autres, les gens normaux, dont le cerveau a les bons transmetteurs, au bon endroit, au bon moment, vous disposez en permanence de tous les sentiments et de tous les styles – gravité, légèreté, tout. Nous autres, les tourettiens, ne les avons pas : nous sommes contraints à la légèreté par notre syndrome de Tourette et forcés à la gravité lorsque nous prenons de l'haldol. *Vous* êtes libres, vous avez un équilibre naturel : notre équilibre à nous est tout au plus artificiel.

Ray s'en accommoda de son mieux et il eut une vie bien remplie, en dépit de son syndrome de Tourette, en dépit de l'haldol, malgré le « manque de liberté » et l'« artifice ». Pourtant, il était privé de ce patrimoine de liberté naturelle dont jouissent la plupart d'entre nous. Mais sa maladie lui a beaucoup appris et, en un sens, il l'a transcendée. Il pourrait dire avec Nietzsche : « J'ai passé et je repasse constamment par de nombreux états de santé (...) La maladie ? Ne serions-nous pas presque tentés de nous demander si nous pouvons nous en passer ? La douleur seule, la grande douleur, libère l'esprit en dernier ressort [1]. » Paradoxalement, Ray, tout en étant privé de santé physiologique, animale, naturelle, a trouvé une nouvelle santé, une nouvelle liberté, à travers les vicissitudes auxquelles il est soumis. Il est parvenu à ce que Nietzsche aimait à qualifier de « Grande Santé » – à savoir un humour rare, une vaillance et une souplesse de l'esprit : et ce malgré ou à cause du syndrome de Tourette dont il se trouve affligé.

1. Nietzsche, *Le Gai Savoir*, *op. cit.*, p. 9.

11

Maladie de Cupidon

Natascha K., femme intelligente, âgée de quatre-vingt-dix ans, est venue récemment dans notre clinique. Peu de temps après son quatre-vingt-huitième anniversaire, elle avait, à ses dires, remarqué un « changement ». Quelle sorte de changement ? lui avons-nous demandé.

– Merveilleux ! s'exclama-t-elle. J'en étais tout à fait ravie. Je me sentais plus énergique, plus vivante – comme rajeunie. Je m'intéressais aux jeunes gens. Je commençais à me sentir, comment dire, « folâtre » – oui, folâtre.

– C'était un problème ?

– Non, pas au début. Je me sentais bien, *extrêmement* bien – quelle raison aurais-je bien pu avoir de penser que quelque chose n'allait pas ?

– Et puis ?

– Mes amis ont commencé à s'inquiéter. Au début, ils me disaient : « Vous avez l'air radieuse – un nouveau bail avec la vie ! » Mais ensuite ils ont commencé à se dire que ce n'était pas tout à fait... convenable. « Vous qui étiez toujours si timide, maintenant vous voilà devenue coquette. Vous riez nerveusement, vous plaisantez – à votre âge, est-ce vraiment correct ? »

– Et vous, comment vous sentiez-vous ?

– J'en suis restée interloquée. Je m'étais laissé emporter, et il ne m'était pas venu à l'esprit de me demander ce qui se passait. Mais ensuite je me suis posé la question. Je me suis dit : « Tu as quatre-vingt-neuf ans, Natascha, voilà un an que ça dure. Tu as toujours été si tempérée dans tes sentiments – et maintenant cette extravagance ! Tu es une vieille femme, tu approches de ta fin. Qu'est-ce qui peut bien expliquer cette soudaine euphorie ? » Et, dès que j'ai pensé à l'euphorie, les choses ont pris une nouvelle tournure... « Tu es malade, ma chère, me suis-je dit. Tu te sens *trop* bien, tu dois être malade ! »

– Malade ? Comment cela ? Émotionnellement ? Mentalement ?

– Non, pas émotionnellement – physiquement malade. C'était quelque chose dans mon corps, dans mon cerveau, qui me rendait euphorique. Et ensuite j'ai pensé – mon Dieu, c'est la maladie de Cupidon !

– La maladie de Cupidon ? répétai-je, déconcerté. (C'était la première fois que j'entendais prononcer ce nom.)

– Oui, la maladie de Cupidon – la syphilis, si vous voulez. J'étais dans un bordel à Salonique, il y a près de soixante-dix ans. J'ai attrapé la syphilis – beaucoup de filles l'avaient –, nous l'appelions la maladie de Cupidon. Mon mari m'a sauvée, il m'a sortie de là et m'a fait soigner. C'était avant la pénicilline, bien sûr. Est-ce qu'elle m'aurait rattrapée après toutes ces années ?

Il peut se passer une immense période de latence entre la primo-infection et l'apparition de la neurosyphilis, surtout si la primo-infection a été seulement jugulée sans être éradiquée. J'avais un patient traité au Salvarsan par Ehrlich en personne, qui avait développé un *tabes dorsalis* (une forme de neurosyphilis) plus de cinquante ans après l'avoir contracté.

Mais je n'avais jamais entendu parler d'un intervalle de soixante-dix ans – ni d'un autodiagnostic de syphilis cérébrale posé avec tant de calme et de clarté.

– Votre suggestion est étonnante, répliquai-je après réflexion. Cela ne me serait jamais venu à l'idée – mais peut-être avez-vous raison.

Elle avait raison ; le liquide céphalo-rachidien était positif, elle avait la neurosyphilis, les spirochètes étaient bien en train d'exciter son vieux cortex cérébral. La question du traitement se posait, présentant un dilemme que madame K. exprimait avec une acuité bien à elle.

– Je ne sais pas si je *veux* qu'on la traite, disait-elle. Je sais que c'est une maladie, mais elle me procure une sensation de *bien-être.* J'y ai trouvé et y trouve encore du plaisir, je ne peux le nier. Elle me donne l'impression d'avoir plus d'entrain, d'être plus vive, une impression que je n'ai pas eue depuis vingt ans. Ça a l'air comique. Mais je sais quand une bonne chose va trop loin et cesse d'être bonne. J'ai eu des pensées, des impulsions qui sont – comment vous dire ? – bon, gênantes et folles. C'était comme d'être un peu pompette, un peu éméchée, au début, mais, si ça va plus loin... [*Elle mimait un dément agité de spasmes et bavant.*] J'ai pensé que j'avais une maladie de Cupidon, c'est pour cela que je suis venue vous voir. Je ne veux pas que cela s'aggrave, ce serait horrible ; mais je ne veux pas qu'on la guérisse – ce serait tout aussi affreux. Je n'étais pas vraiment vivante avant d'être prise de ces remous. *Pensez-vous pouvoir maintenir la maladie en son état actuel ?*

Nous réfléchîmes pendant un moment, et notre traitement, heureusement, fut clair. Nous lui avons donné de la pénicilline pour tuer les spirochètes, mais les altérations cérébrales et les désinhibitions qu'ils avaient occasionnées étaient irréversibles.

Maintenant, madame K. a gagné sur les deux tableaux : elle jouit d'une semi-désinhibition, elle est délivrée de ses pensées et de ses pulsions sans qu'aucune menace ne pèse plus sur son contrôle de soi, et sans que le cortex ne coure le risque d'être plus gravement lésé. Ainsi ravivée, rajeunie, elle espère vivre jusqu'à cent ans. « C'est drôle, tout de même, dit-elle. Il faut remercier Cupidon ! »

POST-SCRIPTUM

J'ai été très récemment (en janvier 1985) confronté aux mêmes dilemmes et aux mêmes ironies du sort avec un autre patient (Miguel O.) qui avait été admis à l'hôpital avec le diagnostic de « manie » ; mais on se rendit rapidement compte qu'il souffrait d'une neurosyphilis parvenue à son stade d'excitation. Homme simple, il avait été valet de ferme à Porto-Rico et, à la suite de certains troubles de la parole et de l'ouïe, il avait du mal à parler ; le dessin en revanche lui permettait d'exprimer clairement et simplement sa situation.

La première fois que je le rencontrai, il était fort excité ; alors que je lui demandai de recopier une figure simple (*figure* A), il dessina avec une grande virtuosité une construction tridimensionnelle (*figure* B) – du moins la vis-je comme telle jusqu'au moment où il m'expliqua qu'il s'agissait d'un « carton ouvert » à l'intérieur duquel il avait essayé de dessiner quelques fruits. Inspiré de façon impulsive par son imagination fiévreuse, il avait ignoré le cercle et la croix, mais retenu et concrétisé l'idée d'« enclos ». Un carton ouvert, un carton plein d'oranges, n'était-

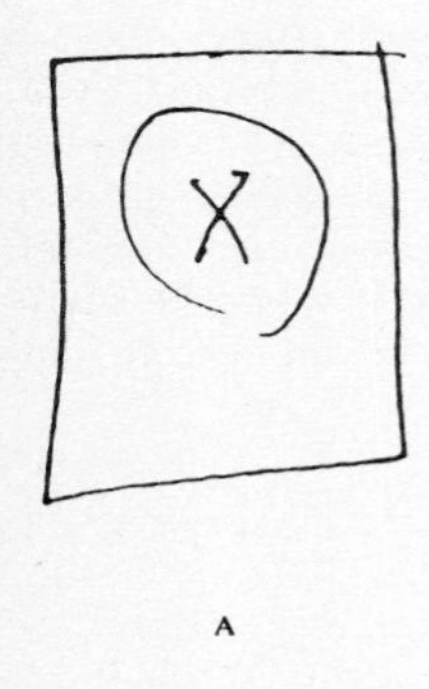

A

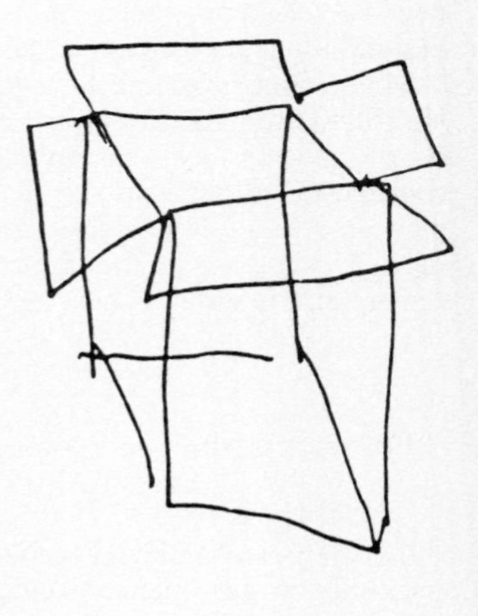

B

En état d'excitation : élaboration.
(« Un carton ouvert. »)

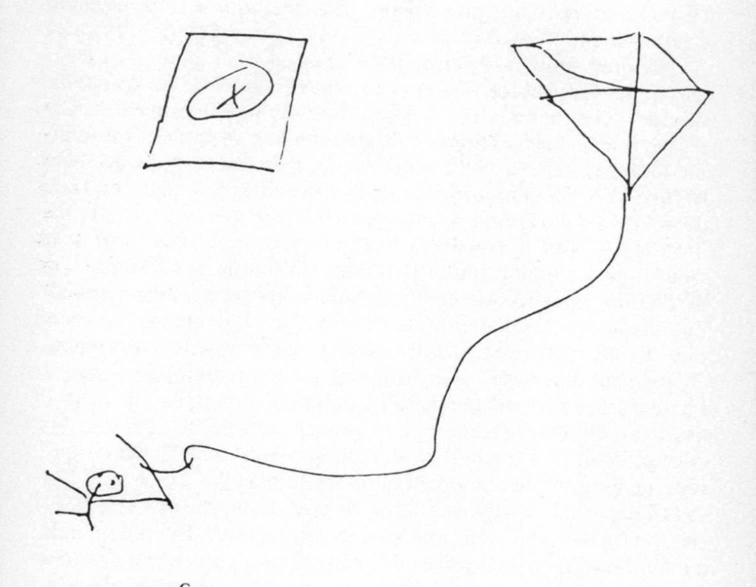

C

En état d'excitation : animation.
(Fait voler un cerf-volant.)

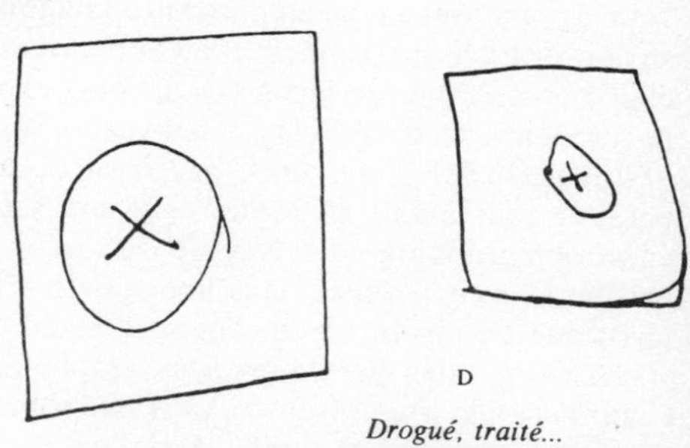

D

Drogué, traité...
Finies l'imagination et l'animation.

ce pas plus excitant, plus vivant, plus réel, que le morne dessin que je lui proposais ?

Quelques jours plus tard, je le revis, il était plein d'énergie, très actif, ses pensées volaient dans tous les sens. Je lui demandai de dessiner la même figure. C'est alors qu'impulsivement, d'une traite, il transforma le dessin original en une sorte de trapézoïde, un losange, et y attacha une ficelle avec un garçon au bout (*figure* C). « Garçon qui lance un cerf-volant, cerf-volant en train de voler ! » s'exclama-t-il tout excité.

Je le vis pour la troisième fois quelques jours plus tard, et le trouvai plutôt à plat, plutôt parkinsonien (on lui avait administré de l'haldol pour le calmer en attendant les derniers examens du liquide céphalo-rachidien). De nouveau, je lui demandai de recopier la figure et, cette fois, il la copia lourdement, correctement, en un peu plus petit que l'original (la « micrographie » due à l'haldol), sans les recherches, l'animation, l'imagination dont il avait fait preuve précédemment (*figure* D). « Je ne vois plus les choses, dit-il. Ça avait l'air si réel, si *vivant* avant. Est-ce que tout va me sembler mort après ce traitement ? »

Les dessins des patients atteints de parkinsonisme et « réveillés » par la L-DOPA présentent une analogie instructive. Si on demande à un parkinsonien de dessiner un arbre, il aura tendance à dessiner une petite chose maigre, rabougrie, chétive, un arbre d'hiver, dégarni de tout feuillage. Sous l'effet de la L-DOPA qui le « réchauffe », le « fait revenir », le ranime, l'arbre acquiert une vigueur, une vie, gagne en puissance imaginative – et en feuillage. Si la L-DOPA le surexcite, le rend euphorique, l'arbre peut devenir exubérant, s'orner de façon fantastique, exploser en efflorescence de branches et de feuillages nouveaux, auxquels s'ajoutent des arabesques, des enjolivures, des frisures, au point de faire disparaître tout à fait sa forme originale sous cette baroque élucubration graphique. Ce type de dessin, où la forme et la pensée premières sont perdues dans une jungle ornementale, est caractéristique du syndrome de Tourette et de ce que l'on appelle le « *speed-art* » des personnes sous amphétamines. L'imagination commence par être réveillée, puis elle s'excite et s'affole jusqu'à perdre toute limite et tombe dans l'excès.

Qu'il faille une intoxication ou une maladie pour délivrer, réveiller, une vie intérieure et une imagination qui sans elles resteraient calmes et dormantes, quel paradoxe, quelle cruauté, quelle ironie !

Ce paradoxe est au cœur de mon ouvrage *Cinquante Ans de sommeil* ; il est aussi responsable de la séduction exercée par le syndrome de Tourette (voir chapitres X et XIV) et, sans aucun doute, de cette insécurité particulière qui peut attacher quelqu'un à une drogue comme la cocaïne (connue, comme la L-DOPA ou le syndrome de Tourette, pour élever le taux de dopamine du cerveau). On comprend alors les commentaires effrayants de Freud sur la cocaïne, disant que la sensation de bien-être et d'euphorie qu'elle entraîne « ne diffère en rien de l'euphorie normale d'une personne en bonne santé (...) autrement dit, vous êtes tout simplement normal et il est difficile de croire que vous êtes sous l'influence d'une drogue quelconque ».

C'est la même paradoxale valeur qui peut faire que l'on s'attache aux stimulations électriques cérébrales : certaines épilepsies provoquent en effet une excitation et une accoutumance – et peuvent être auto-induites à répétition par ceux qui y sont enclins (comme les rats, dans le cerveau desquels on a implanté des électrodes, peuvent stimuler compulsivement les « centres de plaisir » de leur cerveau) ; mais d'autres épilepsies procurent la paix et un véritable bien-être. Car, même dû à une maladie, un bien-être peut être authentique et, si paradoxal qu'il paraisse, peut avoir un effet bénéfique à long terme, comme ce fut le cas pour madame O'C. et sa bizarre réminiscence convulsive (chapitre XV).

Nous nageons là dans des eaux étranges, où toutes les considérations habituelles peuvent être inversées – où la maladie peut être un bienfait, où la normalité peut devenir une maladie, où l'excitation peut être esclavage ou délivrance, et où la réalité peut tenir à un état d'ébriété et non de sobriété. C'est le royaume même de Cupidon et Dionysos.

12

Une question d'identité

– Qu'est-ce que ce sera aujourd'hui ? dit-il en se frottant les mains. Une demi-livre de Virginia, un beau morceau de Nova ?

(De toute évidence, il me prenait pour un client – il lui arrivait souvent de décrocher le téléphone du service en disant « Ici la charcuterie Thompson ».)

– Oh, Monsieur Thompson ! m'écriai-je. Pour qui me prenez-vous donc ?

– Grand Dieu, on y voit mal – je vous avais pris pour un client. Mais c'est mon vieil ami Tom Pitkins... Tom et moi... (il chuchote dans l'oreille de l'infirmière) nous allions toujours aux courses ensemble.

– Monsieur Thompson, vous faites encore une erreur.

– C'est vrai, réplique-t-il, sans se démonter. Pourquoi porteriez-vous une veste blanche si vous êtes Tom ? Vous êtes Hymie, le boucher casher d'à côté. Pourtant je ne vois pas de taches de sang sur votre veste. Le travail a mal marché aujourd'hui ? Rassurez-vous, vous ressemblerez à un abattoir avant la fin de la semaine !

Me sentant quelque peu emporté dans ce tourbillon d'identités, je tripotais le stéthoscope qui pendait à mon cou.

« Un stéthoscope ! s'exclama-t-il. Et vous prétendez être Hymie ! Vous autres, les mécaniciens, vous commencez toujours par jouer aux médecins, avec vos vestes blanches et vos stéthoscopes – comme si vous aviez besoin d'un stéthoscope pour ausculter une voiture ! Alors, vous êtes mon vieil ami Manners de la station Mobil, au bout du pâté de maisons, entrez donc pour prendre votre whisky-coca...

William Thompson se frottait de nouveau les mains, avec ses gestes d'épicier, et il cherchait la caisse. Ne la trouvant pas, il me regarda une fois encore d'un air étrange.

« Où suis-je ? dit-il, le regard soudain apeuré. Je pensais que j'étais dans ma boutique, docteur. J'ai dû avoir une absence... Vous voulez que j'enlève ma chemise pour que vous puissiez m'ausculter comme d'habitude ?

– Non, pas comme d'habitude, je *ne* suis *pas* votre médecin habituel.

– Bien sûr que vous ne l'êtes pas. Je m'en suis tout de suite aperçu ! Vous n'êtes pas mon médecin habituel avec son coffre énorme. Et, Bon Dieu, vous avez une de ces barbes ! Vous ressemblez à Sigmund Freud – est-ce que je suis devenu fou, cinglé ?

– Non, monsieur Thompson, vous n'êtes pas cinglé. Vous avez seulement un petit trouble de la mémoire – du mal à vous souvenir des gens et à les reconnaître.

– Ma mémoire m'a joué des tours, admit-il. Quelquefois, je me trompe – je prends une personne pour une autre... Qu'est-ce que ce sera, maintenant – Nova ou Virginia ?

La scène était toujours celle-là, avec, à chaque fois, des variantes – des improvisations, toujours rapides, souvent drôles, parfois brillantes, et, en fin de compte, tragiques. Monsieur Thompson m'identifiait – me mésidentifiait, me pseudo-identifiait – avec une bonne douzaine de personnes différentes en l'espace de cinq minutes. Il évoluait d'une supposition, d'une hypothèse, d'une conviction à l'autre, apparemment sans le moindre doute. Il ne savait jamais qui j'étais, ni *ce* qu'il était et *où* il se trouvait : un ex-épicier, atteint d'un grave syndrome de Korsakov et placé dans un institut neurologique.

Il ne se souvenait de rien au-delà de quelques secondes. Il était continuellement désorienté. Sans arrêt, les abîmes de l'amnésie s'ouvraient sous ses pas, mais il les enjambait aisément grâce à une série de fictions et d'affabulations. Pour lui, d'ailleurs, il ne s'agissait pas de fictions, mais de la manière dont il voyait ou interprétait soudainement le monde. Et comme monsieur Thompson n'aurait pas pu supporter ni reconnaître un seul instant ce changement continuel et cette radicale incohérence, il se donnait un semblant de cohérence en improvisant en permanence un monde autour de lui, par salves d'inventions ininterrompues et inconscientes – un monde des *Mille et Une Nuits*, une fantasmagorie, un rêve peuplé de gens, d'images, de situations en mutations et transformations perpétuelles, kaléidoscopiques. Pour monsieur Thompson, il ne s'agissait nullement d'un tissu d'inventions et d'illusions mouvantes, évanescentes, mais d'un monde parfaitement normal et stable. A *ses* yeux, tout allait bien.

Un jour, monsieur Thompson fit une sortie ; il se présenta au bureau comme le « révérend William Thompson », fit venir un taxi et le retint pour la journée. Le chauffeur de taxi, auquel nous parlâmes ensuite, dit qu'il n'avait jamais chargé un passager aussi fascinant, car monsieur Thompson lui avait raconté histoire sur histoire, toutes amusantes, personnelles, remplies d'aventures fantastiques. « On aurait dit qu'il était allé partout, qu'il avait tout fait, rencontré tout le monde. J'avais du mal à croire qu'on puisse faire tant de choses en une seule vie », dit-il. Nous lui répondîmes : « Ce n'est pas exactement une seule vie. Tout cela est très curieux. C'est une question d'identité [1]. »

Chez un autre patient atteint d'un Korsakov, Jimmie G., dont j'ai déjà beaucoup parlé (chapitre II), le syndrome aigu s'était calmé depuis longtemps ; Jimmie semblait s'être stabilisé dans un état d'égarement permanent (ou, peut-être, dans le rêve ou la réminiscence permanente d'un passé qu'il prenait pour du présent). Mais monsieur Thompson, qui sortait à peine de l'hôpital – car son syndrome de Korsakov était apparu trois semaines plus tôt, quand il avait contracté une forte fièvre, déliré et cessé de reconnaître sa famille –, était encore en ébullition, en état de délire affabulatoire frénétique (que l'on appelle parfois la « psychose de Korsakov », bien qu'il ne s'agisse pas du tout d'une

1. Dans *The Neuropsychology of Memory*, Louriia raconte une histoire très semblable, dans laquelle le chauffeur de fiacre subjugué ne s'aperçut que son extravagant passager était malade qu'au moment où celui-ci lui tendit une feuille de température pour régler le prix de la course. C'est seulement alors qu'il comprit que ce Schéhérazade, ce conteur aux mille et une histoires, était l'un des « étranges patients » de l'Institut neurologique.

psychose) ; il ne cessait de s'inventer un monde et un soi pour remplacer ce qui était, à tout instant, oublié ou perdu. Ce genre de frénésie peut donner naissance à de brillantes facultés d'invention et d'imagination – à un véritable génie affabulateur –, car ces patients-là *sont obligés de littéralement se maquiller (ainsi que leur monde) en permanence.* Nous avons tous et chacun une biographie, un récit intérieur – dont la continuité, le sens, constituent notre vie. On peut dire que chacun de nous construit et vit un « récit », et que ce récit *est* nous-même, qu'il est notre identité.

Si nous voulons savoir quelque chose d'un homme, nous nous demandons quelle est son histoire, son histoire réelle, la plus intime – car chacun d'entre nous *est* une biographie, une histoire, un récit singulier, qui s'élabore en permanence, de manière inconsciente, par, à travers et en nous – à travers nos perceptions, nos sentiments, nos pensées, nos actions ; et également par nos récits, nos discours. Biologiquement, physiologiquement, nous ne sommes pas tellement différents les uns des autres ; historiquement, en tant que récit – chacun d'entre nous est unique.

Pour être nous-même, nous devons *avoir* une biographie – la posséder, en reprendre possession s'il le faut. Nous devons nous « rassembler », rassembler notre drame intérieur, notre histoire intime. Un homme a *besoin* de ce récit intérieur continu pour conserver son identité, le *soi* qui le constitue.

Ce besoin narratif est peut-être la clé du verbiage et des histoires désespérées de monsieur Thompson. Privé de continuité, d'un discours intérieur calme et constant, il en est réduit à une sorte de délire narratif – d'où ses affabulations incessantes, sa mythomanie. Incapable de soutenir un discours authentique ou suivi, incapable d'entretenir un véritable univers intérieur, il est acculé à une prolifération de faux récits, dans une fausse continuité, de faux mondes peuplés de fausses personnes, habités de fantômes.

Comment cela se passe-t-il pour monsieur Thompson ? En surface, il donne l'impression d'être un comique exubérant. Les gens disent de lui : « C'est un rigolo. » Et il y a, de fait, beaucoup de bouffonnerie dans une situation de ce genre, qui pourrait fournir la matière première d'un roman comique [1]. Sa situation *est* en effet comique – mais elle est aussi terrible. Car voilà un homme qui est, en un sens, désespéré, emporté dans la folie. Le monde, pour lui, va en disparaissant, devient absurde, s'évanouit – et il doit lui chercher un sens, lui *donner* un sens, d'une manière éperdue, en inventant sans arrêt, en jetant des ponts de signification au-dessus du chaos, au-dessus des abîmes d'insignifiance qui s'ouvrent continuellement sous ses pas.

Mais monsieur Thompson le sait-il, s'en rend-il compte ? Les gens, après l'avoir trouvé « rigolo », « drôle », « tordant », sont inquiets, voire terrifiés, par quelque chose en lui. « Il ne s'arrête jamais, disent-ils. Il est comme un coureur, un homme qui tenterait de rattraper quelque chose qui toujours lui échappe. » Et, en effet, sa course ne peut avoir de fin, car son trou de mémoire, d'existence, de sens, n'est jamais comblé et doit être, à tout instant, « rapiécé ». Les pièces ont beau être brillantes, elles ne peuvent remplir leur fonction, car ce sont bien des affabulations, des fictions, qui ne peuvent pas faire office de réalité et qui ne correspondent pas non plus à la réalité. Est-ce que monsieur Thompson le sent ? Quel est son « sens de la réalité » ? Est-il toujours au supplice – le supplice d'un homme noyé dans l'irréalité, se battant pour se sauver, mais se coulant lui-même par des inventions, des illusions incessantes, complètement irréelles ? Il est certain qu'il n'est pas à l'aise – il a en permanence un air tendu, raidi, comme s'il était soumis à une pression intérieure continuelle ; et parfois, sauf s'il le dissimule, un air d'égarement, ouvert, pathétique, nu. Ce qui, en un sens, sauve monsieur Thompson et, en un autre, le perd, c'est la

1. En fait, un pareil roman a été écrit. Peu après la publication du « Marin perdu » (chapitre II), un jeune écrivain nommé David Gilman m'a envoyé le manuscrit de son livre *Croppy Boy*, l'histoire d'un amnésique comme monsieur Thompson qui se plaisait à cette liberté sauvage et débridée qui consiste à s'inventer des identités, de nouveaux *soi*, au gré des situations et de sa fantaisie – l'étonnante imagination d'un génie amnésique, décrite avec une richesse et un plaisir proprement joyciens. Je ne sais pas s'il a été publié ; je suis sûr qu'il le devrait. Je ne peux m'empêcher de me demander si monsieur Gilman a rencontré (et étudié) un « Thompson » – comme je me suis toujours demandé si le « Funes » de Borges, qui ressemble de façon si frappante au « mnémoniste » de Louriia, pouvait avoir pour origine une rencontre personnelle avec un tel « mnémoniste ».

superficialité forcée, défensive, de sa vie : la façon dont il est, en effet, réduit à une surface, brillante, miroitante, iridescente, versatile, mais avec tout ce qu'une surface peut comporter d'illusions et de délires, sans fond.

Et avec cela, il n'est nullement sensible au fait d'avoir perdu sa sensibilité et sa profondeur – cette insondable et mystérieuse profondeur, dont les strates sont innombrables et qui, d'une certaine façon, définit l'identité de quelqu'un, sa réalité. Cela frappe tous ceux qui ont été en contact avec lui pour quelque temps : cette curieuse perte de sensibilité sous-jacente à sa facilité d'élocution et même à sa frénésie... Il a perdu cette sensibilité, cette faculté de juger, qui permet de distinguer entre « réel » et « irréel », « vrai » et « faux » (on ne peut pas parler ici de mensonge, mais seulement de « non-vérité »), entre important et insignifiant, opportun et déplacé. Ses affabulations torrentielles sont finalement entachées d'indifférence... comme s'il n'accordait pas d'importance à ce qu'il dit, ou à ce que les autres disent ou font ; comme si, en fait, plus rien n'avait d'importance.

Nous en eûmes un exemple frappant un après-midi où William Thompson, qui était en train de jacasser à propos de toutes sortes de gens qu'il inventait au fur et à mesure, dit à un moment donné sur le même ton à la fois excité et indifférent que le reste de son monologue : « Et voilà mon plus jeune frère, Bob, derrière la fenêtre. » Je fus stupéfait de voir, une minute plus tard, un homme se risquer à la porte et dire : « Je suis Bob, son plus jeune frère – je pense qu'il m'a vu passer devant la fenêtre. » Rien dans le ton ou l'attitude de William – rien dans son style aussi exubérant qu'indifférent – ne m'avait préparé à l'éventualité d'un fragment de réalité. William parlait de son frère, qui était *réel*, exactement sur le même ton, ou la même absence de ton, que celui sur lequel il parlait de l'irréel – et voilà que soudain, à côté des fantômes, surgissait un visage réel ! Mais, ce qui était terrible, c'est qu'il ne traitait pas ce jeune frère comme « réel » (ne montrant pas d'émotion réelle et n'étant, en fin de compte, ni guéri ni délivré de son délire), mais, au contraire, il traitait instantanément son frère comme irréel, l'effaçant, le noyant dans le tourbillon d'un délire encore pire – sans aucun rapport avec ce moment rare et profondément émouvant où Jimmie G. (voir chapitre II), retrouvant son frère, était délivré le temps de cette rencontre. Pour le pauvre Bob, ce qui se passa alors fut profondément déconcertant – il dit : « Je suis Bob, pas Rob, pas Dob », en pure perte. Des bribes de mémoire, un souvenir de parenté ou d'identité demeuraient chez William (ou lui revenaient pour un instant) : ainsi, au milieu de ses affabulations, il parlait de son frère *aîné*, mais toujours à l'indicatif présent.

– Mais George est mort il y a dix-neuf ans ! dit Bob, consterné.

– Oui, George est toujours le même farceur ! railla William qui, tout en semblant ignorer ou être indifférent au commentaire de Bob, se mit à parler à tort et à travers de George, dans un état de surexcitation et de totale insensibilité à la vérité, à la réalité, à la décence – et surtout à la détresse évidente du frère vivant qui se trouvait devant lui.

C'est ce qui me persuada, par-dessus tout, que William avait perdu radicalement sa réalité intérieure et sa sensibilité, son âme, son sens – et qui me poussa à poser aux sœurs la question que je leur avais posée à propos de Jimmie G. : « Pensez-vous que William ait une âme ? Ou bien a-t-il été dénervé, évidé, désanimé, par la maladie ? »

Cette fois-là, ma question parut les préoccuper, comme si elles se l'étaient déjà posée. Elles ne purent me répondre : « Jugez par vous-même. Observez William à la chapelle », parce que là aussi il continuait à plaisanter et affabuler. Chez Jimmie G., il y a quelque chose de profondément pathétique, l'attristante *sensation* d'une perte, chose que l'on ne ressent pas, du moins pas directement, chez l'effervescent monsieur Thompson. Sans aucun doute, comme disent les sœurs, il a une âme, au sens théologique du terme ; le Tout-Puissant le voit et l'aime comme un individu ; mais elles reconnaissent qu'il lui est arrivé quelque chose de très inquiétant, que son esprit, son caractère, au sens humain, ordinaire, de ces termes, sont très atteints.

C'est *parce que* Jimmie est « perdu » qu'il peut être racheté ou retrouvé, du moins pour un moment, par l'intermédiaire d'une authentique relation émotionnelle. Jimmie est dans le désespoir, un désespoir tranquille (pour employer ou adapter les termes de

Kierkegaard) : il a par conséquent la possibilité d'être sauvé, de toucher le fond de la réalité, de la sensibilité et du sens qu'il a perdus mais dont il reconnaît l'importance, et qu'il désire toujours ardemment.

Pour William, au contraire, sous une apparence brillante et tapageuse, sous la plaisanterie interminable qu'il substitue au monde (et qui recouvre peut-être un désespoir qu'il ne ressent pas) ; pour William, qui, dans son verbiage sans fin, est manifestement indifférent à toute relation et à toute réalité, il n'y a peut-être pas de « salut » possible : ses affabulations, ses fantômes, sa frénétique recherche d'un sens sont les derniers obstacles qui le séparent du non-sens absolu.

Ainsi, le talent remarquable de William pour l'affabulation, talent grâce auquel il peut continuellement enjamber les abîmes de l'amnésie, est aussi ce qui fait sa perte. Si seulement il pouvait rester *tranquille* un instant, pensent les gens autour de lui ; si seulement il pouvait arrêter son incessant bavardage, laisser tomber sa trompeuse et illusoire façade – alors (ah, alors !) la réalité aurait une chance de s'infiltrer ; quelque chose d'authentique, de profond, de vrai, quelque chose de vraiment senti pourrait pénétrer son âme.

Car, ici, ce n'est pas la mémoire qui est en fin de compte la victime « existentielle » (même si sa mémoire est complètement dévastée) ; ce n'est pas elle qui a été chez lui le plus gravement touchée, mais sa capacité ultime à éprouver les choses – c'est en ce sens qu'on peut dire qu'il a perdu son âme.

Louriia définit ce genre d'indifférence comme de l'« égalisation » – et la considère parfois comme la pathologie par excellence, radicalement destructrice de tout monde, de tout soi. Elle exerçait, je pense, sur lui une fascination horrifiée – et constituait aussi un défi thérapeutique extrême. Il fut continuellement ramené à ce thème – soit par le biais du syndrome de Korsakov et de la question de la mémoire, comme dans *The Neuropsychology of Memory*, soit, le plus souvent, par le biais des syndromes du lobe frontal spécialement évoqués dans *Human Brain and Psychological Process*, qui contient plusieurs anamnèses complètes de patients de ce genre, tout à fait comparables dans leur terrible cohérence et leurs terribles conséquences à l'« homme au monde disloqué » – peut-être même plus terribles encore, car ces patients ne se rendent pas compte que quelque chose leur est arrivé ; ils ont perdu leur réalité intime sans le savoir et, même s'ils ne souffrent peut-être pas, sont dans la pire déréliction. Zazetsky (dans *The Man with a Shattered World*) est décrit comme *un lutteur,* toujours (et même passionnément) conscient de son état, qui se bat jusqu'au bout « avec la ténacité d'un damné » pour retrouver l'usage de son cerveau endommagé. Mais William (comme les patients de Louriia dont le lobe frontal est atteint – voir le prochain chapitre) est si gravement touché qu'il ne sait pas qu'il est touché, car chez lui ce n'est pas une ou plusieurs facultés qui se trouvent endommagées, mais leur citadelle même, le soi, l'âme. En ce sens, William est bien plus « perdu » que Jimmie – de par son exubérance même derrière laquelle on ne sait jamais (ou très rarement) s'il reste une personne, alors que chez Jimmie il y a manifestement un être réel, moral, même si la plupart du temps il est déconnecté. Chez Jimmie, au moins, la reconnection est *possible,* et le défi thérapeutique peut se résumer par cette formule : « seulement connecter ».

Nos efforts pour « reconnecter » William, en revanche, échouent tous – ils augmentent même sa pression affabulatrice. Mais, si nous abandonnons nos efforts et le laissons à lui-même, il erre dehors, dans le jardin entourant l'hospice ; ce jardin calme ne lui demande rien ; si bien qu'il peut au sein de cette quiétude, retrouver sa propre quiétude. La présence d'autres personnes l'excite et l'agite, le force à un bavardage incessant et frénétique, à un véritable délire au moyen duquel il se cherche et se fabrique une identité ; les plantes de ce tranquille jardin, cet ordre sans rien d'humain et qui n'attend rien de lui, permettent à son délire de se reposer et de s'apaiser ; leur autosuffisance, leur plénitude sereine, non humaine, lui rendent l'indépendance et la quiétude en lui offrant (en deçà ou au-delà de toute identité ou relation humaines) une communion profonde et silencieuse avec la nature, et restaurent en lui le sens d'une appartenance au monde, d'une réalité.

13

Oui, père-sœur

Madame B., ancienne chimiste, spécialisée dans la recherche, présentait le symptôme d'un changement rapide de personnalité : elle devenait « drôle » (facétieuse, faisant des mots d'esprit et des calembours), impulsive et « superficielle ». (« On dirait qu'elle se moque pas mal de vous, dit l'une de ses amies. Elle donne l'impression de ne plus se soucier de rien. ») Au début, nous pensâmes qu'elle était peut-être hypomaniaque, mais il s'avéra qu'elle avait une tumeur cérébrale. A la craniotomie, nous découvrîmes non pas un méningiome, comme nous l'avions espéré, mais un énorme carcinome englobant toute la région orbito-frontale.

Lorsque je la vis, elle semblait très en train, vive – « une rigolote » (comme l'appelaient les infirmières) dont les plaisanteries ou les reparties étaient souvent malignement drôles.

– Oui, père, me dit-elle un jour.

– Oui, ma sœur, un autre jour.

– Oui, docteur, un troisième.

Pour elle, les mots semblaient interchangeables.

– Qu'est-ce que je *suis ?* demandai-je au bout d'un moment, piqué au vif.

– Je vois votre visage, votre barbe, dit-elle, je pense à un archimandrite. Je vois votre uniforme blanc – je pense aux sœurs. Je vois votre stéthoscope – je pense à un docteur.

– Vous ne me voyez pas *en entier ?*

– Non, je ne vous vois pas en entier.

– Vous réalisez la différence entre un père, une sœur et un docteur ?

– Je connais la différence, mais elle n'a aucun sens pour moi. Père, sœur, docteur – quelle importance ?

Par la suite, pour me taquiner, il lui arrivait de dire : « Oui, père-sœur. Oui, sœur-docteur », et autres combinaisons du même genre.

Il était terriblement difficile de tester sa capacité de distinguer la droite de la gauche, car elle employait indifféremment l'un et l'autre mot (sans pour autant les confondre, comme c'est le cas lorsqu'il y a un défaut latéral de perception ou d'attention). Quand je le lui fis remarquer, elle dit :

– Gauche/droite, droite/gauche. Pourquoi tant d'histoires ? Quelle est la différence ?

– *Y a-t-il* une différence ? lui demandai-je.

– Bien sûr, répondit-elle avec une précision de chimiste. Vous pourriez dire que chacun est l'*énantiomorphe* de l'autre. Mais ils ne signifient rien pour *moi*. Ils ne sont pas différents pour *moi*. Mains... docteurs... sœurs..., ajouta-t-elle, voyant mon embarras. Vous ne comprenez pas ? Ils ne signifient rien – rien pour moi. *Rien ne signifie rien*... du moins pour moi.

– Et... cette absence de signification... [*j'hésitais, effrayé à l'idée de poursuivre*] cette absence de sens... vous inquiète-t-elle ? A-t-elle un sens pour vous ?

– Pas du tout, dit-elle rapidement, avec un sourire éclatant, sur le ton de quelqu'un qui plaisante, l'emporte dans une discussion, ou gagne au poker.

Était-ce une fin de non-recevoir ? Était-ce une courageuse façade ? La « couverture » de quelque émotion intolérable ? Son visage ne reflétait aucune expression plus profonde. Son monde avait été vidé de sens et de sensibilité. Elle ne sentait plus rien de « réel » (ou d'« irréel »). Tout lui était désormais égal ou indifférent – le monde entier était réduit à une plaisante insignifiance.

Je trouvai cela quelque peu choquant – sa famille et ses amis aussi, mais elle-même, quoique non dépourvue de finesse, ne s'en souciait pas ; elle restait d'une indifférence et même d'une nonchalance, d'une légèreté drôle et terrible à la fois.

En dépit de sa vive intelligence, madame B. était en quelque sorte absente, « désanimée » de sa personne. Je pensais à William Thompson (et au docteur P.) : c'est là l'effet d'« égalisation » décrit par Louriia. Nous en avons parlé au chapitre précédent, et en reparlerons dans le prochain chapitre.

Post-scriptum

L'« égalisation », l'indifférence facétieuse dont fait preuve notre patiente n'est pas rare. Les neurologues allemands l'appellent *Witzelsucht* (« maladie de la plaisanterie ») ; Hughlings Jackson la reconnut, il y a un siècle, comme une forme fondamentale de « dissolution » nerveuse. Elle n'est pas rare, tandis que la clairvoyance qui l'accompagne l'est – mais cette dernière disparaît, heureusement peut-être, au fur et à mesure que progresse la « dissolution ». Chaque année, je rencontre de nombreux cas dont la phénoménologie est similaire, même si les étiologies sont des plus variées. Il m'arrive au début de n'être pas sûr de mon diagnostic et de ne pas savoir si le patient est seulement « amusant », s'il fait le clown, ou s'il est schizophrène. C'est presque par hasard que je retrouve ces notes, que j'avais prises en 1981 sur une patiente atteinte de scléroses cérébrales multiples (et dont je n'ai pu suivre le cas) :

> Elle parle très vite, impulsivement, et (semble-t-il) avec indifférence (...) de sorte que l'important et l'insignifiant, le vrai et le faux, le sérieux et la plaisanterie, sortent dans un flux rapide, semi-affabulateur, non sélectif (...) En l'espace de quelques secondes, elle peut se contredire complètement (...) dire qu'elle aime la musique, qu'elle ne l'aime pas, qu'elle a une hanche cassée, qu'elle ne l'a pas cassée...

Je concluai mon observation sur une note d'incertitude :

> Dans quelle mesure est-ce une affabulation cryptamnésique, dans quelle mesure est-ce une indifférence, une « égalisa-

tion » d'origine lobo-frontale, dans quelle mesure est-ce une étrange désintégration schizophrénique, qui l'a écrasée et fait voler en éclats ?

De toutes les formes de schizophrénie, l'« imbécile heureux », celui que l'on appelle l'hébéphrène, est ce qui se rapproche le plus de l'amnésie organique et des syndromes du lobe frontal. Ce sont les états les plus graves et les moins faciles à concevoir – et nul n'en revient pour nous dire à quoi ils ressemblent.

Dans tous ces états – sous leur apparence « drôle » et souvent ingénieuse –, le monde se trouve démantelé, indéterminé, réduit à l'anarchie et au chaos. L'esprit n'est plus « centré », même si les facultés intellectuelles formelles sont parfaitement intactes. Le summum de ces états est une « sottise insondable », une superficialité abyssale, dans laquelle plus rien n'a de fondement, tout flotte et se désintègre. Louriia a dit un jour que, dans ce genre d'états, l'esprit est réduit à un « simple mouvement brownien ». Je partage l'espèce d'horreur qu'il éprouvait à leur sujet (et je pense que cela incite à les décrire avec précision au lieu du contraire). Ils me font d'abord penser au « Funes » de Borges et à sa réflexion : « Ma mémoire, monsieur, est comme un tas d'ordures », et en fin de compte à la *Dunciade*, cette vision d'un monde réduit à la Pure Stupidité – la stupidité considérée comme la Fin du Monde :

> Ta main, grand Anarchiste, laisse tomber le rideau
> Et les Ténèbres Universelles ensevelissent Tout.

14

Les possédés

Dans « Ray, le tiqueur blageur » (chapitre X), je décrivais une forme relativement bénigne du syndrome de Tourette, tout en faisant allusion au fait qu'il en existe des formes graves « d'une violence grotesque et terrible ». J'évoquais la possibilité qu'ont certaines personnes de trouver un *modus vivendi* entre leur personnalité et le syndrome de Tourette, tandis que d'autres, véritablement « possédées », seront à peine capables d'acquérir une identité réelle au sein des terribles pressions et du chaos que provoquent les impulsions tourettiques.

Tourette lui-même, et beaucoup de cliniciens d'autrefois, reconnaissaient que ce syndrome est susceptible de prendre une forme maligne qui peut désintégrer la personnalité et conduire à une sorte de délire ou de « psychose » bizarre, fantasmatique, mimétique et souvent imitatrice. Cette forme du syndrome de Tourette, ce « super-Tourette », est très rare, environ cinquante fois plus rare que le syndrome de Tourette ordinaire, et peut-être qualitativement différente et beaucoup plus intense que n'importe laquelle des formes ordinaires de ce dérèglement. La « psychose de Tourette », cette surprenante frénésie d'identités, n'a aucun rapport avec la psychose ordinaire, dont elle se distingue par une physiologie et une phénoménologie tout à fait particulières. Elle a néanmoins des affinités avec, d'une part, les psychoses de frénésie motrice parfois provoquées par la L-DOPA, et, d'autre part, avec les délires affabulatoires de la psychose de Korsakov (voir plus haut, chapitre XII). Et, comme eux, elle peut presque complètement submerger la personne.

Le lendemain du jour où je vis Ray, mon premier tourettien,

mes yeux et mon entendement s'ouvrirent, comme je l'ai déjà dit plus haut, lorsque, dans les rues de New York, je vis trois tourettiens à la suite – tous aussi caractéristiques que Ray, quoique plus hauts en couleur. En un éclair, je fus témoin de ce que peut représenter le fait d'avoir un syndrome de Tourette d'une gravité extrême, c'est-à-dire des tics et des convulsions qui n'affectent pas seulement les mouvements, mais aussi la perception, l'imagination et les passions, autrement dit la personnalité tout entière.

Ray lui-même était un exemple de ce qui peut se passer dans la rue. Mais en parler n'est rien. Il faut l'avoir vu de ses yeux. Et une clinique ou une salle d'hôpital n'est pas toujours le meilleur endroit pour observer une maladie – ou du moins pour observer un dérèglement qui, s'il est d'origine organique, s'exprime par des impulsions, des imitations, des personnifications, des réactions, des interactions, poussées à un degré extrême et presque inimaginable. La clinique, le laboratoire ou la salle d'hôpital sont en fait destinés à contenir un comportement en même temps qu'ils le cristallisent (quand ils ne l'excluent pas). Ils témoignent d'une neurologie scientifique et systématique, réduite à des tests et à des tâches fixes, et non d'une neurologie ouverte, naturaliste. Pour cela, il faut voir le patient tel qu'il est, spontanément, dans le monde réel, hors observation, aiguillonné par chacune de ses impulsions et livré à leur jeu : pour ce faire, il faut que l'observateur passe inaperçu. Quoi de mieux, à cet égard, qu'une rue de New York, une rue anonyme de la grande ville, où les personnes sujettes à ces extravagances et dérèglements de leurs impulsions peuvent jouir de la liberté ou de l'esclavage monstrueux qui est le propre de leur condition, et l'exhiber sans contrainte.

La « neurologie de la rue » a du reste de respectables antécédents. Si James Parkinson, parcoureur inlassable des rues de Londres, comme le fut Charles Dickens quarante ans plus tard, a pu circonscrire la maladie qui porte son nom, ce n'est pas dans son bureau mais dans les rues grouillantes de Londres. Le parkinsonisme est en effet difficile à bien voir et comprendre dans une clinique ; il faut un espace ouvert, d'une certaine complexité interactionnelle, pour qu'apparaisse en pleine lumière son caractère particulier. (Si magnifiquement montré dans le film de Jonathan Miller, *Ivan.*) Pour bien voir et comprendre le parkinsonisme, il est impératif de le voir dans le monde – et cette constatation est encore plus vraie du syndrome de Tourette. Le texte intitulé « Les confidences d'un tiqueur » qui préface le grand livre de Meige et Feindel, *Tics* (1901), décrit de façon vraiment extraordinaire les impressions intimes d'un tiqueur aux imitations bouffonnes se promenant dans les rues de Paris ; et nous trouvons chez le poète Rilke, dans *les Cahiers de Malte Laurids Brigge*, le portrait d'un tiqueur agité de maniérismes, rencontré également dans les rues de Paris. Ce fut donc une double révélation pour moi de voir Ray dans mon bureau, puis d'assister le lendemain à cette scène singulière, dont je garde un souvenir aussi vif qu'au premier jour.

Mon attention fut attirée par une femme aux cheveux gris d'une soixantaine d'années, qui était apparemment le centre d'un incroyable tumulte ; je ne compris cependant pas tout de suite la nature de ce qui était en train de se passer et semblait si troublant. Avait-elle une attaque ? Qu'est-ce qui la convulsionnait ainsi, et, par une sorte de contagion ou sympathie, convulsionnait aussi tous ceux qu'elle dépassait, qui se mettaient à grincer des dents et à tiquer ?

Me rapprochant d'elle, je vis ce qui se passait. *Elle imitait les passants* – si « imitation » n'est pas un mot trop pâle, trop passif. Car, en fait, elle caricaturait tous ceux qui la croisaient. En un rien de temps, en l'espace d'une seconde, elle les « croquait » tous.

Bien souvent, dans ma vie, j'avais vu des mimes et des imitateurs, des clowns et des bouffons, mais ils n'avaient aucun rapport avec l'atroce phénomène auquel j'étais en train d'assister, avec l'inquiétante faculté qu'avait cette femme de réfléchir instantanément, automatiquement et convulsivement, les visages et les silhouettes. Il ne s'agissait d'ailleurs pas seulement d'une imitation, si extraordinaire qu'elle fût déjà en elle-même, car cette femme ne se contentait pas de saisir et de faire siens les traits des passants ; elle les *caricaturait*. Chaque imitation était aussi un pastiche, une moquerie, une exagération des expressions et des gestes les plus marquants, exagération en elle-même tout aussi convulsive qu'intentionnelle, et résultant des violentes accélérations et distorsions de tous ses mouvements. Par exemple, un léger sourire allait devenir, sous l'effet d'une monstrueuse accélération, une féroce grimace d'un millième de seconde ; un geste large, sous l'effet d'une accélération, allait devenir un mouvement convulsif grotesque.

Sur la longueur d'un petit pâté de maison, cette vieille femme forcenée caricatura frénétiquement les traits de quarante à cinquante personnes, en des imitations kaléidoscopiques rapides comme l'éclair, d'une ou deux secondes chacune, quelquefois moins, l'ensemble de ces scènes vertigineuses durant à peine deux minutes.

Il y avait aussi des imitations grotesques au second et au troisième degré, car les passants, effrayés, outragés, ahuris par ses imitations, adoptaient en retour ses expressions, lesquelles étaient à nouveau réfléchies, renvoyées, redéformées par la tourettienne, ce qui avait pour effet d'accroître encore le choc et l'indignation. Cette résonance grotesque, cette réciprocité par laquelle chacun était entraîné dans une interaction qui s'amplifiait de façon absurde, était la source du tumulte que j'avais vu de loin. Cette femme, en prenant l'apparence de tout le monde, perdait son propre soi et finissait par devenir personne. Cette femme aux mille visages, masques, *personae* – que pouvait-il bien se passer pour elle dans ce tourbillon d'identités ? La réponse ne tarda pas à venir – et juste à temps. La tension était à son comble, tous les protagonistes de la scène approchaient du point de rupture. Soudain, la vieille femme tourna dans une ruelle adjacente. Et là, désespérément, donnant l'impression d'être violemment malade, elle expulsa, à une vitesse vertigineuse, un bref raccourci de tous les gestes, tous les airs, toutes les postures, toutes les expressions, tout le comportement des quarante ou cinquante personnes qu'elle venait de dépasser dans la rue. Elle lança une énorme régurgitation mimétique, dans laquelle elle vomit les identités engorgées des cinquante dernières personnes qui l'avaient « habitée ». Et, si l'ingurgitation avait duré deux minutes, l'expulsion, quant à elle, ne fut qu'une simple exhalation – cinquante personnes en dix secondes, soit un cinquième de seconde au maximum pour le répertoire éclair de chaque personne.

Par la suite, je devais beaucoup apprendre des patients de Tourette ; je passais des centaines d'heures à parler avec eux, à les observer, à les enregistrer. Pourtant, rien ne fut jamais pour moi aussi instructif, en si peu de temps et d'une façon aussi pénétrante, irrésistible, que ces deux fantastiques minutes passées dans la rue, à New York.

Je compris à ce moment-là dans quelle situation existentielle extraordinaire, voire unique, doivent se trouver les « super-tourettiens » – situation due à une bizarrerie organique, sans qu'il y ait faute de leur part ; et qui n'est pas sans analogies avec celle du « super-korsakovien » déchaîné, même si son origine – et son but – sont tout à fait différents. Tous deux peuvent être amenés à l'incohérence et au délire d'identité. Le korsakovien, heureusement, ne le saura jamais, mais le tourettien perçoit son état avec une acuité atroce et peut-être aussi, en fin de compte, avec une certaine ironie, tout en étant incapable, ou peu désireux, d'y changer quoi que ce soit.

Car, là où le korsakovien est mené par l'amnésie, par l'absence, ce sont des impulsions extravagantes qui mènent le tourettien – impulsions dont il est à la fois l'instigateur et la victime, dont il peut repousser les assauts mais dont il ne peut se débarrasser. Aussi est-il forcé, contrairement au korsakovien, à un rapport ambigu avec son dérèglement ; vaincre, être vaincu ou jouer avec lui : tous les conflits, mais aussi toutes les collusions sont ici possibles.

Dépourvu des barrières normales qui protègent l'inhibition, privé des frontières normales du soi fixées par l'organisme, l'ego du tourettien est sujet à un bombardement sans fin. Il se trouve assailli et séduit par des impulsions à la fois internes et externes, lesquelles sont organiques et convulsives, mais parfois aussi séductrices, « subjectives » (ou pseudo-subjectives). Comment l'ego va-t-il supporter ce bombardement, comment peut-il le supporter ? L'identité va-t-elle survivre ? Peut-elle se *développer* face à un tel bouleversement, sous de telles pressions – ou bien sera-t-elle submergée pour donner une « âme tourettisée » (pour reprendre les termes poignants d'un patient que je devais voir par la suite) ? Sur l'âme du tourettien s'exerce une pression physiologique, existentielle, théologique presque – il sera en pleine et souveraine possession de son âme, ou il sera submergé, possédé et dépossédé, à chaque instance et impulsion.

Comme nous l'avons noté, Hume a écrit :

> Je peux m'aventurer à affirmer que nous ne sommes rien qu'un faisceau ou une collection de perceptions différentes, se succédant avec une rapidité inconcevable, et qui sont dans un flux et un mouvement perpétuels [1].

Pour Hume, l'identité personnelle est donc une fiction – nous n'existons pas, nous ne sommes qu'une suite de sensations ou de perceptions. Ce n'est évidemment pas vrai d'un être humain normal, en pleine *possession* de ses perceptions, celles-ci n'étant pas un simple flux, mais *le sien propre,* unifié par une individualité, un *soi* durables. Mais ce que Hume décrit là pourrait être précisément le cas d'un être aussi instable que le super-tourettien dont la vie est, dans une certaine mesure, une succession de perceptions et de mouvements hasardeux ou convulsifs, un flottement sans rime ni raison. A cet égard, il est plus « humien » qu'humain. Voilà le destin philosophique, presque théologique, qui nous attend, si la proportion de pulsion devient trop importante par rapport au soi. Tout cela n'est pas sans affinités avec le destin « freudien », qui consiste aussi à être submergé par ses pulsions – mais, là où le destin freudien a un sens (quoique tragique), le destin « humien » est absurde et dépourvu de sens.

Le super-tourettien est alors forcé de se battre, plus que n'importe qui, pour simplement survivre – pour accéder à son individualité et survivre comme individu en face de pulsions qui l'assaillent constamment. Il pourra être confronté, depuis sa plus tendre enfance, à d'immenses obstacles à l'individuation, tentant

1. Hume, *Traité de la nature humaine, op. cit.*, p. 49.

de l'empêcher de devenir une personne réelle. Le miracle est que dans la plupart des cas il y réussira – car nos pouvoirs de survie, notre volonté de survivre comme individu unique et inaliénable, sont en nous résolument les plus forts : plus forts que n'importe quelle pulsion, plus forts que la maladie même. Et la victoire revient en général à la santé – à la santé militante.

TROISIÈME PARTIE

Transports

Introduction

Tout en critiquant le concept de fonctions et en tentant même de le redéfinir assez radicalement, nous l'avons néanmoins accepté, et nous avons dépeint, dans leur contraste le plus grand, les paysages de l'« excès » et ceux du « déficit ». Mais nous avons aussi besoin, de toute évidence, de termes complètement différents. Dès que nous nous intéressons aux phénomènes en tant que tels, à la qualité vive de l'expérience, de la pensée ou de l'action, nous devons employer des termes qui conviendraient pour définir un poème ou un tableau. Comment, en effet, parler d'un rêve en des termes servant à définir une fonction ?

Nous avons toujours deux univers de discours – l'un « physique », l'autre « phénoménologique », si vous voulez : l'un a trait aux questions de structure quantitative et formelle, l'autre aux qualités qui constituent un « monde ». Chacun d'entre nous a son univers mental propre, ses voyages et ses paysages intérieurs, lesquels, pour la plupart d'entre nous, n'ont pas besoin de « corrélatifs » neurologiques clairs. Nous pouvons habituellement raconter l'histoire d'un homme, relater des moments et des scènes de sa vie sans entrer dans des considérations physiologiques ou neurologiques qui sembleraient pour le moins surérogatoires, sinon carrément absurdes ou insultantes. Nous nous considérons en effet, et à juste titre, comme « libres » – ou du moins déterminés par des facteurs humains et éthiques extrêmement complexes plutôt que par les vicissitudes de nos fonctions neurologiques ou de notre système nerveux. Cette opinion est en général exacte, mais pas toujours : car il arrive qu'une vie d'homme soit coupée en deux, se trouve radicalement transformée par un désordre organique ; la compréhension de son histoire doit alors inclure un corrélat physiologique ou neurologique. Ce sera le cas de tous les patients ici décrits.

Dans la première moitié de ce livre, nous avons exposé des cas pathologiques évidents – des situations dans lesquelles l'excès ou le déficit neurologique sont flagrants. Tôt ou tard, le fait que « quelque chose ne va pas » (physiquement parlant) s'impose à ces patients, à leurs parents et à leurs médecins. Leur nature, leur monde intérieur se trouvent altérés, transformés ; mais il est clair que cela se produit sous l'effet d'un énorme changement (presque quantitatif) de la fonction nerveuse. Dans cette troisième partie, la singularité en question sera la réminiscence, l'altération de la perception, l'imagination, le « rêve ». Ces thèmes ne sont pas souvent pris en compte du point de vue neurologique ou médical. Ces « transports * », souvent d'une poignante intensité, sont vécus avec une vive émotion, parce qu'ils sont lourds de sens pour celui qui les subit ; on tend à les considérer, à la manière des rêves, comme des phénomènes psychiques : peut-être pour une manifestation de l'activité inconsciente ou préconsciente (ou, au sens mystique du terme, pour quelque chose d'ordre « spirituel ») et non pour une réalité « médicale », encore moins « neurologique ». C'est peut-être dans la nature même de ces transports qu'ils soient pris pour des psychoses ou annoncés comme des révélations – et par là même plus volontiers confiés aux psychanalystes ou aux confesseurs que simplement montrés à des médecins. Il ne nous viendrait jamais à l'idée qu'une vision puisse relever de la médecine ; et, lorsqu'on lui présume ou découvre une base organique, la vision s'en trouve « dévalorisée » (bien qu'elle ne le soit pas, en fait – la valeur ou l'évaluation n'ayant rien à voir avec l'étiologie).

Tous les transports décrits dans cette troisième partie ont des causes organiques plus ou moins claires (qui n'étaient cependant pas évidentes au départ et ne furent mises au jour qu'au prix de recherches minutieuses) – ce qui ne retire rien, en fin de compte, à leur signification psychologique ou spirituelle. Si Dostoïevski

* *Transports* [*NdT*].

eut une révélation de Dieu ou de l'ordre éternel au cours de crises d'épilepsie, pourquoi d'autres conditions organiques ne serviraient-elles pas de « portes » à l'au-delà ou à l'inconnu ? En un sens, cette troisième partie représente une étude de ces « portes ».

Hughlings Jackson, en 1880, employait le terme général de « réminiscence » pour décrire ces « transports » ou ces « états de rêve » qui surviennent au cours de certaines épilepsies. Il écrivait alors :

> Je n'aurais jamais pu diagnostiquer l'épilepsie à partir de la seule « réminiscence » paroxystique, s'il n'y avait eu d'autres symptômes ; je me doutais bien cependant qu'il s'agissait d'épilepsie lorsque cet état mental superpositif commençait à survenir fréquemment (...) Je n'ai jamais été consulté pour une simple « réminiscence »...

J'ai moi-même été très souvent consulté pour des réminiscences forcées ou paroxystiques de « tons », de « visions », de « présences » ou de scènes, ne survenant pas seulement au cours d'épilepsies, mais dans bien d'autres situations organiques. Ce genre de transports n'est pas rare dans la migraine (voir « Les visions de Hildegarde », chapitre XX). Le sens du « déjà vu », qu'il soit de nature épileptique ou toxique, affleure dans « Route des Indes » (chapitre XVII). Une cause manifestement toxique ou chimique est à l'origine de « Nostalgie incontinente » (chapitre XVI), à l'origine aussi de l'étrange hyperosmie du chapitre XVIII et du chapitre intitulé « Dans la peau du chien ». L'horrifiante « réminiscence » de « Meurtre » (chapitre XIX) est due soit à une activité épileptique, soit à une désinhibition du lobe frontal.

Cette troisième partie aura pour thème le pouvoir de l'imaginaire et de la mémoire à « transporter » quelqu'un, sous l'effet d'une stimulation anormale des lobes temporaux et du système limbique cérébral. Nous pouvons, par là, apprendre aussi quelque chose sur les origines cérébrales de certains rêves et de certaines visions, et sur la façon dont le cerveau (que Sherrington appelait « un métier à tisser enchanté ») peut parfois tisser le tapis magique sur lequel nous sommes emportés.

15

Réminiscence

Madame O'C. était en bonne santé, quoique un peu sourde. Elle vivait dans une maison pour personnes âgées. Une nuit de janvier 1979, elle rêva de son enfance en Irlande – un rêve intense et nostalgique, au cours duquel elle entendait des chants et des danses de son pays. Lorsqu'elle se réveilla, la musique continuait, très forte et très claire. « Je dois toujours être en train de rêver », se dit-elle, mais en fait, le rêve était fini. Elle se leva, se secoua, chercha à comprendre. On était au milieu de la nuit. Elle pensa que quelqu'un avait laissé sa radio allumée. Mais pourquoi était-elle la seule à être apparemment dérangée ? Elle vérifia tous les postes de radio qu'elle put trouver – ils étaient tous éteints. Il lui vint alors une autre idée : elle avait entendu dire que les plombages dentaires peuvent parfois réagir comme des radios à quartz, et capter des émissions lointaines de forte intensité. « C'est cela, pensa-t-elle, c'est un de mes plombages qui fait des siennes. Je le ferai arranger demain matin. » Elle s'en plaignit à l'infirmière de nuit qui trouva son plombage en bon état. Madame O'C. fit alors un autre raisonnement : « Quelle est la station de radio qui peut jouer à tue-tête des chansons irlandaises au milieu de la nuit ? Des chansons et rien que des chansons, sans introduction ni commentaire ? Et uniquement des chansons que je connais ! Quelle station de radio aurait l'idée de jouer seulement *mes* chansons ? » C'est à ce moment-là qu'elle se demanda si la radio n'était pas tout simplement dans sa tête.

Elle était consternée – et la musique continuait de plus belle à l'assourdir. Son dernier espoir était l'ORL : son otologiste, *lui,* saurait la rassurer, lui dire qu'il s'agissait seulement de « bruits dans les oreilles », un phénomène lié à sa surdité, rien d'inquiétant. Mais, quand elle alla le voir dans le courant de la matinée, il lui dit : « Non, madame O'C., je ne pense pas qu'il s'agisse de vos oreilles. Si c'était une simple sonnerie, un bourdonnement ou un grondement, ce serait possible : mais un concert de chants irlandais – ce ne sont pas vos oreilles. Peut-être, continua-t-il, devriez-vous voir un psychiatre. » Le jour même, madame O'C. s'arrangea pour voir un psychiatre. « Non, madame O'C., dit le psychiatre, ce n'est pas votre esprit. Vous n'êtes pas folle – et d'ailleurs les fous n'entendent pas de la musique, ils entendent seulement des " voix ". Vous devriez voir un neurologue, mon collègue, le docteur Sacks. » C'est ainsi que madame O'C. vint me consulter.

La conversation fut loin d'être facile, en partie à cause de sa surdité, mais surtout parce que ma voix fut à plusieurs reprises couverte par ces chants, dont seuls les plus modérés lui permettaient de m'entendre. Intelligente, alerte, elle ne me semblait ni délirante ni folle, mais son regard absorbé et lointain était celui d'une personne à demi plongée dans son monde intérieur. Je ne trouvai rien d'anormal neurologiquement. Pourtant, je soupçonnais la musique d'être *d'origine* neurologique.

Que pouvait-il bien être arrivé à madame O'C. pour qu'elle soit ainsi ramenée au passé ? Elle avait quatre-vingt-huit ans et son état général était excellent : elle n'avait aucun signe de fébrilité, elle ne prenait aucun médicament qui puisse déséquilibrer son esprit, lequel était tout à fait sain. Et manifestement, la veille, elle était normale.

– Pensez-vous que ce soit une attaque, docteur ? demanda-t-elle, devinant mes pensées.

– Cela se pourrait, dis-je, bien que je n'aie jamais vu une attaque de ce genre. Il s'est passé quelque chose, c'est sûr, mais je ne pense pas que vous soyez en danger. Ne vous inquiétez pas et tenez bon.

– Ce n'est pas si facile de tenir bon, dit-elle, quand vous vivez ce que je suis en train de vivre. Je sais que tout est calme ici, mais je suis dans un océan de bruit.

Je voulus lui faire sur-le-champ un électroencéphalogramme, en portant une particulière attention aux lobes temporaux, qui sont les lobes « musicaux » du cerveau, mais un concours de circonstances en retarda l'exécution. Pendant ce temps, l'intensité de la musique diminuait, et surtout sa ténacité. Au bout de trois nuits, elle put recommencer à dormir et, entre deux « chants », à converser avec quelqu'un. Lorsque je lui fis faire un EEG, elle n'entendait plus que de brefs fragments de musique environ une douzaine de fois dans le courant de la journée. Après l'avoir installée et lui avoir posé les électrodes sur la tête, je lui demandai de s'allonger tranquillement, de ne rien dire, de ne pas « chanter intérieurement » et de lever légèrement l'index droit – ce qui ne risquait pas de fausser l'EEG – si elle entendait l'un des chants pendant l'enregistrement. Au cours des deux heures que dura la séance, elle leva le doigt par trois fois, et chaque fois les stylets crépitèrent, inscrivant des pointes et des vagues aiguës, témoins de l'activité des lobes temporaux. Cela confirma le fait qu'elle avait bien eu des attaques dans les lobes temporaux, lesquels sont, invariablement, comme l'avait d'ailleurs supposé Hughlings Jackson (et prouvé Wilder Penfield) les centres des « réminiscences » et des expériences hallucinatoires. Mais pourquoi ce symptôme étrange et soudain ? Je fis faire un scanner du cerveau, qui montra qu'elle avait bien eu une thrombose on un infarctus dans une région du lobe temporal droit. Le brusque assaut nocturne de chants irlandais, l'activation soudaine dans le cortex des traces mnémoniques musicales étaient apparemment la conséquence d'une attaque, et les chants se dissipèrent d'eux-mêmes au fur et à mesure que l'attaque se résorbait.

Vers la mi-avril, les chants avaient entièrement disparu et madame O'C. était redevenue elle-même. Je lui demandai alors ce qu'elle pensait de tout cet épisode, et en particulier si ces chants paroxystiques lui manquaient. « C'est drôle que vous me demandiez cela, dit-elle en souriant. Dans l'ensemble, je dirais que c'est un grand soulagement. Mais oui, au fond, ces vieux chants me manquent un peu. Maintenant je me souviens de beaucoup d'entre eux. C'est comme si un moment oublié de mon enfance m'était rendu. Et certains de ces chants étaient vraiment beaux. »

J'avais déjà entendu des sentiments de ce genre chez certains de mes patients traités à la L-DOPA – le terme que j'employais pour les qualifier était celui de « nostalgie incontinente ». Ce que me dit madame O'C. de son évidente nostalgie me rappela une histoire poignante de H.G. Wells, « La porte dans le mur ». Je lui racontai l'histoire. « C'est ça, dit-elle. Cela vous absorbe complètement. Mais *ma* porte est réelle, comme mon mur était réel. Ma porte mène à un passé perdu, oublié. »

Je ne vis pas d'autre cas semblable jusqu'au mois de juin de l'année dernière, lorsqu'on me demanda de recevoir madame O'M. qui résidait dans la même maison que madame O'C. Madame O'M. était aussi une femme octogénaire, un peu sourde, mais intelligente et alerte. Elle aussi entendait de la musique dans sa tête et quelquefois une sonnerie, un sifflement ou un grondement ; de temps en temps, elle entendait « des voix qui parlaient », souvent « dans le lointain » et « plusieurs en même temps », de sorte qu'elle ne pouvait jamais saisir ce qu'elles disaient. N'ayant parlé de ces symptômes à personne, elle s'était demandé pendant quatre ans, avec une secrète inquiétude, si elle n'était pas folle. Elle fut très soulagée d'apprendre par la sœur qu'il y avait eu un cas semblable dans la maison quelque temps auparavant, et très apaisée de pouvoir s'en ouvrir à moi.

Un jour, racontait madame O'M., elle était en train de râper des panais dans la cuisine lorsqu'elle commença à entendre une chanson. C'était *Easter Parade,* qui fut rapidement suivie de *Glory, Glory, Alleluiah* et de *Good Night, Sweet Jesus.* Comme madame O'C., elle pensa qu'on avait laissé une radio ouverte, mais elle s'aperçut bientôt que tous les postes étaient éteints. C'était en 1979, il y avait quatre ans de cela. Mais, si madame O'C. guérit en quelques semaines, madame O'M., elle, continuait à entendre de la musique et cela ne fit que s'aggraver.

Au début, elle n'entendit que ces trois chants. La musique survenait chaque fois qu'elle se risquait à penser à l'un d'entre eux, parfois même à l'improviste. Elle essayait bien d'éviter d'y penser, mais cet effort se révélait avoir les mêmes conséquences que la pensée elle-même.

– Aimez-vous particulièrement ces chants-là ? lui demandai-je comme un psychiatre. Ont-ils une signification spéciale pour vous ?

– Non, répondit-elle sur-le-champ. Je ne les ai jamais particulièrement aimés et je ne pense pas qu'ils aient une signification spéciale pour moi.

– Et qu'éprouviez-vous lorsqu'ils vous poursuivaient ?

– J'en suis venue à les haïr, répliqua-t-elle vivement. C'était comme si un voisin fou passait sans arrêt le même disque.

Pendant plus d'une année, ces chants se succédèrent de façon exaspérante. Après quoi, cette musique intérieure se compliqua et se diversifia – ce qui était, en un sens, une aggravation, mais, en un autre, un repos. Elle entendait une multitude de chants – parfois plusieurs en même temps ; parfois un chœur ou un orchestre ; et, à l'occasion, des voix ou simplement un brouhaha.

Lorsque j'examinai madame O'M., je ne trouvai rien d'anormal, sinon quelque chose d'un singulier intérêt au point de vue auditif. Elle avait une surdité de l'oreille interne, d'un type assez courant, mais aussi une difficulté particulière à percevoir et distinguer les tons, – ce que les neurologues appellent *amusia,* et qui est plus spécialement lié à une altération fonctionnelle des lobes auditifs (ou temporaux) du cerveau. Elle se plaignait d'ailleurs du fait de ne plus pouvoir, à la chapelle, distinguer les cantiques les uns des autres, de sorte que, pour les reconnaître, il lui fallait se fier aux mots ou au rythme et non plus aux tons ou aux airs [1]. Bien qu'ayant chanté dans sa jeunesse, elle chanta faux et d'une voix plate au cours du test. Elle disait aussi que cette musique intérieure était plus vive lorsqu'elle se réveillait, et diminuait au fur et à mesure que d'autres impressions sensorielles augmentaient ; il y avait peu de chances qu'elle survienne, par exemple, si elle était occupée – émotionnellement, intellectuellement, ou surtout visuellement. Au cours de l'heure qu'elle

1. Ma patiente Emily D. montrait la même incapacité à percevoir le ton ou l'expression de la voix (*agnosie* tonale) (voir « Le discours du président », chap. IX).

passa avec moi, elle n'entendit cette musique qu'une seule fois – quelques mesures d'*Easter Parade*, jouées si fort et si brusquement qu'elle put à peine m'entendre.

L'électroencéphalogramme révéla une tension et une excitabilité frappantes dans les deux lobes temporaux – qui sont les zones du cerveau associées à la représentation centrale des bruits et de la musique ainsi qu'à l'évocation de scènes et d'expériences complexes. Chaque fois qu'elle « entendait » quelque chose, les vagues de haute tension formaient des pointes aiguës, nettement convulsives. Cela confirma mon idée qu'elle avait une épilepsie musicale associée à une maladie des lobes temporaux.

Qu'arrivait-il, en fait, à ces deux femmes ? Le terme d'« épilepsie musicale » semble une contradiction, car la musique est normalement tout imprégnée de sens et de sentiment, et correspond en nous à quelque chose de profond, que Thomas Mann appelle « le monde derrière la musique » – tandis que l'épilepsie suggère le contraire : un événement physiologique brut, fortuit, tout à fait arbitraire, dépourvu de sens et de sentiment. Parler d'« épilepsie musicale » ou d'« épilepsie personnalisée » est donc contradictoire. Pourtant, de telles épilepsies peuvent survenir lorsqu'il y a attaques du lobe temporal – ce sont des épilepsies de la zone remémoratrice du cerveau. Hughlings Jackson les a décrites il y a un siècle, parlant dans ce contexte d'« états de rêve », de « réminiscences » et de « psycholepsies » :

> Les épileptiques connaissent parfois des états mentaux vagues et pourtant excessivement compliqués aux premiers assauts de la crise (...) Cet état mental compliqué, appelé aussi aura intellectuelle, est *toujours le même, ou essentiellement le même* dans chaque cas.

Ces descriptions restèrent purement anecdotiques jusqu'aux remarquables études de Wilder Penfield, un demi-siècle plus tard. Non seulement Penfield parvint à localiser l'origine de ces épilepsies dans les lobes temporaux, mais il put aussi *évoquer* l'« état mental complexe » ou les « hallucinations expérimentales » extrêmement précises et détaillées survenant lors de ces crises par un léger stimulus électrique des points du cortex cérébral prédisposés à la crise – comme cela fut démontré, en chirurgie, sur des patients ayant toute leur conscience. Ces stimuli provoquaient instantanément chez eux de vives hallucinations : en dépit de l'atmosphère anonyme de la salle d'opération, ils se mettaient à réentendre des airs, à revivre des scènes, à revoir des gens, comme si c'était la réalité, et ils étaient capables de les décrire à l'assistance avec des détails surprenants, confirmant ce que Jackson décrivait soixante ans plus tôt lorsqu'il parlait d'un très caractéristique « dédoublement de conscience ».

> Il y a *(1)* l'état de conscience quasiment parasitaire (état de rêve) et *(2)* des bribes de conscience normale. Il se produit donc un dédoublement de conscience (...) une diplopie mentale.

C'était précisément ce qu'exprimaient mes deux patientes ; madame O'M. me voyait et m'entendait, non sans quelques difficultés, à travers le rêve assourdissant d'*Easter Parade* ou celui, plus silencieux mais plus profond, de *Good Night, Sweet Jesus* (ce qui évoquait pour elle une église de la 31e Rue, où elle avait coutume d'aller et où l'on chantait ce cantique après une neuvaine). Madame O'C. me voyait et m'entendait, elle aussi, à travers l'anamnèse, beaucoup plus profonde, de son enfance irlandaise : « Je sais que vous êtes là, docteur Sacks. Je sais que je suis une vieille femme qui a eu une attaque et se trouve dans une maison pour personnes âgées, mais j'ai l'impression d'être de nouveau une enfant en Irlande – je sens le bras de ma mère, je la vois, je l'entends chanter. » Penfield montrait que des hallucinations ou des rêves épileptiques de ce genre ne sont jamais imaginaires : ils correspondent toujours à des souvenirs très précis et très vifs, accompagnés de ces mêmes émotions qui accompagnaient l'expérience originelle. Étant donné leur aspect extraordinairement détaillé et cohérent, qui revenait chaque fois que le cortex était stimulé et dépassait tout ce dont une mémoire ordinaire peut se souvenir, Penfield pensa que le cerveau emmagasinait presque parfaitement chaque expérience de la vie, qu'il conservait quelque part le flux de la conscience, si bien que celui-ci pouvait être évoqué ou rappelé en permanence, soit pour les besoins ou les circonstances ordinaires de la vie, soit dans des cas extraordinaires de stimulation épileptique ou électrique. La variété ainsi que l'« absurdité » apparente de ce genre de scènes et de souvenirs convulsifs faisaient croire à Penfield que ces réminiscences étaient essentiellement aléatoires et dépourvues de signification :

> Pendant l'opération, il apparaît en général très clairement que la réponse expérimentale évoquée reproduit au hasard tout ce qui composait le flux de conscience au cours d'un moment quelconque de la vie du patient (...) Il peut s'agir [*Penfield continue, résumant l'extraordinaire mélange de rêves et de scènes épileptiques qu'il a évoqué*] d'un moment où l'on écoute de la musique, où l'on regarde, par l'embrasure de la porte, une salle de danse, où l'on se représente les agissements des voleurs d'après une bande dessinée, du moment où l'on s'éveille d'un rêve très intense, de celui d'une conversation amusante avec des amis, de celui où l'on écoute son petit garçon pour être sûr qu'il va bien, de celui où l'on observe des signaux lumineux, de celui où l'on gît sur la table d'accouchement au moment de la naissance, de celui où l'on est effrayé par un homme menaçant, de celui où l'on observe des gens entrer couverts de neige dans la pièce où l'on se trouve (...) Ce peut être le moment où l'on se tient à l'angle des rues Jacob et Washington (South Bend, Indiana) (...) celui où l'on regarde passer les wagons d'un cirque, une nuit de notre enfance, il y a bien des années (...) le moment où vous écoutez et regardez votre mère souhaiter bon voyage à un invité qui part (...) celui où vous écoutez vos parents chanter des cantiques de Noël.

J'aimerais citer dans son entier ce magnifique passage de Penfield (Penfield et Perot 1963, p. 687 *sq*). Comme mes deux dames irlandaises, il donne un sentiment étonnant de « physiologie personnelle », de physiologie du soi. Penfield est impressionné par la fréquence des crises « musicales », et il donne de nombreux exemples fascinants et souvent amusants :

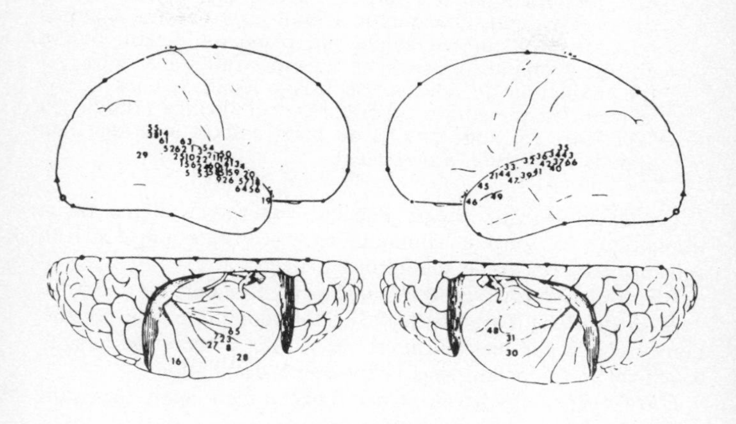

Réponses auditives expérimentales à un stimulus. *1.* Une voix (14) ; cas 28. *2.* Voix (14). *3.* 1 voix (15). *4.* Une voix familière (17). *5.* Une voix familière (21). *6.* Une voix (23). *7.* Une voix (24). *8.* Une voix (25). *9.* Une voix (28) ; cas 29. *10.* Musique familière (15). *11.* Une voix (16). *12.* Une voix familière (17). *13.* Une voix familière (18). *14.* Musique familière (19). *15.* Voix (23). *16.* Voix (27) ; cas 4. *17.* Musique familière (14). *18.* Musique familière (17). *19.* Musique familière (24). *20.* Musique familière (25) ; cas 30. *21.* Musique familière (23) ; cas 31. *22.* Voix familière (16) ; cas 32. *23.* Musique familière (23) ; cas 5. *24.* Musique familière (Y). *25.* Bruits de pas (1) ; cas 6. *26.* Voix familière (14). *27.* Voix (22) ; cas 8. *28.* Musique (15) ; cas 9. *29.* Voix (14) ; cas 36. *30.* Bruit familier (16) ; cas 35. *31.* Une voix (16*a*) ; cas 23. *32.* Une voix (26). *33.* Voix (25). *34.* Voix (27). *35.* Une voix (28). *36.* Une voix (33) ; cas 12. *37.* Musique (12) ; cas 11. *38.* Une voix (17*d*) ; cas 24. *39.* Voix familière (14). *40.* Voix familières (15). *41.* Aboiements de chien (17). *42.* Musique (18). *43.* Une voix (20) ; cas 13. *44.* Voix familière (11). *45.* Une voix (12). *46.* Voix familière (13). *47.* Voix familière (14). *48.* Musique familière (15). *49.* Une voix (16) ; cas 14. *50.* Voix (2). *51.* Voix (3). *52.* Voix (5). *53.* Voix (6). *54.* Voix (10). *55.* Voix (11) ; cas 15. *56.* Voix familière (15). *57.* Voix familière (16). *58.* Voix familière (22) ; cas 16. *59.* Musique (10) ; cas 17. *60.* Voix familière (30). *61.* Voix familière (31). *62.* Voix familière (32) ; cas 3. *63.* Musique familière (8). *64.* Musique familière (10). *65.* Musique familière (D2) ; cas 10. *66.* Voix (11) ; cas 7.

> Nous étions surpris du nombre de fois où le patient entendait de la *musique* sous l'effet d'un stimulus électrique. Celle-ci était produite à partir de dix-sept points différents dans onze cas (voir *figure*). Quelquefois c'était un orchestre, d'autres fois des voix qui chantaient, un piano qui jouait, ou un chœur. A maintes reprises, ce fut un refrain de la radio (...) La production de musique se trouve localisée dans la circonvolution temporale supérieure, à la surface latérale ou supérieure (et donc proche du point associé à ce que l'on appelle l'*épilepsie musicogène*).

Les exemples que donne Penfield confirment, d'une façon dramatique et souvent comique, cette constatation. La liste suivante est extraite de son dernier article :

White Christmas (cas 4). Chanté par un chœur.

Rolling Along Together (cas 5). Non identifié par le patient, mais reconnu par une infirmière de la salle d'opération lorsque le patient le fredonnait sous l'effet d'une stimulation.

Hush-a-Bye Baby (cas 6). Chanté par sa mère, mais aussi sans doute le refrain d'un programme de radio.

« Un chant qu'il a déjà entendu, un tube à la radio » (cas 10).

Oh Marie, Oh Marie (cas 30). Le refrain d'un programme de radio.

The War March of the Priests (cas 31). C'était l'autre face de l'*Hallelujah Chorus*, un disque appartenant au patient.

« Père et mère chantant des chants de Noël » (cas 32).

Music from Guys and Dolls (cas 37).

« Une chanson qu'elle a souvent entendue à la radio » (cas 45).

I'll Get By et *You'll Never Know* (cas 46). Chansons qu'il a souvent entendues à la radio.

Dans chacun des cas – comme avec madame O'M. –, la musique était invariablement la même et toujours stéréotypée. Le même air (ou les mêmes airs) revenait sans arrêt, soit au cours de crises spontanées, soit sous l'effet d'un stimulus électrique du cortex aux points sensibles. Ces airs étaient donc en vogue à la radio, mais aussi dans les crises hallucinatoires : ils constituaient, si l'on peut dire, le « *Hit Parade* du cortex ».

Nous pouvons nous demander s'il y a une raison pour que

certains patients « choisissent » en particulier certaines chansons (ou certaines scènes) pour les reproduire dans leurs crises hallucinatoires. Penfield se pose la question et pense que le choix en question n'a pas de signification ni de raison d'être :

> Il est très difficile d'imaginer que certains des incidents et des chants insignifiants qui reviennent sous l'effet de la stimulation électrique ou de la décharge épileptique puissent avoir une signification affective quelconque pour le patient, même si l'on est tout à fait conscient de cette éventualité.

La sélection, conclut-il, « se fait tout à fait au hasard, si l'on excepte l'évidence du conditionnement cortical ». C'est la physiologie, si l'on peut dire, qui s'exprime.

Penfield a peut-être raison. Mais pourrait-il y avoir autre chose ? Est-il « véritablement » conscient, dans les domaines qui nous importent, de la signification possible de ces chants, de ce « monde derrière la musique », pour reprendre l'expression de Thomas Mann ? La question : « Ce chant a-t-il une signification spéciale pour vous ? » est-elle suffisante ? Nous ne savons que trop, par l'étude des « associations libres », combien les pensées en apparence les plus banales ou fortuites peuvent en fait avoir une profondeur et une résonance inattendues que seule une analyse perspicace peut mettre en évidence. Ni chez Penfield, ni dans aucune autre psychologie à fondement exclusivement physiologique, on ne trouve d'analyse de ce genre. Nous n'avons peut-être pas besoin d'une étude aussi profonde, mais, étant donné l'extraordinaire occasion de la faire que nous fournit un tel mélange de chansons et de scènes convulsives, nous pensons qu'il vaut la peine de la tenter.

Pour revenir à madame O'M., j'aimerais tirer au clair la nature de ses associations et de ses sentiments au sujet de ses « chansons ». Peut-être n'est-ce pas nécessaire, mais je pense qu'il faut au moins essayer. Une chose importante est déjà apparue. Si, consciemment, elle ne peut attribuer de sentiment ou de signification spéciale à ces trois chants, en revanche elle se souvient maintenant – et les autres le confirment – *qu'elle les fredonnait* inconsciemment, bien longtemps avant qu'ils ne deviennent des crises hallucinatoires. Ce qui tend à prouver qu'ils étaient déjà « choisis » inconsciemment – et que cette sélection fut interceptée au passage par une pathologie organique.

Sont-elles encore ses chansons préférées ? Ont-elles toujours de l'importance pour elle ? Que retire-t-elle de sa musique hallucinatoire ? Dans le mois qui suivit ma rencontre avec madame O'M., un article parut dans le *New York Times*, intitulé : « Chostakovitch avait-il un secret ? » Le « secret » de Chostakovitch, d'après un neurologue chinois, le docteur Dajue Wang, aurait été la présence dans son cerveau d'un éclat métallique, un fragment d'obus mobile dans la corne temporale du ventricule gauche. Chostakovitch ne souhaitait apparemment pas se le faire enlever :

> Depuis que le fragment était là, disait-il, chaque fois qu'il penchait la tête d'un côté, il entendait de la musique. Sa tête était pleine de mélodies – toutes différentes – qu'il utilisait pour composer.

Lorsque Chostakovitch remuait la tête, on pouvait prétendument voir aux rayons X le fragment d'obus bouger, faisant pression lorsqu'il se penchait sur son lobe temporal « musical » et engendrant ainsi une infinité de mélodies que son génie pouvait utiliser. Le docteur R.A. Henson, qui a dirigé le livre *Music and the Brain* (1977), fait preuve à cet égard d'un scepticisme profond, et pourtant mitigé : « J'hésiterais à affirmer, dit-il, que ce n'est pas possible. »

Après avoir lu l'article, je le fis lire à madame O'M. Ses réactions furent claires et nettes. « Je ne suis pas un Chostakovitch, dit-elle. Je ne peux pas utiliser *mes* chansons. De toute façon, j'en suis fatiguée – ce sont toujours les mêmes. Pour Chostakovitch, les hallucinations musicales ont peut-être été un don, mais pour moi elles ne sont qu'une nuisance. *Lui* ne voulait pas de traitement – moi j'en ai grande envie. » Je mis donc madame O'M. sous anticonvulsif et ses convulsions musicales cessèrent aussitôt.

Je l'ai revue récemment et lui ai demandé si celles-ci lui manquaient. « Jamais de la vie ! me répondit-elle. Je me sens beaucoup mieux sans elles. » Mais ce n'était pas le cas, comme nous l'avons vu, pour madame O'C., dont l'hallucinose, beaucoup plus complexe, plus mystérieuse et plus profonde, n'en finissait pas moins, tout en étant due au hasard, par avoir une grande signification et utilité psychologiques.

Certes, chez madame O'C., l'épilepsie était différente dès le départ tant du point de vue physiologique que de celui du caractère et de l'impact « personnels ». Pendant les soixante-douze premières heures, la crise, l'« état » de crise était presque permanent, associé à une apoplexie du lobe temporal, ce qui en soi était déjà épuisant. Ensuite, une émotion et un contenu émotionnel irrépressibles (profondément nostalgiques) s'associaient aux crises : l'impression écrasante d'être redevenue une enfant dans les bras de sa mère, sous un toit oublié depuis longtemps – cette émotion aussi avait une base physiologique : la brutalité et l'étendue de l'attaque et de la perturbation qu'elle entraînait dans les centres aussi profonds et primitifs que sont le lobule de l'hippocampe, les amygdales, le système limbique, etc.

Il est possible que ce genre d'attaques ait une origine à la fois physiologique et subjective, qu'elles viennent de régions cérébrales particulières, mais aussi qu'elles rencontrent des circonstances et besoins psychiques particuliers, comme dans ce cas rapporté par Dennis Williams (1956) :

> Un sujet, 31 (cas 2770), présentait une grave épilepsie lorsqu'il se trouvait seul au milieu d'étrangers. L'attaque survient : il a un souvenir visuel de ses parents à la maison et se dit : « Comme ce serait merveilleux de revenir en arrière. » Il décrit ce souvenir comme très agréable. Il a la chair de poule, il passe du chaud au froid et l'attaque va en décroissant, ou évolue vers une convulsion.

Williams ne se rend pas bien compte de cette stupéfiante histoire, et n'établit pas de rapport entre ses différents épisodes. Il disqualifie l'émotion comme étant purement physiologique –

un « accès de plaisir » déplacé – et passe sous silence également le rapport possible entre le fait de « revenir à la maison » et le fait de se sentir seul. Peut-être a-t-il raison, et tout cela n'est-il que physiologique ; mais je ne peux m'empêcher de penser que, si une crise devait survenir, cet homme, le cas 2770, s'arrangeait pour avoir les bonnes crises au bon moment.

Dans le cas de madame O'C., le besoin nostalgique était plus chronique et plus profond, car son père mourut avant sa naissance et sa mère alors qu'elle n'avait pas cinq ans. Orpheline, seule, elle fut envoyée en Amérique chez une tante célibataire plutôt sinistre. Or, madame O'C. n'avait pas de souvenir conscient des cinq premières années de sa vie – nul souvenir de sa mère, de l'Irlande ou de « sa maison ». Elle avait toujours éprouvé une tristesse poignante de ce manque, de cet oubli des premières et des plus précieuses années de sa vie. Elle avait toujours tenté, mais en vain, de retrouver les souvenirs oubliés de son enfance. Maintenant, grâce à son rêve et à ce long « état de rêve » qui lui faisait suite, elle retrouvait le sens vital de son enfance perdue. Ce qu'elle éprouvait alors n'était pas seulement un « plaisir soudain », mais une joie vibrante, profonde et poignante. C'était, comme elle le disait, une porte qui s'ouvrait – une porte qui était restée obstinément fermée toute sa vie.

Dans son beau livre sur les « souvenirs involontaires » (*A Collection of Moments*, 1970), Esther Salaman parle de la nécessité de préserver, ou de retrouver, les « souvenirs précieux et sacrés de l'enfance » et combien la vie sans eux est appauvrie, *privée de fondement*. Elle évoque la joie profonde, le sens des réalités, que peut procurer le fait de retrouver ces souvenirs, elle donne une abondance de merveilleuses citations, à coloration autobiographique, de Proust et de Dostoïevski, notamment. Nous sommes tous « exilés de notre passé », écrit-elle, « c'est pourquoi nous avons *besoin* de le ressaisir ». Pour madame O'C., ce fut un accident cérébral qui, paradoxalement, lui offrit, à près de quatre-vingt-dix ans, au terme d'une longue vie solitaire, l'occasion de retrouver de « précieux et sacrés » souvenirs d'enfance : cette étrange et presque miraculeuse anamnèse ouvrit par force la porte close de l'amnésie de son enfance.

Contrairement à madame O'M. qui les trouvait épuisantes et exaspérantes, madame O'C. trouvait ses attaques rafraîchissantes. Elles lui donnaient l'impression d'une assise, d'une réalité psychologique, d'un sens élémentaire : celui d'avoir eu une enfance réelle dans une vraie maison, d'avoir été dorlotée, aimée, soignée – sens qu'elle avait perdu au cours de dizaines d'années de coupure et d'« exil ». Aussi, contrairement à madame O'M. qui *voulait* un traitement, madame O'C. refusait-elle les antispasmodiques : « J'ai *besoin* de ces souvenirs, disait-elle. J'ai besoin de ce qui arrive... Cela finira tout seul bien assez tôt. »

Dostoïevski avait des « attaques psychiques » ou « états mentaux élaborés » à l'approche de ses crises d'épilepsie :

> Vous tous, gens bien portants, vous ne pouvez pas imaginer la félicité que nous éprouvons, nous autres épileptiques, durant la seconde qui précède notre crise (...) J'ignore si cette félicité dure des secondes, des heures ou des mois, mais, croyez-moi, *je ne l'échangerais pas pour toutes les joies du monde* (T. Alajouanine 1963).

Madame O'C. aurait compris cela. Elle aussi connaissait une extraordinaire félicité durant ses crises d'épilepsie : elle y voyait l'apogée de la santé physique et mentale – la clé, la porte même de la santé : aussi éprouvait-elle sa maladie comme une *guérison.*

A la suite de son attaque, lorsqu'elle commença à aller mieux, madame O'C. eut une période de crainte et de mélancolie. « La porte se referme, disait-elle, tout s'échappe à nouveau. » Et en effet, vers le milieu d'avril, les irruptions soudaines de scènes, de musiques et d'impressions d'enfance disparurent. Car ces « transports » épileptiques soudains, qui la ramenaient au monde de sa tendre enfance, étaient sans aucun doute d'authentiques « réminiscences » : comme Penfield l'a démontré, ces crises appréhendent et reproduisent une réalité expérimentale et non imaginaire – les fragments réels d'un moment de la vie, de l'expérience d'un individu.

Mais Penfield persiste à parler de « conscience » à ce sujet – d'épilepsies physiques qui saisiraient et reproduiraient convulsivement une partie du flux de la conscience. Ce qui est particulièrement important et émouvant dans le cas de madame O'C., c'est que la « réminiscence » épileptique appréhende ici une réalité inconsciente – des expériences de la tendre enfance, éteintes ou refoulées – et les ramène, de manière convulsive, à la mémoire et à la conscience. C'est probablement la raison pour laquelle l'expérience, loin d'être oubliée, a laissé une impression profonde et durable et continue d'être ressentie comme significative et curative, même si physiologiquement la « porte » est fermée. « Je suis contente que cela soit arrivé, dit-elle après coup, ce fut l'expérience la plus saine et la plus heureuse de ma vie. Ce grand morceau de mon enfance ne me manque plus. Maintenant je ne me rappelle plus certains détails, mais je sais que tout y est. Il y a là une sorte de complétude que je n'avais encore jamais connue. »

Ces mots n'étaient pas vains, ils étaient courageux et vrais. Les crises de madame O'C. entraînaient chez elle une sorte de « conversion », elles donnaient un centre à une vie qui en était privée et lui rendaient l'enfance qu'elle avait perdue, lui donnant ainsi, et jusqu'à la fin de ses jours, une sérénité nouvelle – cette sécurité et cette sérénité que seuls connaissent ceux qui ont la pleine possession et la pleine mémoire de leur passé.

Post-scriptum

Hughlings Jackson dit : « Je n'ai jamais été consulté pour une simple " réminiscence " »... et Freud dit au contraire : « La névrose *est* réminiscence. » Tous les deux utilisent manifestement le même mot en des sens opposés – car l'objectif de la psychanalyse, il faut le dire, est de remplacer de fausses ou imaginaires « réminiscences » par de vrais souvenirs ou des anamnèses du passé (au cours des épilepsies psychiques, c'est un vrai souvenir de ce genre qui se trouve précisément évoqué, qu'il soit banal ou profond). Freud, nous le savons, admirait beaucoup Hughlings

Jackson – mais nous ne savons pas si Jackson, qui a vécu jusqu'en 1911, a jamais entendu parler de Freud.

L'intérêt d'un cas comme celui de madame O'C. est d'être à la fois « jacksonien » et « freudien » : elle souffrait d'une « réminiscence » jacksonienne, laquelle lui servait, comme l'aurait fait une « anamnèse » freudienne, à s'ancrer, donc à guérir. Des cas de ce genre sont à la fois passionnants et précieux, car ils font le lien entre la maladie physique et l'histoire personnelle, désignant, si nous acceptons cette perspective, la neurologie à venir, celle de l'expérience vivante. Hughlings Jackson n'aurait pas renié cela, je pense. Car c'est sûrement ce à quoi il songeait lorsqu'il décrivit les « états de rêve » et la « réminiscence » en 1880.

Penfield et Perot intitulent leur article « L'enregistrement cérébral de l'expérience visuelle et auditive ». Nous allons méditer maintenant sur la forme, ou les formes, que prennent de tels enregistrements. Au cours de ces crises très concrètes et très personnelles, toute une portion d'expérience se trouve entièrement restituée. Or, que peut-il bien se produire qui puisse reconstituer une expérience ? Est-ce quelque chose qui ressemble à un film ou à un disque et qui serait projeté ou diffusé par le cerveau ? Ou bien quelque chose d'analogue à cela, mais antérieur, comme une sorte de scénario ou de partition ? Quelle forme naturelle prend le répertoire de nos vies ? Ce répertoire qui alimente non seulement la mémoire et la « réminiscence », mais aussi notre imagination à tous les niveaux, depuis les sensations et les images motrices les plus élémentaires jusqu'aux paysages, scènes et univers imaginatifs les plus complexes ; ce répertoire, cette mémoire, cette imagination d'une vie essentiellement personnelle, dramatique et « iconique ».

Les expériences de réminiscence de nos patients ont soulevé des questions fondamentales sur la nature de la mémoire (ou *mnèsis*) – lesquelles se posent, à l'envers, dans nos histoires d'*a*mnésie ou *amnèsis* (« Le marin perdu » et « Une question d'identité », chapitres II et XII). De même, ceux de nos patients atteints d'*a*gnosies soulèvent des questions sur la nature de la connaissance (ou *gnosis*), que ce soit la dramatique agnosie visuelle du docteur P. (« L'homme qui prenait sa femme pour un chapeau ») ou les agnosies auditives et musicales de madame O'M. et d'Emily D. (chapitre IX, « Le discours du président »). Et la désorientation motrice, ou *a*praxie, de certains retardés et de patients atteints au lobe frontal soulève des questions sur la nature de l'action (ou *praxis*) – ces apraxies peuvent être si graves que ces patients se trouvent incapables de marcher, car ils ont perdu leur « mélodie kinésique », leur mélodie motrice (on voit dans *Cinquante Ans de sommeil* que cela peut aussi arriver à des parkinsoniens).

Madame O'C. et madame O'M. souffraient de « réminiscence », d'une poussée convulsive de mélodies et de scènes – une sorte d'*hypermnèsis* et d'*hypergnosis ;* tandis que nos patients amnésiques et agnosiques ont perdu (ou sont sur le point de perdre) leurs mélodies et scènes intérieures. Tous ces cas attestent la nature essentiellement « mélodique » et « scénique » de la vie intérieure, de la nature « proustienne » de la mémoire et de la pensée.

Si l'on stimule le cortex de l'un de ces patients en un point précis, une évocation ou réminiscence « proustienne » déferle convulsivement en lui. Quel peut bien en être le médiateur ? Quelle est l'organisation cérébrale qui permet ce surgissement ? Nos concepts habituels pour définir les processus et représentations cérébrales sont essentiellement informatiques [1], et sont par conséquent formulés en termes de « schémas », « programmes », « algorithmes », etc.

Mais schémas, programmes, algorithmes suffisent-ils à rendre la qualité d'une expérience, sa richesse dramatique, musicale et visionnaire – cette intense qualité personnelle qui *fait* d'elle une « expérience » ?

Notre réponse sera claire, et même passionnée : Non ! Les représentations informatiques – même celles, d'une exquise sophistication, envisagées par Marr et Bernstein (les deux plus grands pionniers et penseurs en ce domaine) – ne pourront

1. Voir, par exemple, le brillant livre de David Marr, *Vision : A Computational Investigation of Visual Representation in Man*, 1982.

jamais en elles-mêmes constituer des représentations « iconiques », celles-là mêmes qui sont la trame et la texture de la vie.

Nous voyons apparaître un gouffre, et même un abîme, entre ce que nous apprenons par nos patients et ce que racontent les physiologues. Y a-t-il un moyen de bâtir un pont au-dessus de cet abîme ? Ou alors, si c'est catégoriquement impossible (ce qui pourrait bien être le cas), existe-t-il, au-delà de la cybernétique, des concepts par lesquels nous pourrions mieux comprendre la nature essentiellement personnelle, proustienne, de la réminiscence mentale, vitale ? Aurions-nous donc, en résumé, une physiologie personnelle ou proustienne, par-delà et au-dessus de la physiologie mécaniste, une physiologie sherringtonienne en quelque sorte ? (Sherrington lui-même y fait allusion dans *Man on His Nature* [1940] lorsqu'il conçoit l'esprit comme un « métier à tisser enchanté » tissant des modèles toujours changeants et pourtant toujours porteurs de sens – tissant en fait des schémas de sens.)

Ces modèles pourraient certes transcender des modèles ou programmes purement formels, venus de l'informatique, et restituer la dimension essentiellement personnelle qui est inhérente à la réminiscence, inhérente d'ailleurs à *toute mnèsis, gnosis* ou *praxis*. Si nous nous demandons quelle forme, quelle organisation peuvent bien prendre ces modèles, la réponse s'impose immédiatement : les modèles personnels, épousant l'individuel, devront prendre la forme de scénarios ou de partitions – tout comme les modèles abstraits, ceux des ordinateurs, doivent avoir la forme de schémas ou de programmes. Aussi devons-nous concevoir un niveau de partitions ou de scénarios cérébraux au-dessus du niveau des programmes cérébraux.

Je suppose, par exemple, que la partition d'*Easter Parade* est inscrite de manière indélébile dans le cerveau de madame O'M. – elle est *sa* partition propre, celle qui inclut tout ce qu'elle a pu entendre et éprouver au moment où cette expérience s'est inscrite en elle pour la première fois. De la même manière, le scénario de *sa* scène d'enfance dramatique a dû rester inscrit de manière indélébile dans les portions « dramaturgiques » de son cerveau, où il est tout à fait récupérable bien qu'apparemment oublié.

Dans les cas cités par Penfield, notons que, si l'on enlève le minuscule point de convulsion du cortex, foyer d'irritation qui provoque la réminiscence, la scène remémorée peut disparaître *dans sa totalité* et une réminiscence ou « hypermnésie » absolument spécifique sera remplacée par un oubli ou amnésie tout aussi spécifique. Il y a là quelque chose d'effrayant et d'extrêmement important : la possibilité d'une *réelle* chirurgie psychologique, d'une neurochirurgie de l'identité (infiniment plus fine et plus spécifique que nos lourdes amputations et lobotomies, lesquelles peuvent éteindre ou déformer le caractère, mais sont incapables de toucher aux expériences individuelles).

Pour être *possible,* une expérience doit être organisée de manière iconique ; il en est de même pour l'action. L'« empreinte cérébrale » – en tout cas de tout ce qui est vivant – doit être iconique. L'iconique est la forme définitive de l'empreinte cérébrale, quand bien même celle-ci serait informatique ou programmatique dans ses formes préliminaires. La forme définitive de la représentation cérébrale doit être de nature « artistique », ou doit rendre possible la mise en scène artistique et mélodique de l'expérience et de l'action.

De même, si les représentations cérébrales sont endommagées ou détruites, comme c'est le cas dans les amnésies, apraxies et agnosies, leur reconstitution (si elle est possible) exige une double approche – une tentative de reconstruire les programmes et systèmes endommagés, comme la neuropsychologie soviétique l'a remarquablement exposé, ou une approche directe des mélodies et décors intérieurs (comme celle décrite dans *Cinquante Ans de sommeil* et dans *Sur une jambe,* ainsi que dans de nombreux cas évoqués dans ce livre, en particulier dans le chapitre XXI et dans l'introduction de la quatrième partie). Les deux approches peuvent être utiles – ou utilisées ensemble – si nous avons à comprendre ou assister des patients dont le cerveau est endommagé : thérapie « systématique » et thérapie par l'« art » se complètent, et il faut recourir de préférence aux deux à la fois.

Tout cela fut amorcé il y a une centaine d'années par Hughlings

Jackson, dans son récit original sur la « réminiscence » (1880) ; par Korsakov à propos de l'amnésie (1887) ; et par Freud et Anton, dans les années 1890, à propos des agnosies. Leur remarquable perspicacité a été presque oubliée, éclipsée par l'arrivée d'une physiologie systématique. Il est temps aujourd'hui de se souvenir de leurs intuitions, et d'y revenir, afin que notre époque voie naître une nouvelle science et une nouvelle thérapie « existentielles », non dépourvues de beauté, qui s'uniraient à la science et à la thérapie systématiques pour élargir notre compréhension et notre pouvoir d'action.

Depuis la première édition de ce livre, j'ai été consulté pour de nombreux cas de « réminiscence » musicale – ils ne sont évidemment pas rares, surtout chez les personnes âgées, mais la peur empêche souvent de demander conseil. De temps en temps (comme chez mesdames O'C. et O'M.), une pathologie sérieuse est mise à jour. Parfois – comme dans ce compte rendu récent d'un cas (*New England Journal of Medicine*, 5 septembre 1985) – l'origine en est toxique, comme peut l'être, par exemple, une overdose d'aspirine. Les patients atteints de graves surdités nerveuses peuvent aussi connaître des « fantômes » musicaux. Mais, dans la majeure partie des cas, on ne découvre aucune pathologie et l'état du patient, tout en étant pénible pour lui, est considéré comme essentiellement bénin. (La question de savoir pourquoi les zones musicales du cerveau, surtout ces zones-là, sont si prédisposées à de telles « décharges » dans le grand âge, reste loin d'être éclaircie.)

16

Nostalgie incontinente

Si je n'ai rencontré la « réminiscence » qu'occasionnellement dans le contexte de l'épilepsie ou de la migraine, je l'ai en revanche couramment rencontrée chez mes patients postencéphalitiques excités par la L-DOPA – à tel point que j'ai appelé la L-DOPA « une étrange machine individuelle à remonter le temps ». Cela prit une tournure si dramatique chez l'une de mes patientes que je fis d'elle le sujet d'une « Lettre à l'éditeur » publiée dans *Lancet* en juin 1970 et reproduite ci-dessous. Je pensais alors à la « réminiscence » au sens strict, jacksonien, d'afflux convulsif de souvenirs d'un passé lointain. Par la suite, lorsque j'en vins à écrire l'histoire de cette patiente (Rose R.) dans *Cinquante Ans de sommeil,* je pensais moins à la « réminiscence » qu'à un « stoppage » * (« Est-elle jamais sortie de l'année 1926 ? » écrivis-je alors) – et ce sont les termes dans lesquels Harold Pinter décrit « Deborah » dans *Une sorte d'Alaska.*

> Un des effets les plus étonnants de la L-DOPA, lorsqu'on l'administre à certains patients postencéphalitiques, est la réactivation de symptômes et de types de comportements propres à un stade beaucoup plus précoce de la maladie, mais « perdus » par la suite. Nous avons déjà commenté, à ce propos, l'exacerbation ou la récurrence de crises respiratoires, de crises oculogyres, d'hyperkinésies répétitives et de tics. Nous avons aussi observé la réactivation de beaucoup d'autres symptômes « assoupis », primitifs, comme la myoclonie, la boulimie, la polydipsie, le satyriasis, la douleur

* *Stoppage* [*NdT*].

> d'origine centrale, les réactions forcées, etc. A des niveaux fonctionnels bien supérieurs, nous avons assisté au retour et à la réactivation d'attitudes morales, de systèmes de pensée, de rêves et de souvenirs élaborés, à forte charge affective – tous ces symptômes ayant été « oubliés », réprimés ou du moins inactivés dans les limbes, profondément acinétiques et parfois apathiques, des maladies postencéphalitiques.

Un exemple frappant de réminiscence forcée induite par la L-DOPA est le cas d'une femme de soixante-trois ans, atteinte d'un parkinsonisme postencéphalitique progressif depuis l'âge de dix-huit ans et placée depuis vingt-quatre ans dans une institution spécialisée pour un état presque permanent de « transe » oculogyre. Au début, la L-DOPA la soulagea de façon spectaculaire de son parkinsonisme et de son état de transes oculogyres, lui permettant de parler et de se mouvoir presque normalement. Cette amélioration fut suivie d'une excitation psychomotrice (comme c'est le cas chez beaucoup de nos patients) et d'une augmentation de la libido. Cette période fut marquée par la nostalgie, l'identification heureuse à un moi juvénile et un afflux incontrôlable de souvenirs et d'allusions érotiques. La patiente demanda un magnétophone et, en l'espace de quelques jours, enregistra d'innombrables chansons paillardes, des plaisanteries et poèmes « salaces », tous provenant de ces anecdotes et plaisanteries obscènes qui circulaient dans les night-clubs et les music-halls vers la fin des années vingt. Ces séances s'agrémentaient de familiarités désuètes, d'intonations et de maniérismes, d'allusions à des événements de l'époque, qui évoquaient tous irrésistiblement le temps du charleston. Nul n'était plus surpris que la patiente elle-même : « C'est curieux, disait-elle, je ne comprends pas. Cela fait plus de quarante ans que n'ai pas entendu ces histoires, ni pensé à elles. J'ignorais que je m'en souvenais. Mais elles continuent à me trotter dans la tête. » Comme son excitation augmentait, nous dûmes réduire la dose de L-DOPA. La patiente, tout en continuant à s'exprimer clairement, « oublia » alors instantanément tous ces souvenirs d'autrefois et ne fut plus jamais capable de se rappeler une seule strophe des chansons qu'elle avait enregistrées.

La réminiscence forcée – généralement associée à une impression de *déjà vu* * et à un « dédoublement de conscience » (pour reprendre les termes jacksoniens) – est assez fréquente dans les attaques de migraine et d'épilepsie, dans les états hypnotiques et psychotiques, et, d'une façon moins dramatique, chez chacun d'entre nous, sous le puissant effet de stimulus qu'ont certains mots, certains sons, certaines scènes et particulièrement certaines odeurs. Dans les crises oculogyres peuvent se produire des afflux soudains de souvenirs, comme dans ce cas décrit par Zutt où « des milliers de souvenirs se pressent brusquement dans l'esprit du patient ». Penfield et Perot ont pu déclencher des souvenirs stéréotypés en stimulant certains points épileptogènes du cortex ; ils en ont déduit que des attaques survenant naturellement ou artificiellement provoquées chez ces patients activent des « séquences mnémoniques fossilisées » dans le cerveau.

Nous présumons que notre patiente (comme tout le monde) a une accumulation presque infinie de traces mnémoniques « endormies », certaines d'entre elles pouvant être réactivées dans des conditions spéciales, notamment lorsqu'elle est en proie à une excitation irrépressible. Ces traces, pensons-nous – comme les empreintes sous-corticales d'événements ayant eu lieu très en dessous de l'horizon de la vie mentale –, sont gravées de façon indélébile dans le système nerveux et peuvent rester indéfiniment en suspension, soit faute d'excitation, soit sous l'effet d'une inhibition positive. Leur excitation ou désinhibition peuvent bien sûr avoir des effets identiques, ou se déclencher mutuellement. Nous doutons cependant que l'on puisse dire des souvenirs de notre patiente qu'ils ont été simplement « réprimés » au cours de sa maladie, et ensuite « libérés » sous l'effet de la L-DOPA.

La réminiscence forcée induite par la L-DOPA, les sondages corticaux, les migraines, les épilepsies, les crises diverses, etc., sembleraient, au premier abord, une excitation ; tandis que l'irrépressible réminiscence nostalgique du grand âge, et parfois de

* En français dans le texte.

l'alcoolisme, s'apparenterait davantage à une désinhibition et à la mise au jour de traces mnémoniques archaïques. Quoi qu'il en soit, chacun de ces états peut « libérer » la mémoire et conduire à réexpérimenter et revivre le passé.

17

Route des Indes

Bhagawhandi P., une jeune Indienne de dix-neuf ans, fut admise dans notre hospice en 1978 avec une tumeur maligne du cerveau. La tumeur – un astrocytome – était apparue lorsqu'elle avait sept ans, mais elle était alors suffisamment bénigne et bien circonscrite pour permettre une complète résection * et un complet rétablissement. Bhagawhandi put reprendre une vie normale.

Ce répit dura dix années, au cours desquelles elle put mener une existence intense et bien remplie, dans un bonheur lucide d'être en vie, car elle avait intelligemment compris qu'une « bombe à retardement » était dans sa tête.

Dans le courant de sa dix-huitième année, la tumeur revint ; cette fois sa gravité et son étendue rendaient impossible une opération. On effectua une décompression pour permettre à la tumeur de s'étendre. Tout son côté gauche était faible et engourdi, elle avait de temps en temps des crises d'épilepsie, sans compter d'autres problèmes : c'est dans cet état que Bhagawhandi fut admise chez nous.

Au début, elle se montra remarquablement joyeuse ; elle donnait l'impression d'accepter pleinement le destin qui l'attendait, tout en restant avide de compagnie et d'occupation, prenant plaisir à faire le plus d'expériences possible. Comme la tumeur progressait dans son lobe temporal et commençait à gonfler (nous dûmes la mettre sous stéroïdes pour réduire l'œdème cérébral), ses crises se firent plus fréquentes – et plus étranges.

Ses crises d'épilepsie étaient, au début, des convulsions du

* Opération consistant à retrancher la tumeur [*NdT*].

grand mal *, et elle continuait à en avoir de temps en temps. Mais les crises prirent ensuite un aspect radicalement différent. Elle ne perdait pas conscience, mais semblait (et se sentait) « rêveuse » ; et il ne fut pas difficile de vérifier (l'électroencéphalogramme le confirma) qu'il s'agissait de crises répétées affectant le lobe temporal, lesquelles sont souvent caractérisées par des « états de rêve » et des « réminiscences » involontaires, comme Hughlings Jackson nous l'a appris.

Bientôt, cette vague rêverie se fit plus précise, plus concrète et plus visionnaire. Elle prit la forme de visions de paysages, de villages, de maisons et de jardins de l'Inde, que Bhagawhandi identifia au début comme des lieux qu'elle avait connus et aimés dans son enfance.

– Si cela vous est pénible, nous pouvons changer la médication, lui proposâmes-nous.

– Non, dit-elle avec un sourire paisible, j'aime ces rêves – ils me ramènent chez moi.

Il s'agissait en général de personnes de sa famille ou de voisins de son village ; parfois de paroles, de chants ou de danses ; une fois, elle se vit à l'église, une autre fois dans un cimetière ; mais la plupart de ses rêves se passaient dans des plaines, des champs, des plantations de riz, non loin de son village et dans les douces et basses collines qui moutonnaient jusqu'à l'horizon.

Était-ce la conséquence d'épilepsies des lobes temporaux ? La première fois sans doute, mais ensuite nous en fûmes moins sûrs ; car les crises des lobes temporaux (comme Hughlings Jackson l'a souligné, et comme Wilder Penfield a pu le confirmer par des stimuli cérébraux – voir « Réminiscence », chapitre XV) tendent à avoir une forme assez constante : une simple scène ou un chant se répète invariablement associé à un point également constant du cortex. Les rêves de Bhagawhandi n'avaient pas, quant à eux, une telle constance : ils étaient faits de panoramas changeants et de paysages qui se dissolvaient sous ses yeux. Les doses massives de stéroïdes que nous lui administrions l'avaient-elles intoxiquée, et avaient-elles provoqué chez elle des hallucinations ?

* En français dans le texte.

C'était possible, mais nous ne pouvions pas réduire la dose de stéroïdes sous peine de la voir tomber dans le coma et mourir en quelques jours.

Par ailleurs, ce que l'on appelle une « psychose stéroïde » entraîne souvent une excitation et une désorganisation mentales, tandis que Bhagawhandi demeurait lucide, paisible et calme. Avait-elle alors des visions ou des rêves, au sens freudien ? Ou cette démence onirique (onirophrénie) qui survient parfois dans la schizophrénie ? Là encore, nous n'avions aucune certitude car, en dépit de leur allure irréelle, tous ces fantasmes étaient des souvenirs réels. Ils étaient parallèles à la conscience normale (Hughlings Jackson parle de « dédoublement de conscience », comme nous l'avons vu) et ils n'étaient pas surdéterminés ou chargés de pulsions passionnées. Ils ressemblaient davantage à certains tableaux ou poèmes symphoniques, à ces évocations, ces reviviscences, ces visions fugitives, parfois heureuses et parfois tristes, d'une enfance que l'on a chérie.

Jour après jour, semaine après semaine, les visions et les rêves se firent plus fréquents et plus profonds. Ils n'étaient plus occasionnels désormais ; ils duraient presque toute la journée. Elle était comme « ravie », en transes, les yeux ouverts ou fermés, mais sans voir, gardant en permanence un mystérieux sourire sur le visage. Si quelqu'un s'approchait d'elle ou lui posait une question, comme les infirmières étaient obligées de le faire, elle répondait tout de suite, courtoisement et lucidement. Mais chacun avait le sentiment, même les gens les plus terre à terre parmi le personnel, qu'elle était dans un autre monde et qu'il ne fallait pas la déranger. Je partageais aussi ce sentiment et, malgré ma curiosité, je répugnais à l'investigation. Une fois seulement je lui demandai :

– Bhagawhandi, que se passe-t-il ?

– Je suis en train de mourir, répondit-elle. Je rentre chez moi. Je retourne d'où je viens – appelez ça mon retour à la maison.

Une autre semaine se passa. Bhagawhandi ne répondait plus aux stimuli extérieurs, elle semblait totalement enveloppée par son monde intérieur ; et, bien que ses yeux soient clos, on pouvait encore lire sur son visage un faible sourire de bonheur.

« Elle accomplit son voyage de retour, dit l'infirmière. Elle arrivera bientôt. » Trois jours après, elle mourut – mais ne devrions-nous pas plutôt dire qu'elle « arrivait », au terme de sa route des Indes ?

18

Dans la peau du chien

Stephen D., âgé de vingt-deux ans, était étudiant en médecine et se droguait (cocaïne, PCP * et surtout amphétamines).

Une nuit, il fit un rêve très précis : il rêva qu'il était un chien, évoluant dans un univers olfactif incroyablement riche et évocateur (« l'odeur éternelle de l'eau qui ruisselle, la saveur liquide des pierres solides »). A son réveil, il se trouva justement plongé dans un tel univers. « Comme si jusque-là j'avais été totalement aveugle aux couleurs et que je me retrouve brusquement dans un monde foisonnant de couleurs. » Sa vision des couleurs était plus riche (« Je distinguais des douzaines de bruns là où auparavant je n'en voyais qu'un seul. Mes livres reliés en cuir, qui paraissaient tous identiques, avaient maintenant des nuances tout à fait distinctes ») ; sa perception et sa mémoire visuelle et éidétique se trouvaient spectaculairement amplifiées. (« Avant, j'étais incapable de dessiner, je ne pouvais pas " voir " les choses mentalement, tandis que j'ai maintenant l'impression d'avoir une " *camera lucida* " dans l'esprit. Je " vois " tout comme si c'était projeté sur le papier, et il me suffit de dessiner les grandes lignes de ce que je " vois ". Je suis brusquement capable de tracer les dessins anatomiques les plus précis. ») Mais c'est l'exaltation de l'odorat qui transforma véritablement sa vie : « J'ai rêvé que j'étais un chien – c'était un rêve olfactif – et je me suis réveillé dans un monde infiniment odorant – un

* La phencyclidine ou PCP (dite aussi : *Peace pill* ou *Angel Dust*) est un anesthésique à usage vétérinaire très répandu chez les jeunes drogués aux USA.

monde où toutes les autres sensations, si accentuées qu'elles puissent être, restaient pâles comparées à l'odeur. » Cette sensation s'accompagnait chez lui d'une sorte d'émotion tremblante, ardente, d'une étrange nostalgie d'un monde perdu, à demi oublié, à demi remémoré [1].

« Je suis entré dans une parfumerie, poursuivait-il. Je n'avais jamais eu tellement de nez pour les odeurs, et maintenant je les distinguais toutes les unes des autres – et je trouvais chacune unique, évoquant à elle seule tout un monde. » Il s'aperçut aussi qu'il pouvait reconnaître tous ses amis – et les autres patients – à leur odeur : « J'entrais dans la clinique, je reniflais comme un chien et reconnaissais, avant de les voir, les vingt patients qui se trouvaient là. Chacun d'entre eux avait sa propre physionomie olfactive, beaucoup plus forte et évocatrice que n'importe quelle physionomie visuelle. » Il pouvait, comme un chien, sentir leurs émotions – la peur, la satisfaction, la sexualité. Il reconnaissait chaque rue, chaque boutique, à son odeur, et, rien qu'à l'odeur, il pouvait reconnaître infailliblement son chemin dans les rues de New York.

Il était habité par l'impulsion de toucher et renifler tout (« Rien n'était vraiment réel avant que je l'aie senti »), mais il se retenait en présence des autres de peur de paraître déplacé. Les odeurs sexuelles étaient plus intenses – excitantes, mais pas plus que les odeurs de nourriture ou autres. L'odeur d'un plaisir était intense – celle d'un déplaisir aussi –, mais elles représentaient davantage pour lui qu'un monde de simple plaisir ou déplaisir : c'était toute une esthétique, tout un jugement, toute une signi-

1. Des états assez semblables – une étrange émotivité, parfois de la nostalgie, de la « réminiscence » et une impression de *déjà vu* – associés à d'intenses hallucinations olfactives sont caractéristiques des « crises uncinées », une forme d'épilepsie des lobes temporaux décrite pour la première fois par Hughlings Jackson il y a environ un siècle. En général, l'expérience est assez spécifique, mais il arrive qu'elle s'accompagne d'une intensification généralisée de l'odorat, d'une hyperosmie. Le lobule de l'hippocampe, qui est phylogénétiquement une partie de l'ancien « lobe olfactif » (rhinencéphale), est fonctionnellement associé à tout le système limbique, que l'on considère de plus en plus comme le déterminant et le régulateur de toute la « tonalité » émotionnelle. L'excitation du système limbique, par quelque moyen que ce soit, déclenche une augmentation d'émotivité et une intensification sensorielle. Ce sujet, et ses mystérieuses ramifications, a été exploré dans le plus grand détail par David Bear 1979.

fication nouvelle qui l'environnaient. « Un monde concret, d'une spécificité irrésistible, disait-il, un monde d'une immédiateté, d'une signification immédiate écrasante. » Plutôt intellectuel et enclin à la réflexion et à l'abstraction, il trouvait désormais la pensée, l'abstraction et la catégorisation difficiles et irréelles par rapport à l'irrésistible immédiateté de chaque expérience.

Cette étrange transformation prit soudain fin au bout de trois semaines – son odorat, ainsi que ses autres sens, redevinrent normaux ; il revint à lui avec une impression de perte et de repos à la fois ; il retrouva son ancien monde, avec ses impressions sensorielles éteintes, retomba dans la morne abstraction. « Je suis content d'en sortir, dit-il, mais, en même temps, c'est une perte terrible. Je sais maintenant à quoi nous renonçons en étant civilisés et humains. Cet autre côté, " primitif ", nous en avons besoin, aussi. »

Seize années ont passé – la vie d'étudiant, l'époque des amphétamines sont révolues depuis longtemps. Il n'y a pas eu la moindre récidive de ces symptômes. Le docteur D. est un jeune interne de renom, l'un de mes amis et collègues de New York. Il n'a aucun regret – mais parfois une certaine nostalgie : « Ce monde olfactif, ce monde d'odeurs, s'exclame-t-il. Si intense, si réel ! On aurait dit que je visitais un autre monde, un univers de perception pure, riche, vivante, autonome, pleine. Si seulement je pouvais parfois revenir en arrière et redevenir un chien ! »

Freud a écrit à maintes occasions à propos du sens olfactif humain, soulignant qu'il est une « victime » du développement et de la civilisation, qu'il a été refoulé par l'accès à la posture verticale et par la répression de la sexualité primitive, prégénitale. L'intensification spécifique (et pathologique) de l'odorat a bien été signalée comme pouvant survenir dans la paraphilie, le fétichisme et d'autres perversions ou régressions [1]. Mais la désinhibition décrite ici semble beaucoup plus générale, et, bien qu'associée à une excitation – probablement provoquée par les amphétamines –, elle n'a jamais été spécifiquement sexuelle ni

1. A.A. Brill 1932 a bien décrit ce phénomène et l'a opposé à l'éclat général et au parfum du monde olfactif pour les animaux macrosomatiques (comme les chiens), les « sauvages » et les enfants.

associée à une régression sexuelle. Une hyperosmie analogue, quelquefois paroxystique, peut se produire dans les états d'excitation hyperdopaminergique, comme chez certains postencéphalitiques auxquels on a administré de la L-DOPA ou chez des patients souffrant du syndrome de Tourette.

Ce que nous constatons, dans tous les cas, c'est l'universalité de l'inhibition, même au niveau perceptuel le plus élémentaire : la nécessité d'inhiber ce que Head a considéré comme primordial et regorgeant de qualité hédonique, et qu'il a qualifié de « protopathique », si l'on veut permettre l'émergence de l'« épicritique » complexe, catégorisante, et sans affect.

La nécessité d'une pareille inhibition fait qu'on ne peut la réduire à l'inhibition freudienne, ni, en l'exaltant et la poétisant, à l'inhibition blakienne. Peut-être en avons-nous besoin, comme Head le laisse entendre, pour être des hommes et non des chiens [1]. Et pourtant l'expérience de Stephen D. nous rappelle, comme le poème de G.K. Chesterton, « La chanson de Quoodle », que nous avons parfois besoin d'être des chiens et non des hommes :

> Ils n'ont pas de nez
> Les fils de la femme (...)
> L'odeur éternelle
> De l'eau qui ruisselle
> La saveur liquide
> Des pierres solides
> Rosée et ozone
> Sont pour eux des zones [2]

POST-SCRIPTUM

J'ai récemment rencontré un cas en quelque sorte symétrique de celui-ci – un homme très doué, souffrant d'une blessure à la

1. Voir la critique de Jonathan Miller à propos de Head ; elle est parue dans le *Listener* (1970) et s'intitule « Le chien sous la peau ».
2. G.K. Chesterton, *L'Auberge volante*, trad. fr., Paris, Gallimard, 1936.

tête qui avait gravement touché les pédoncules olfactifs (très vulnérables durant leur longue traversée de la fosse antérieure) de sorte qu'il avait entièrement perdu son sens de l'odorat.

Les effets de cette perte l'effrayaient et le désolaient : « Le sens de l'odorat, disait-il, je n'y avais jamais pensé. Normalement, on n'y pense pas. Mais, quand je l'ai perdu, j'ai eu l'impression d'être frappé de cécité. La vie a perdu une bonne partie de sa saveur. On ne sait pas à quel point la saveur *est* odeur. Vous *sentez* les gens, vous *sentez* les livres, vous *sentez* la ville, vous *sentez* le printemps – pas consciemment peut-être, mais comme un riche arrière-plan de tout le reste. Tout mon univers se trouvait brusquement et radicalement appauvri... »

Il y avait chez lui le vif sentiment d'avoir perdu quelque chose et un désir ardent, une véritable osmalgie : le désir de se souvenir de l'*odeur du monde*, à laquelle il n'avait jusque-là porté aucune attention consciente, mais qui était, il le savait maintenant, le fondement même de sa vie. Et puis, quelques mois plus tard, à sa joie et à son étonnement, son cher café matinal, qui était devenu « insipide », commença à reprendre saveur. A tout hasard, il essaya sa pipe à laquelle il n'avait pas touché depuis des mois et là encore il sentit le fumet de ce riche arôme qu'il aimait.

Fort excité, car les neurologues ne lui avaient laissé entrevoir aucune guérison, il retourna voir son médecin. Celui-ci, après l'avoir minutieusement examiné en utilisant la méthode dite « en double aveugle », lui dit : « Non, je suis désolé, il n'y a pas trace de guérison. Vous avez toujours une anosmie totale. Curieux que vous " sentiez " tout de même votre pipe et votre café... »

Ce qui se passait, semblait-il (et il est important de noter que seul son appareil olfactif, et non son cortex, était lésé), c'était un développement considérable de son imaginaire olfactif – presque au point d'atteindre l'hallucination contrôlée –, de sorte que, en buvant son café ou en allumant sa pipe – situations normalement et précédemment chargées d'associations d'odeurs – il pouvait maintenant évoquer ou réévoquer inconsciemment ces odeurs avec une telle intensité qu'elles lui paraissaient au premier abord « réelles ».

Cette faculté – mi-consciente, mi-inconsciente – s'est intensifiée et élargie. Maintenant, par exemple, il peut priser ; il « sent » l'odeur du printemps ; il fait appel pour cela à une mémoire olfactive, ou à un tableau olfactif, si intense qu'il peut presque s'illusionner lui-même ou illusionner les autres en étant persuadé de vraiment le sentir.

Nous savons que les sourds et les aveugles connaissent des compensations de ce genre. Pensons par exemple à Beethoven le sourd, ou à Prescott l'aveugle. Mais j'ignore s'il s'agit d'un phénomène courant dans l'anosmie.

19

Meurtre

Donald tua sa petite amie sous l'effet du PCP *. Il ne se souvenait pas, ou ne semblait pas se souvenir, de son acte – et ni l'hypnose, ni le test à l'amytal ne purent libérer le moindre souvenir. Il fallut en conclure, par conséquent, au moment de son procès, qu'il n'y avait pas de refoulement de la mémoire mais une amnésie organique – une sorte de *black-out* courant avec le PCP.

Les détails du meurtre, mis au jour par l'expertise légale, étaient si macabres qu'ils ne pouvaient être dévoilés en public. Ils furent débattus à huis clos devant la cour – ni l'assistance ni Donald n'en eurent connaissance. Comparaison fut faite avec les actes de violence parfois commis au cours de crises d'épilepsie des lobes temporaux ou de crises psychomotrices, lesquelles ne laissent aucun souvenir et ne recèlent pas d'intention de violence. Ceux qui les commettent ne peuvent être considérés ni comme responsables ni comme coupables, mais ils n'en sont pas moins envoyés en prison pour leur propre sécurité et celle des autres. C'était ce qui était arrivé au malheureux Donald.

Étant donné l'incertitude qui régnait sur son statut de criminel ou d'aliéné, il passa quatre années dans un hôpital psychiatrique pour aliénés criminels. Il semblait accepter son incarcération avec un certain soulagement – peut-être éprouvait-il le besoin d'une punition, en tout cas l'isolement lui donnait, sans aucun doute, un sentiment de sécurité. « Je ne suis pas fait pour la société », disait-il tristement lorsqu'on l'interrogeait.

* Voir note p. 203.

Sécurité par rapport à l'éventualité d'une brusque et dangereuse perte de contrôle – et aussi une sorte de sérénité. Il s'était toujours intéressé aux plantes, et cet intérêt, si constructif, si éloigné de la zone périlleuse de l'action et des relations humaines, était fortement encouragé à la prison-hôpital où il vivait désormais. Il s'occupa activement des terrains broussailleux et abandonnés, et y créa des jardins d'agrément variés, des potagers, etc. Il semblait parvenu à une sorte d'équilibre austère dans lequel les relations, les passions humaines, qui avaient été en lui si tumultueuses, avaient fait place à un étrange calme. Les uns le considéraient comme schizoïde, d'autres comme sain d'esprit, mais tous pensaient qu'il était parvenu à une sorte de stabilité. La cinquième année, il obtint l'autorisation de sortir sur parole durant les week-ends. Comme il était passionné de cyclisme, il s'acheta une bicyclette. C'est ce qui précipita le second acte de son étrange histoire.

Il était en train de pédaler à toute vitesse, comme il aimait à le faire, dans la descente d'une côte très raide, lorsqu'un car conduit par un chauffard, venant en sens inverse, surgit dans un tournant. Faisant une embardée pour éviter une collision de front, il perdit le contrôle de sa bicyclette et fut violemment projeté la tête la première sur la route.

Il fut gravement blessé à la tête – d'énormes hématomes sous-duraux bilatéraux qui furent immédiatement vidés et drainés chirurgicalement, et de graves contusions des deux lobes frontaux. Il passa presque deux semaines dans un coma hémiplégique, puis commença à se rétablir de façon inespérée. C'est alors que survinrent les « cauchemars ».

La reprise de conscience ne fut pas douce – il fut assailli d'un tourment et d'une agitation abominables, au cours desquels il semblait se débattre violemment, à demi conscient, ne cessant de crier : « Oh, Dieu ! » et « Non ! ». Au fur et à mesure qu'il reprenait conscience, lui revenait aussi la mémoire, une mémoire accablante pour lui. Il avait de graves problèmes neurologiques – faiblesse et engourdissement du côté gauche, crises d'épilepsie et graves déficits des lobes frontaux – et, par-dessus tout, quelque chose de tout à fait nouveau : *le meurtre, l'acte, disparu de sa mémoire, était maintenant présent à son esprit avec une précision presque hallucinatoire.* Il était assailli et submergé par une réminiscence incontrôlable – il « revoyait » son meurtre, le recommettait encore et toujours. S'agissait-il d'un cauchemar, d'une folie ou bien d'une *hypermnèsis*, d'une percée de souvenirs authentiques, véridiques, intensifiés de façon effrayante ?

On l'interrogea dans les moindres détails, en évitant soigneusement toute allusion ou suggestion – et il fut bientôt évident qu'il était la proie d'une authentique, bien qu'incontrôlable, « réminiscence ». *Il connaissait maintenant le meurtre dans ses moindres détails : tous les détails révélés par l'expertise légiste mais qui n'avaient pas été dévoilés en plein tribunal ni ne l'avaient été à lui-même.*

Tout ce qui jusque-là avait semblé oublié ou perdu – même sous hypnose ou injection d'amytal – revenait désormais d'une manière non seulement incontrôlable mais tout à fait intolérable. Il fit deux tentatives de suicide dans l'unité neurochirurgicale, et il fallut le mettre sous tranquillisants puissants et le contenir par la force.

Qu'était-il donc arrivé à Donald – que lui *arrivait-il ?* L'aspect véridique de la réminiscence en question excluait le fait qu'il puisse s'agir de l'irruption soudaine d'un fantasme psychotique – et, quand bien même c'eût été un fantasme entièrement psychotique, pourquoi fallait-il qu'il survienne brusquement, à l'improviste, en même temps que cette blessure à la tête ? Ses souvenirs étaient chargés d'un poids psychotique, ou quasi psychotique – pour parler en termes psychiatriques, ils étaient émotionnellement surinvestis – au point d'induire chez Donald d'incessantes pensées de suicide. Mais quel aurait été un investissement émotionnel normal pour un pareil souvenir – l'émergence soudaine, à partir d'une amnésie totale, d'un meurtre réel et non de je ne sais quel conflit ou culpabilité œdipien ?

En perdant l'intégrité de son lobe frontal, se pouvait-il qu'il ait perdu une condition préliminaire essentielle au refoulement, et que nous fussions en train d'assister à un brusque « défoulement », à la fois explosif et spécifique. Aucun d'entre nous n'avait jamais entendu parler auparavant de quoi que ce soit de ce genre, bien que nous fussions tous très familiarisés avec cette désinhibition générale à laquelle on assiste dans les syndromes du lobe frontal – impulsivité, loquacité, salacité, exhibition d'un « ça » désinhibé, nonchalant, vulgaire... Mais Donald ne se montrait pas sous ce jour-là ; il n'était pas le moins du monde impulsif, confus, inconvenant. Son caractère, son jugement et l'ensemble de sa personnalité étaient tout à fait intacts ; seuls les souvenirs, les sensations du meurtre surgissaient à son esprit de manière précise et incontrôlable, l'obsédant et le tourmentant.

Un élément excitatoire ou épileptique spécifique entrait-il en jeu ? Ici, les études de l'électroencéphalogramme s'avérèrent particulièrement instructives : en utilisant des électrodes spéciales (nasopharyngiennes), on s'aperçut que, en plus des crises occasionnelles de *grand mal* *, il y avait aussi un bouillonnement incessant, une épilepsie profonde, dans les deux lobes temporaux à la fois, s'étendant probablement – mais il aurait fallu y implanter des électrodes pour le confirmer – au lobule de l'hippocampe, aux amygdales et aux structures limbiques – tout ce circuit émotionnel profond implanté dans les lobes temporaux. Penfield et Perot 1963 (p. 595-696) ont décrit une « réminiscence récurrente » ou des « hallucinations d'origine vécue » chez certains patients qui ont des épilepsies des lobes temporaux. Mais la plupart des expériences ou réminiscences décrites par Penfield étaient de nature plutôt passive : audition de musique, vision de scènes, présence, peut-être, mais *présence comme spectateur et non comme acteur* [1]. Aucun d'entre nous n'avait jamais entendu parler d'un patient réexpérimentant, ou plutôt recommettant, un *acte* – pourtant, c'était apparemment ce qui se passait chez Donald. Cette question ne fut jamais clairement résolue.

Il me reste à raconter la fin de l'histoire. Sa jeunesse, la chance, le temps, le processus naturel de guérison, le fonction-

* En français dans le texte.

1. Il n'en était pourtant pas toujours ainsi. Dans un cas particulièrement horrible, traumatisant, rapporté par Penfield, la patiente, une fillette de douze ans, avait l'impression, à chaque crise, de courir frénétiquement pour échapper à un assassin qui la poursuivait avec un sac grouillant de serpents. Cette « hallucination d'origine vécue » était la réplique exacte d'un incident pénible qui lui était réellement arrivé cinq années auparavant.

nement prétraumatique, soutenus par une thérapie de « substitution » du lobe frontal à la manière de Louriia, permirent à Donald, au fil des ans, de récupérer de façon remarquable. Ses lobes frontaux fonctionnent aujourd'hui presque normalement. De nouveaux anticonvulsifs, disponibles depuis quelques années seulement, ont permis de contrôler efficacement la surexcitation de ses lobes temporaux – et, là encore, il est probable que la guérison naturelle a joué son rôle. Finalement, grâce à une psychothérapie de soutien délicate et régulière, la violence autopunitive de son surmoi s'est atténuée et des régions plus douces du moi ont pris le pas sur elle. Et surtout, chose plus importante, Donald a repris le jardinage. Il dit se sentir en paix lorsqu'il jardine. « Aucun conflit ne survient. Les plantes n'ont pas d'ego. Elles ne peuvent pas vous faire du mal. » La thérapie finale, a dit Freud, est le travail et l'amour.

Donald n'a rien oublié ni refoulé du meurtre – s'il s'agissait bien en fait d'un refoulement, au début –, mais il n'est plus obsédé par lui : il a trouvé un équilibre physiologique et moral.

Mais qu'en est-il exactement de cette mémoire d'abord perdue, puis ensuite retrouvée ? Pourquoi cette amnésie – puis ce retour explosif ? Pourquoi ce *black-out* total suivi de ces horribles retours de flamme ? Que s'était-il réellement passé dans cet étrange drame, à moitié neurologique seulement ? A ce jour, toutes ces questions demeurent encore un mystère.

20

Les visions de Hildegarde *

La littérature religieuse de toutes les époques regorge de descriptions de « visions » s'étant accompagnées à la fois de sentiments sublimes et ineffables et de l'expérience d'une luminosité rayonnante (William James parle même de « photisme »). Il est la plupart du temps impossible de savoir si de telles expériences sont des extases à caractère hystérique ou psychotique, sont dues à une intoxication ou constituent une manifestation épileptique ou migraineuse. Un cas fait toutefois exception : celui de Hildegarde de Bingen (1098-1180), une religieuse et une mystique aux capacités intellectuelles et aux dons littéraires étonnants qui, depuis sa plus tendre enfance jusqu'à la fin de sa vie, fut sujette à d'innombrables « visions » qu'elle décrivit et dessina avec un art consommé dans deux manuscrits qui sont parvenus jusqu'à nous : le *Sci vias* et le *Liber divinorum operum simplicis hominis.*

La nature de ces descriptions et de ces dessins ne fait aucun doute : ils sont indiscutablement d'origine migraineuse et illustrent même bon nombre des types d'auras visuelles [...]. Dans l'importante étude qu'il a consacrée aux visions de Hildegarde, Singer (1958) a repéré les éléments suivants, qui sont tous typiques des auras migraineuses :

> Dans tous ses dessins apparaît un point ou un groupe de points lumineux aux reflets chatoyants, se déplaçant le plus souvent avec un mouvement ondulant, et qu'elle interprète

* Chapitre extrait de *Migraine*, trad. fr. de Christian Cler, Paris, Éd. du Seuil, 1986 [*NdT*].

« *Vision de la Cité Céleste.* » Tiré du *Sci vias*, un manuscrit de Hildegarde, écrit à Bingen vers 1180. Ce dessin regroupe plusieurs visions d'origine migraineuse.

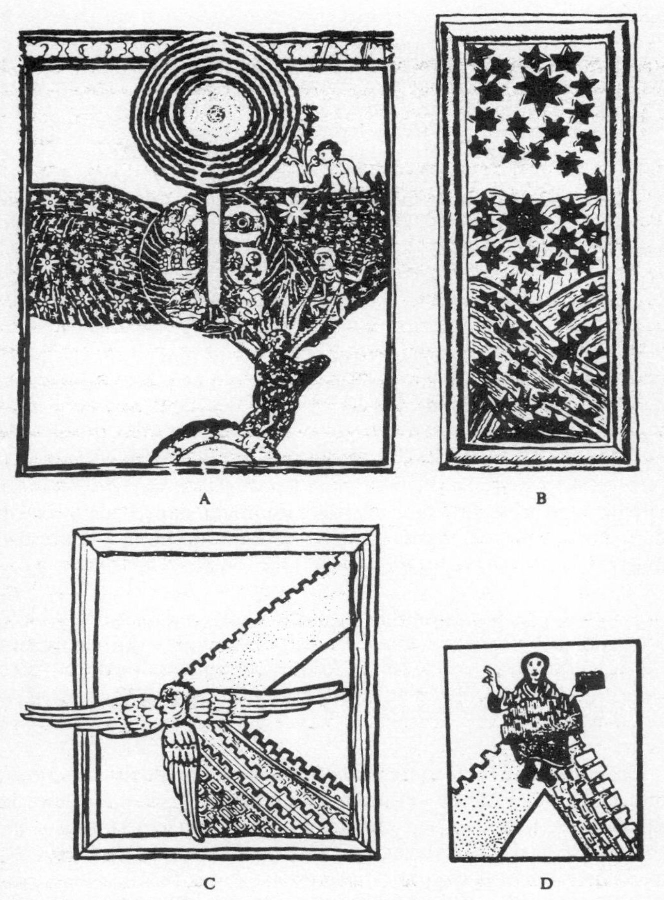

Diverses hallucinations migraineuses apparaissant dans les visions de Hildegarde. On peut voir dans la *figure* A des étoiles aux reflets chatoyants se détacher sur un fond de lignes concentriques au tracé tremblotant. Dans la *figure* B, des étoiles brillantes (phosphènes) tombant en pluie s'éteignent après avoir traversé le dessin – exactement comme les scotomes négatifs succèdent aux scotomes positifs. Dans les *figures* C et D, Hildegarde décrit les fortifications migraineuses typiques qui, dans l'original, irradient à partir d'un point central très lumineux aux couleurs brillantes.

en général comme des étoiles ou des yeux flamboyants (*figure* B). Dans un très grand nombre de cas, une lumière plus importante que les autres comporte une série de cercles concentriques au tracé tremblotant (*figure* A) ; et plusieurs dessins représentent indiscutablement des fortifications irradiant parfois à partir d'une zone colorée (*figures* C et D). Les lumières donnent souvent une impression d'*activité*, de bouillonnement et d'effervescence, qu'ont décrite beaucoup de visionnaires...

Hildegarde écrit :

> Ces visions, je ne les ai contemplées ni dans mon sommeil, ni en rêve, ni dans un délire, ni avec mes yeux charnels, ni avec les oreilles de la chair, ni en des lieux secrets ; mais éveillée, lucide, avec les yeux de l'esprit et les oreilles de l'âme, les yeux ouverts et selon la volonté de Dieu.

Elle interprète sa vision d'étoiles tombant dans l'océan et s'y éteignant (*figure* B) comme une représentation de la « chute des anges » :

> Je vis une grande étoile superbe et magnifique aller vers le sud, accompagnée d'une multitude d'étoiles qui tombaient (...) Soudain, elles furent toutes annihilées, devinrent des morceaux de charbon tout noirs (...) et plongèrent dans les abysses où elles échappèrent à ma vue.

Telle est donc l'interprétation allégorique de Hildegarde. Notre interprétation littérale serait qu'elle a d'abord vu une pluie de phosphènes traverser son champ visuel, puis a été sujette à un scotome négatif. Les visions qu'elle appelle *Zelus Dei* (*figure* C) et *Sedens Lucidus* (*figure* D) représentent des fortifications irradiant à partir d'un point très lumineux aux reflets chatoyants et aux couleurs brillantes (dans l'original). Ces deux visions se combinent dans la vision composite (première figure) qu'elle interprétait comme l'*aedificium* de la cité de Dieu.

Ces auras s'accompagnaient chez Hildegarde d'intenses expériences extatiques, notamment lorsque la première scintillation était suivie d'un second scotome :

> Bien que sans localisation matérielle, la lumière que je vois est cependant plus brillante que le soleil, et je ne peux évaluer ni sa hauteur, ni sa longueur, ni sa largeur ; je la nomme le « nuage de la lumière vivante ». Et, tout comme le soleil, la lune et les étoiles se reflètent dans l'eau, de même en elle les écrits, les paroles, les vertus et les œuvres des hommes brillent-ils sous nos yeux...
> Parfois, je contemple à l'intérieur de cette lumière une autre lumière que j'appelle la « Lumière vivante en elle-même » (...) Et, quand je la regarde, toute tristesse, toute douleur s'effacent de ma mémoire, et je suis à nouveau comme une simple jeune fille, et non comme une vieille femme.

Mères chez elle de ces extases, investies d'une aussi profonde signification théophore et philosophique, les visions de Hildegarde la dirigèrent vers la sainteté et le mysticisme. Elles nous offrent un exemple unique de la manière dont un événement physiologique qui pour la plupart d'entre nous reste banal, haïssable ou sans signification particulière peut, chez une conscience privilégiée, être le substrat d'une inspiration suprêmement extatique. L'expérience de Hildegarde ne peut être comparée qu'à celle de Dostoïevski. Lui aussi était sujet à de semblables auras épileptiques, et voici comment il décrit l'extase qu'il vivait alors :

> Il est des moments à peine longs de cinq à six secondes, où l'on sent la présence de l'éternelle harmonie (...) ; terrible est l'effrayante clarté avec laquelle elle se manifeste, et l'extase dont elle vous emplit. Si cet état durait plus de cinq secondes, l'âme ne pourrait l'endurer, et devrait disparaître. Pendant ces cinq secondes, je vis toute une existence humaine, et pour ces moments-là je donnerais volontiers toute ma vie sans penser que ce serait trop cher payer.

QUATRIÈME PARTIE

Le monde du simple d'esprit

Introduction

Lorsque je commençai mon travail avec les arriérés mentaux, il y a de cela plusieurs années, je pensais que ce serait lugubre et je m'en ouvris à Louriia. A ma surprise, il me répondit dans les termes les plus encourageants, m'écrivant que, parmi ses patients, nuls ne lui étaient en général plus « chers » que ceux-là et qu'il considérait les heures et les années passées à l'Institut de défectologie comme les plus émouvantes et les plus intéressantes de toute sa vie professionnelle. Il exprimait le même avis dans la préface qu'il écrivit pour la première de ses biographies cliniques *(Speech and the Development of Mental Processes in the Child) :* « Si un auteur peut se permettre d'exprimer des sentiments sur son propre travail, je dois dire combien la matière de ce petit livre a toujours été chère à mon cœur. »

Que veut dire par là Louriia ? Il exprime manifestement une réalité d'ordre affectif et personnel qui ne peut advenir que si les arriérés y répondent, s'ils font eux-mêmes preuve d'une réelle sensibilité, de facultés affectives et personnelles en dépit de leurs défaillances intellectuelles. Mais il y a plus que cela : c'est l'expression d'un intérêt scientifique – de quelque chose que Louriia considérait comme présentant un attrait scientifique tout particulier. De quoi pouvait-il bien s'agir ? D'autre chose, certainement, que de « défaillances » et de « défectologie », dont l'intérêt est en soi plutôt limité. Qu'est-ce qui est donc spécialement intéressant chez le simple d'esprit ?

Ce sont les qualités de pensée qui se trouvent préservées et même renforcées chez eux, de sorte que, tout en étant « arriérés mentaux » à certains égards, ils n'en sont pas moins intéressants, voire accomplis, mentalement, sur d'autres plans. Les qualités de pensée autres que conceptuelles sont particulièrement bien mises en lumière chez les simples d'esprit (comme chez les enfants et les « sauvages » – bien que ces catégories ne puissent jamais être comparées, comme Clifford Geertz l'a souligné à plusieurs reprises : les « sauvages » ne seront jamais des simples d'esprit ou des enfants ; les enfants n'ont pas de culture sauvage ; et les simples d'esprit ne seront jamais des enfants ni des « sauvages »). Pourtant, il y a bien entre eux des ressemblances importantes – et tout ce que Piaget nous a dévoilé sur la mentalité des enfants, et Lévi-Strauss sur la « pensée sauvage », nous allons le retrouver sous une autre forme dans la pensée et l'univers des simples d'esprit [1].

Ce que nous allons retrouver peut séduire tout autant notre cœur que notre esprit, et va particulièrement dans le sens de ce que Louriia appelait la « science romantique ».

Quelle est cette disposition, cette qualité de pensée qui caractérise les simples d'esprit et leur confère leur poignante innocence, leur transparence, leur complétude, leur dignité – leurs qualités sont si spécifiques que nous pouvons vraiment parler du « monde » des simples d'esprit (comme nous parlons du « monde » des enfants ou des sauvages) ?

Si nous avions un seul mot à employer ici, ce serait celui de « concret » : leur monde est en effet vivant, intense, détaillé, et pourtant simple, précisément parce qu'il est concret – ni compliqué, ni dilué, ni unifié par l'abstraction.

Par une sorte d'inversion ou de subversion de l'ordre naturel des choses, le « concret » est souvent tenu par les neurologues comme indigne de considération, incohérent, régressif, maudit en somme. Ainsi, Kurt Goldstein, l'esprit le plus systématique de sa génération, considère que la pensée, gloire de l'homme, réside principalement dans l'abstrait et le catégorique et que, si son cerveau subit un dommage, de quelque nature que ce soit,

1. Toutes les premières recherches de Louriia portaient sur ces trois domaines voisins : ses travaux avec les enfants dans les communautés primitives d'Asie centrale et ses études à l'Institut de défectologie. Ce fut ainsi que débuta une vie entière d'exploration de l'imagination humaine.

il se trouve précipité de ces sphères supérieures dans les marécages presque infrahumains du concret. Si un homme perd l'« attitude catégorique abstraite » (Goldstein) ou la « pensée propositionnelle » (Hughlings Jackson), ce qui lui reste est infrahumain, dépourvu de toute importance ou intérêt.

J'appelle cela une inversion qualitative, car le concret est élémentaire – il est ce qui rend la réalité « réelle », vivante, personnelle et signifiante. Si le concret est perdu, tout cela disparaît du même coup : nous l'avons bien vu dans le cas de cet être quasi martien qu'était le docteur P., l'« homme qui prenait sa femme pour un chapeau », et qui chut (en un sens non goldsteinien) du concret *dans* l'abstrait.

L'idée que le concret puisse être préservé dans un dommage cérébral est beaucoup plus facile à comprendre et en même temps plus naturelle – je ne veux pas parler d'une régression *vers* le concret, mais de sa préservation, en sorte que la personnalité, l'identité et l'humanité essentielles, l'être même de la créature blessée se trouvent sauvegardés.

C'est ce que nous voyons chez Zazetsky, l'« homme au monde disloqué » : en dépit de la dévastation de ses facultés abstraites et propositionnelles, il reste essentiellement humain, nanti de toute la densité morale et de la richesse imaginative d'un homme à part entière. Ici, Louriia, tout en donnant l'impression de soutenir les propos d'Hughlings Jackson et de Goldstein, en bouleverse la signification. Zazetsky n'est pas une terne relique jacksonienne ou goldsteinienne, mais un homme au sens le plus fort du terme, dont les émotions et l'imagination sont pleinement préservées, peut-être même amplifiées. Malgré le titre du livre, son monde n'est pas « disloqué », mais il lui manque la capacité unificatrice de l'abstraction. Il n'en éprouve pas moins ce monde comme une réalité extraordinairement riche, profonde et concrète.

Je crois que cette description vaut aussi pour les simples d'esprit, d'autant plus que, ayant toujours été simples, ils n'ont jamais connu l'abstraction ni été séduits par elle : depuis le début de leur existence, ils ont eu l'expérience directe et immédiate de la réalité, avec une intensité élémentaire et parfois irrésistible.

Nous allons pénétrer dans un univers fascinant et paradoxal, où tout tourne autour de l'ambiguïté du « concret ». En tant que médecins, thérapeutes, professeurs, scientifiques, nous sommes particulièrement invités, et même contraints, à une *exploration du concret*. C'est la « science romantique » de Louriia, dont les deux grandes biographies cliniques peuvent être justement considérées comme des explorations du concret : à savoir comment celui-ci se trouve préservé, mis au service de la réalité, chez cet homme cérébralement atteint qu'était Zazetsky ; comment le concret se trouve amplifié, aux dépens de la réalité, dans le « sur-esprit » du « mnémoniste ».

La science classique n'a rien à dire sur le concret ; quant à la neurologie et à la psychiatrie, elles le tiennent pour banal ou insignifiant. Il faudrait une science « romantique » pour lui rendre justice – pour en apprécier à la fois les pouvoirs extraordinaires... et les dangers : avec les simples d'esprit, nous entrons de plain-pied dans ce concret, le concret pur et simple, dans son intensité sans réserve.

Le concret peut ouvrir des portes et il peut aussi en fermer. Il peut ouvrir une porte vers la sensibilité, l'imagination, la profondeur. Il peut aussi limiter son possesseur (ou possédé) à des détails insignifiants. Chez les simples d'esprit, nous voyons ces deux possibilités comme amplifiées.

Une mémoire et une imagerie concrètes aux pouvoirs renforcés, sorte de compensation de la nature à des défaillances dans l'ordre du conceptuel et de l'abstrait, peuvent en effet tendre vers des directions tout à fait opposées : vers la préoccupation obsessionnelle pour les détails, le développement d'une mémoire et d'une imagerie eidétiques, ou vers une mentalité d'artiste ou de « petit génie » (comme c'était le cas du « mnémoniste »), et de ceux qui, autrefois, poussaient à l'extrême l'« art de la mémoire [1] » : nous voyons des prédispositions de ce genre chez Martin A. (chapitre XXII), chez José (chapitre XXIV) et surtout chez les jumeaux (chapitre XXIII) – particulièrement accentuées chez eux du fait des exigences de représentations devant un public, aux-

1. Voir à ce sujet l'extraordinaire livre de Frances A. Yates, *L'Art de la mémoire*, trad. fr. de Daniel Arasse, Paris, Gallimard, 1975.

quelles s'ajoutaient un côté obsessionnel et un exhibitionnisme naturels.

Mais le *bon* usage et développement du concret a beaucoup plus d'intérêt : il est bien plus humain, plus émouvant et plus « réel » – pourtant, les études scientifiques sur les simples d'esprit le reconnaissent à peine (même si parents et professeurs compréhensifs en perçoivent immédiatement l'importance).

Le concret lui aussi peut véhiculer le mystère, la beauté et la profondeur, frayer un chemin à travers les émotions, l'imagination, l'esprit – tout autant que n'importe quelle conception abstraite (et peut-être même plus, comme Gershom Scholem [1965] l'a soutenu dans les différences qu'il a relevées entre le conceptuel et le symbolique, ou Jérôme Bruner [1984] dans son opposition entre le « paradigmatique » et le « narratif »). Le concret est facilement imprégné de sensation et de signification – plus facilement peut-être que n'importe quelle conception abstraite. Il se mue aisément en esthétique, en dramatique, en comique ou en symbolique, en ce vaste et profond univers de l'art et de l'esprit. Les arriérés mentaux sont peut-être *conceptuellement* boiteux, mais, de par leurs facultés d'appréhension concrète et symbolique, ils seront parfaitement égaux à tout individu « normal ». Nul n'a mieux exprimé cela que Kierkegaard, dans ce qu'il écrivait sur son lit de mort. « Et toi, homme du peuple ! Le christianisme du Nouveau Testament est d'un sublime infini, mais, note-le bien, il n'est pas un sublime qui regarde aux différences de talents des individus. Non, il est pour tous ; à chacun sans exception est accessible ce sublime infini [...] et chacun le peut, s'il le veut *. »

Un homme peut être intellectuellement très « faible » : être incapable de mettre une clé dans un trou de serrure, encore plus de comprendre les lois newtoniennes du mouvement, parfaitement incapable de comprendre le monde comme *concept* et pourtant parfaitement capable, et même doué, pour comprendre le monde comme concrétude, comme ensemble de *symboles*. C'est l'autre

* Soren Kierkegaard, *Œuvres complètes*, t. XIX, *L'Instant*, 1er septembre 1855, Paris, Éd. de l'Orante, 1982, p. 305.

aspect, presque sublime, de ces créatures si douées et pourtant simples d'esprit que sont Martin, José et les jumeaux.

Mais il faut reconnaître qu'ils sont extraordinaires, atypiques. C'est pourquoi je commencerai cette dernière partie avec Rebecca, une jeune femme tout à fait « quelconque », une simplette avec laquelle j'ai travaillé il y a douze ans, et dont j'ai gardé un souvenir chaleureux.

21

Rebecca

Rebecca n'était plus une enfant lorsqu'elle fut envoyée dans notre clinique : elle avait dix-neuf ans ; pourtant, « à certains points de vue, elle n'était qu'une enfant », comme disait sa grand-mère. Elle ne retrouvait pas son chemin autour de la maison, elle n'était jamais sûre de pouvoir ouvrir une porte (elle ne « voyait » jamais si la clé entrait dans la serrure et ne parvenait pas à l'apprendre). Elle confondait la droite et la gauche, il lui arrivait d'enfiler ses vêtements de travers – à l'envers, devant derrière, sans paraître s'en apercevoir, ou bien, si elle s'en apercevait, sans pouvoir les remettre à l'endroit. Elle pouvait passer des heures à enfiler une main ou un pied dans le mauvais gant ou la mauvaise chaussure – d'après sa grand-mère, elle ne semblait pas avoir de « sens de l'espace ». Elle était maladroite, et tous ses mouvements étaient mal coordonnés – « sotte » selon un rapport, « débile motrice », selon un autre. Pourtant, dès qu'elle se mettait à danser, toute sa gaucherie disparaissait.

Rebecca avait une fente palatine partielle qui rendait sa parole sifflante ; elle avait des doigts courts, trapus, aux ongles déformés, émoussés, et une forte myopie dégénérescente exigeant des lunettes aux verres très épais – tous les stigmates, en somme, de cet état congénital qui était à l'origine de ses défaillances cérébrales et mentales. Se sentant un « objet de dérision », ce qu'elle avait en effet toujours été, elle était terriblement timide et réservée.

Mais elle était capable d'attachements intenses, voire passionnés. Elle éprouvait un profond amour pour sa grand-mère qui l'avait élevée depuis l'âge de trois ans (après la mort de ses parents). Elle aimait beaucoup la nature et passait des heures heureuses dans les parcs et les jardins botaniques de la ville lorsqu'on l'y emmenait. Elle aimait aussi beaucoup les histoires, sans pourtant avoir jamais appris à lire (en dépit d'efforts assidus et même acharnés), et elle suppliait sa grand-mère ou d'autres personnes de lui faire la lecture. « Elle est affamée d'histoires », disait sa grand-mère qui, Dieu merci, aimait lui lire des histoires et les lisait bien, à voix haute, à la grande joie de la jeune fille. Elle lui lisait non seulement des histoires, mais aussi de la poésie. Chez Rebecca, cette écoute semblait être une nécessité profonde – une manière personnelle et indispensable d'alimenter son esprit et de connaître la réalité. La nature est belle, mais muette : elle ne lui suffisait pas. Elle avait besoin de se représenter le monde selon des images verbales, par le langage, et ne semblait pas avoir de difficultés à suivre les métaphores et les symboles de poèmes même assez hermétiques, ce qui contrastait de façon frappante avec son incapacité à suivre les propositions et les instructions les plus simples. Le langage du sentiment, du concret, de l'image et du symbole se rapportait à un univers qu'elle aimait et où elle pouvait pénétrer de façon remarquable. Bien qu'elle fût inapte au conceptuel (et au « propositionnel »), le langage poétique lui était familier ; elle-même, du reste à sa manière touchante, hésitante, était une sorte de poète « primitif », naturel. Des métaphores, des figures de rhétorique, des allégories assez frappantes lui venaient naturellement à l'esprit, de façon imprévisible, sous la forme d'exclamations ou d'allusions poétiques soudaines.

Dévote, mais sans excès, tout comme sa grand-mère, Rebecca aimait l'allumage des cierges le jour du Sabbat, les bénédictions et les oraisons qui jalonnent la journée d'un juif ; elle aimait aller à la synagogue où on lui témoignait de l'affection (elle y était considérée comme une enfant de Dieu, une sorte d'innocente, de sainte demeurée) ; et elle comprenait tout à fait la liturgie, les chants, les prières, les rites et les symboles qui constituent le service traditionnel. Tout cela lui était accessible, tout cela, elle l'aimait, en dépit d'énormes problèmes d'espace et de temps et de graves défaillances dans sa capacité de schématiser. Elle était incapable de compter de la monnaie, les calculs les plus simples la dépassaient, elle ne put jamais apprendre à lire ou à écrire et elle n'alla jamais au-delà d'une moyenne de 60 aux tests de QI (tout en réussissant notablement mieux les parties verbales du test que celles qui lui demandaient d'accomplir des tâches).

Elle était donc ce que l'on appelle une « idiote », une « imbécile », une « faible d'esprit » – en tout cas, elle apparaissait ainsi, et avait été désignée comme telle au cours de sa vie –, mais une idiote possédant un don poétique inattendu et étrangement émouvant. En apparence, elle n'était qu'une suite de handicaps et d'incapacités, avec tout ce que cela suppose de frustrations intenses et d'angoisses ; sur ce plan, en effet, elle était et se voyait comme une handicapée mentale – très en deçà des talents innés et des aptitudes faciles des autres ; mais, sur un autre plan plus profond, cette impression de handicap ou d'incapacité disparaissait, faisant place à une sensation de calme et de complétude, celle d'être pleinement vivante, d'être une âme avec toute l'élévation et la profondeur que cela suppose, égale à toutes les autres. Si donc, intellectuellement, Rebecca se sentait handicapée, spirituellement, elle se sentait un être humain à part entière.

Lorsque je la vis pour la première fois – gauche, fruste, toute en maladresse – je vis seulement un naufrage, une créature brisée dont je pouvais identifier et disséquer très précisément les défaillances neurologiques : de nombreuses apraxies et agnosies, une série d'altérations et de ruptures sensori-motrices, une limitation des schémas intellectuels et (d'après les critères de Piaget) des concepts analogues à ceux d'un enfant de huit ans. Une pauvre chose, me dis-je en moi-même, avec peut-être un débris de talent, un don verbal monstrueux ; une simple mosaïque de fonctions corticales supérieures, de schémas à la Piaget – la plupart d'entre eux étant atteints.

La fois suivante, tout fut très différent. Nous n'étions plus dans une situation de test où je devais « évaluer » Rebecca dans le cadre d'une clinique. Je me promenais par une belle journée de printemps. J'avais quelques minutes devant moi avant de commencer mon travail à la clinique lorsque je vis Rebecca assise sur un banc, en train de contempler tranquillement, avec un plaisir manifeste, le feuillage d'avril. Sa posture avait perdu de cette maladresse qui m'avait tant impressionné la première fois. Assise là, en tenue légère, le visage calme et légèrement souriant, elle me fit soudain penser à une jeune femme des pièces de Tchekhov – Irene, Anya, Sonya, Nina – sur le fond d'une cerisaie tchékhovienne. Elle aurait pu être n'importe quelle jeune femme jouissant de la beauté d'une journée printanière. Telle était ma vision humaine : si contraire à ma vision neurologique.

Comme je m'approchais, elle entendit mes pas et se retourna, me faisant un large sourire et un geste qui se passait de mots. « Regardez le monde, semblait-elle dire. Comme il est beau. » C'est alors que firent leur apparition, par poussées jacksoniennes, des exclamations poétiques bizarres, soudaines : « printemps », « naissance », « croissance », « émois », « apparition de la vie », « saisons », « chaque chose en son temps ». Cela me fit penser à l'Ecclésiaste : « Il y a pour tout un moment, et un temps pour toute chose sous le ciel : un temps pour enfanter et un temps pour mourir ; un temps pour planter et un temps... [1]. » Voilà ce que Rebecca, à sa façon saccadée, était en train de s'écrier – une vision des saisons, des temps, pareille à celle du Sage. « Elle est une sorte d'Ecclésiaste idiot », me surpris-je à penser. Et, en disant ces mots, la double vision que j'avais d'elle – comme idiote et comme symboliste – se croisa, se heurta et fusionna. Elle s'était montrée déplorable au cours du test – qui, en un sens, était destiné, comme tout test neurologique et psychologique, non seulement à dévoiler et faire ressortir les déficits, mais aussi à départager ce qui en elle était de l'ordre du déficit et de l'ordre de la fonction. Elle s'était défaite, horriblement, dans les tests formels, et la voilà maintenant qui se trouvait mystérieusement « reconstituée ».

Pourquoi cette désagrégation, la première fois, et maintenant ce calme ? J'avais le vif sentiment de deux modes de pensée, d'organisation ou d'être, radicalement différents. Le premier, schématique – l'aptitude à voir les schémas, à résoudre les problèmes – était celui-là même où je l'avais testée et où elle

1. Ecclésiaste 3, 1-3, Bible Osty, Paris, Éd. du Seuil.

s'était montrée si déplorable, d'une nullité si désastreuse. Mais les tests n'avaient rien laissé entrevoir *sinon* les déficits, ils n'avaient rien montré d'*autre* que ses déficits.

Ils ne m'avaient donné aucun aperçu sur ses facultés positives, sur son aptitude à percevoir le monde réel – le monde de la nature, et peut-être celui de l'imagination – comme un tout cohérent, intelligible, poétique ; sur son aptitude à voir, penser et (si possible) vivre cela ; ils n'avaient rien révélé de son monde intérieur, lequel était manifestement cohérent et paisible, si on acceptait de l'envisager autrement que comme un ensemble de problèmes ou de tâches.

Mais quel était l'élément apaisant qui pourrait lui permettre de trouver son calme, puisqu'il n'était manifestement pas d'ordre schématique ? Je me souvins de sa prédilection pour les contes, pour la composition et la cohérence narratives. Est-il possible, me demandai-je, que cet être qui est devant moi – cet être qui est tout à la fois une jeune fille charmante, une demeurée, et un accident cognitif – puisse *se servir* du mode narratif (ou dramatique) pour constituer et compléter un monde cohérent, à la place du mode schématique si détérioré chez elle qu'il ne peut tout simplement pas fonctionner ? En y pensant, je me rappelai sa danse, et comment celle-ci lui permettait d'ordonner des mouvements mal agencés et maladroits.

Nos tests, nos méthodes, pensais-je – tout en l'observant assise sur le banc, plongée dans une vision plus que simple, sacrée dirais-je, de la nature –, notre méthode, nos « évaluations » sont ridiculement inadaptées. Elles ne peuvent nous montrer que les déficits et non les capacités ; elles ne nous montrent que les énigmes et les schémas, là où nous aurions besoin de voir la musique, l'histoire, le jeu, l'être en train d'évoluer spontanément et naturellement, de la façon qui lui est propre.

Rebecca, je le sentais, était intacte et achevée en tant qu'être « narratif », c'est-à-dire dans les situations qui lui permettaient de s'organiser de manière narrative ; il était important de le savoir car cela permettait de la considérer et d'envisager ses potentiels d'une manière tout à fait différente de celle offerte par le mode schématique.

Ce fut peut-être une chance pour moi de voir Rebecca sous des aspects si différents – en un sens, si atteinte et incurable, en un autre sens, si pleine de promesses et de possibilités –, une chance aussi qu'elle ait été l'un de mes premiers patients dans notre clinique. Car ce que j'ai vu chez elle, je le vois désormais chez tous mes patients.

Je continuai à la suivre, et chaque fois je découvrais en elle une nouvelle dimension, soit parce qu'elle se révélait davantage, soit parce que je respectais de plus en plus ce qu'elle était au fond. Ce fond n'était pas pleinement heureux – quel fond l'est ? –, mais il l'était cependant la plupart du temps.

Puis, en novembre, sa grand-mère mourut, et la légèreté, la joie dont elle faisait preuve au mois d'avril tournèrent au plus terrible chagrin. Elle était accablée, mais fit preuve d'une grande dignité. La dignité, la profondeur éthique s'unirent à ce moment-là pour former un contrepoint durable et grave à ce moi léger, lyrique, que j'avais plutôt perçu chez elle au premier abord.

Dès que j'appris la nouvelle, je lui téléphonai. Elle me reçut avec une grande dignité, glacée de douleur, dans sa petite chambre de la maison désormais vide. Elle recommençait à pousser des cris, à parler de façon « jacksonienne », par brèves exclamations où se mêlaient le chagrin et les lamentations. « Pourquoi fallait-il qu'elle s'en aille ? criait-elle. Je pleure pour moi, pas pour elle. » Et, après un moment, « Grand-mère va bien. Elle est partie pour sa Dernière Demeure ». Dernière Demeure ! Était-ce un symbole à elle ou bien un souvenir inconscient, une allusion à l'Ecclésiaste ? « J'ai si froid, criait-elle en se pelotonnant sur elle-même. L'hiver n'est pas dehors, il est en moi. J'ai froid à en mourir ! Elle faisait partie de moi. C'est une part de moi-même qui est morte avec elle. » Elle était tout entière dans son deuil – tout entière et tragique –, elle n'avait plus rien d'une « arriérée mentale ». Au bout d'une demi-heure, elle reprit un peu de chaleur et de vivacité : « C'est l'hiver, dit-elle alors, je me sens morte. Mais je sais que le printemps reviendra. »

Le travail de deuil fut lent mais bénéfique, comme Rebecca le prévoyait, même au plus profond de sa douleur. Elle fut très soutenue en cela par une sympathique grand-tante, une sœur de sa grand-mère, qui s'installa chez elle. La synagogue et la communauté religieuse l'aidèrent aussi beaucoup, et par-dessus tout les rites de « shiva » et le statut spécial dont elle bénéficia comme parente de la défunte et conductrice du deuil. Ce qui la soutint aussi, peut-être, ce fut le fait de pouvoir me parler ouvertement. Ses *rêves* également l'aidèrent beaucoup : elle les racontait avec animation et ils marquaient nettement les étapes du travail de deuil (voir Peters 1983).

Je la revoyais, telle la Nina de Tchekhov, dans le soleil d'avril ; elle était revêtue d'une tragique lucidité, ce jour sombre de novembre de la même année, dans un morne cimetière de Queens, récitant le Kadish sur la tombe de sa grand-mère. Prières et histoires bibliques l'avaient toujours touchée, faisant écho à son côté heureux, lyrique, « béni ». Désormais, c'était dans les prières mortuaires du 103e Psaume et surtout dans le Kadish qu'elle trouvait les seuls mots pouvant lui apporter un réconfort dans sa désolation.

Au cours des mois qui s'écoulèrent (entre la première fois où je la vis en avril et la mort de sa grand-mère en novembre), Rebecca – comme tous nos « clients » (mot odieux qui était alors devenu à la mode parce qu'on l'estimait moins dégradant que « patient ») – fut dans l'obligation d'entrer dans divers ateliers et de suivre les classes qui faisaient partie de notre programme de « développement cognitif » (termes également à la mode à l'époque).

Ce programme ne marcha ni avec Rebecca ni avec la plupart des autres patients. Ce n'était sans doute pas une bonne chose de les forcer à se confronter à leurs limitations, car la vie s'en était déjà chargée, bien en vain d'ailleurs, et souvent de façon cruelle.

Nous accordions beaucoup trop d'importance aux lacunes de nos patients, comme Rebecca fut la première à me le signaler, et certainement pas assez à ce qui en eux était préservé ou intact. Pour employer un autre terme de jargon, nous étions beaucoup trop préoccupés de « défectologie » et pas du tout assez de « narratologie », cette science du concret trop souvent négligée et pourtant si nécessaire.

Rebecca mettait en lumière, par des illustrations concrètes, par son propre soi, la différence qu'il peut y avoir entre ces deux formes de pensée et d'esprit tout à fait séparées, la « paradigmatique » et la « narrative » (pour reprendre la terminologie de Bruner). Aussi naturelles et innées l'une que l'autre pour l'esprit humain en développement, on peut cependant dire que la forme narrative vient en premier, qu'elle a une priorité spirituelle. Les très jeunes enfants aiment et réclament des histoires et peuvent comprendre des sujets complexes si on les leur présente sous forme d'histoires, tandis que leur aptitude à comprendre des concepts généraux, des paradigmes, est presque inexistante. Or, cette faculté narrative ou symbolique est celle qui donne un *sens du monde* – une réalité concrète sous forme de symbole ou d'histoire – quand la pensée abstraite n'apporte encore rien du tout. Un enfant peut suivre la Bible avant de pouvoir suivre Euclide. Non pas parce que la Bible est plus simple (ce serait plutôt le contraire), mais parce qu'elle est présentée sur un mode narratif ou symbolique.

En ce sens, Rebecca, à l'âge de dix-neuf ans, était encore, comme disait sa grand-mère, « pareille à une enfant ». Pareille à une enfant, mais non une enfant, car elle était adulte. (Le terme « retardé » évoque un état d'enfance persistant, le terme « débile mental » évoque un adulte déficient ; les deux concepts allient une erreur et une vérité profonde.)

Chez Rebecca – et les autres arriérés chez qui on a permis, voire encouragé, un développement personnel –, les facultés émotionnelles, narratives ou symboliques peuvent être extrêmement évoluées et peuvent donner des poètes naturels (comme Rebecca) ou des artistes naturels (comme José), tandis que les facultés paradigmatiques ou conceptuelles, déjà faibles au départ, se développeront très lentement et péniblement, et ne seront susceptibles que d'une croissance limitée et rabougrie.

Rebecca en était tout à fait consciente. Elle l'avait prouvé dès le premier jour, lorsqu'elle me parla de sa maladresse et de la façon dont la musique transformait ses gestes gauches et mal agencés en mouvements harmonieux et faciles ; et lorsqu'elle me *montra* comment le spectacle de la nature, un spectacle dont l'unité et le sens sont organiques, esthétiques et dramatiques, pouvait lui donner le calme intérieur.

Après la mort de sa grand-mère, elle prit une décision claire : « Je ne veux plus suivre de classes ni d'ateliers, dit-elle. Ils ne me servent à rien. Ils ne m'aident pas à me reconstituer. » Puis, avec ce don qu'elle avait, et que j'admirais tant, pour l'exemple ou la métaphore choisie, don particulièrement développé chez elle en dépit de son QI peu élevé, elle regarda le tapis du bureau et dit : « Je suis comme un tapis vivant. J'ai besoin d'un modèle, d'un dessin comme celui que vous avez sur ce tapis. Je me défais, je m'effiloche s'il n'y a pas de dessin. » En écoutant Rebecca, je regardais le tapis et me rappelai la fameuse image de Sherrington comparant l'esprit, le cerveau, à un « métier enchanté », tissant des modèles toujours en train de se défaire mais toujours porteurs de sens. Peut-on avoir un tapis brut sans dessin ? me demandai-je. Ou bien un dessin sans tapis (un peu comme le sourire sans le Chat du comté de Chester *). Un tapis « vivant », comme Rebecca, devait avoir les deux – d'autant plus que, avec son manque de structure schématique (la trame et la lisse, la *maille* du tapis, si l'on peut dire), elle risquait effectivement de s'effilocher sans le dessin (la structure scénique ou narrative du tapis).

« Il me faut un sens, poursuivit-elle. Les classes, ces tâches bizarres n'ont pas de sens... Ce que j'aime vraiment, ajouta-t-elle d'un air songeur et triste, c'est le théâtre. »

Nous retirâmes Rebecca de l'atelier qu'elle détestait, et nous fîmes en sorte de la faire engager dans un groupe spécial de théâtre. Elle s'en trouva apaisée.

Ce fut une réussite étonnante : elle devint une personne à part entière, équilibrée, s'exprimant facilement, disposant d'un style pour chaque rôle. Et, quand on voit aujourd'hui Rebecca sur scène, car le théâtre et ce groupe sont vite devenus sa vie, jamais on ne peut imaginer qu'elle a été arriérée mentale.

* Allusion à *Alice aux pays des merveilles*, de Lewis Caroll.

POST-SCRIPTUM

L'aptitude à la musique, au récit et au théâtre est d'une importance théorique et pratique capitale. On voit cela même chez les demeurés dont le QI est inférieur à 20, et dont l'incompétence et la désorientation motrices sont de la plus extrême gravité. La maladresse de leurs mouvements peut disparaître en un instant grâce à la musique ou à la danse – soudain, en entendant de la musique, ils savent comment bouger. Nous voyons des retardés, incapables d'accomplir correctement de simples tâches, impliquant tout au plus quatre ou cinq mouvements à la suite, qui peuvent les accomplir parfaitement en musique – les séries de mouvements qu'ils ne peuvent saisir en tant que combinaisons, ils les saisissent parfaitement comme musique, c'est-à-dire enveloppées de musique. C'est le cas, souvent dramatique, des patients dont le lobe frontal est gravement atteint, et qui manifestent de l'apraxie – une incapacité à *faire* les choses, à retenir les combinaisons et les programmes moteurs les plus simples et même à marcher, en dépit d'une intelligence parfaitement intacte dans tous les autres domaines. Ces défaillances dans la façon de procéder, ou cette idiotie motrice comme on pourrait l'appeler, qui met totalement en échec le système habituel d'enseignement rééducatif, disparaît tout de suite si l'instruction est donnée en musique. Tout cela est sans aucun doute la raison d'être, ou l'une des raisons d'être, des chants de travail.

Nous voyons donc le pouvoir organisateur fondamental de la musique – pouvoir efficace et accompagné de plaisir – là où font défaut des formes abstraites ou « schématiques » d'organisation. Comme on peut s'y attendre, ce sera particulièrement vital lorsque aucune autre forme d'organisation ne fonctionnera. Aussi la musique, ou toute autre forme narrative, sera-t-elle essentielle si l'on travaille avec des retardés ou des apraxiques : dans leur cas, l'enseignement ou la thérapie devront être centrés sur la musique ou sur quelque chose d'équivalent. Le théâtre apporte plus encore : le *rôle* a en effet le pouvoir d'organiser, de conférer, le temps de sa durée, une personnalité entière. L'aptitude à exécuter, à jouer, à *être*, semble être un « don » de la vie en un sens qui n'a rien à voir avec le quotient intellectuel. On voit cela chez les enfants, chez les vieillards et, ce qui est encore plus poignant, chez toutes les Rebecca du monde.

22

Un dictionnaire musical ambulant

Martin A. fut admis dans notre maison vers la fin de l'année 1983 ; il avait alors soixante et un ans, et son parkinsonisme le rendait incapable de rester seul plus longtemps. Il avait eu, dans son enfance, une méningite qui avait failli lui être fatale et avait entraîné chez lui une arriération mentale, de l'impulsivité, des crises et un peu de spasticité. Sa scolarité était restée très limitée, mais il avait reçu une éducation musicale remarquable car son père était un chanteur célèbre au Metropolitan Opera de New York.

Il vécut avec ses parents jusqu'à leur mort, menant ensuite une vie marginale de coursier, de porteur et d'aide de cuisine, qui étaient les seules activités dont il était capable, mais il se faisait régulièrement congédier à cause de sa lenteur, de sa rêverie et de son incompétence. Nulle vie n'aurait été plus ennuyeuse et décourageante s'il n'avait eu une sensibilité et des dons musicaux remarquables, qui étaient une joie pour lui et pour les autres.

Il avait une étonnante mémoire musicale – « Je connais plus de deux mille opéras », me dit-il un jour –, pourtant il n'avait jamais été capable de lire ni d'apprendre de la musique. Aurait-il ou non pu apprendre à la lire, c'était difficile à dire : il avait toujours compté sur son extraordinaire oreille, sur son aptitude à retenir un opéra ou un oratorio après les avoir entendus une seule fois. Malheureusement sa voix ne suivait pas : elle était mélodieuse, mais rauque, avec un peu de dysphonie spasmodique. Son don musical inné, héréditaire, avait manifestement survécu aux ravages de la méningite et de la lésion cérébrale. Qui sait ?

Il aurait peut-être été un Caruso si son cerveau n'avait pas été endommagé ? A moins que son développement musical ne soit une sorte de « compensation » à sa lésion cérébrale et à ses handicaps intellectuels. Nous ne le saurons jamais. Ce qui est certain, c'est que son père lui avait transmis non seulement ses gènes musicaux mais aussi un grand amour de la musique, par ce rapport intime qui existe entre un père et son fils – rapport d'autant plus tendre lorsqu'il s'agit d'un enfant retardé. Martin, tout lent et maladroit qu'il fût, était aimé par son père et l'aimait passionnément en retour. Leur affection mutuelle était cimentée par leur amour pour la musique.

Le grand regret de la vie de Martin était de ne pas pouvoir suivre les traces de son père et devenir un célèbre chanteur d'opéra et d'oratorio comme lui – ce n'était cependant pas, chez lui, une obsession et il savait se contenter du plaisir de ce qu'il *pouvait* faire. Même des gens célèbres venaient le consulter pour sa remarquable mémoire qui, bien au-delà de la musique, s'étendait aux moindres détails d'une représentation... Il jouissait d'une modeste renommée en tant qu'« encyclopédie ambulante », connaissant non seulement la musique de deux mille opéras, mais aussi tous les chanteurs qui avaient tenu un rôle dans une multitude d'œuvres et tous les détails de la mise en scène, des costumes et du décor. (Il se faisait fort aussi de connaître New York rue par rue, maison par maison – et tous les trajets de tous les autobus et de tous les trains.) C'était aussi un passionné d'opéra et une sorte d'« idiot savant ». Il prenait un plaisir enfantin à tout cela – un plaisir eidétique ou monstrueux. Mais sa joie réelle – la seule chose qui lui rendait la vie supportable – était de faire partie de la chorale dans des églises (il ne pouvait malheureusement pas se produire comme soliste à cause de sa dysphonie), spécialement à l'occasion des grandes fêtes de Noël et de Pâques. Pendant cinquante ans il avait chanté, d'abord comme enfant, puis comme adulte, dans *la Passion selon saint Jean, la Passion selon saint Matthieu, l'Oratorio de Noël, le Messie*, que l'on donnait dans les églises et cathédrales de la ville. Il avait aussi chanté au Metropolitan Opera et, lorsque celui-ci fut détruit, au Lincoln Center, perdu au milieu de chœurs grandioses interprétant Wagner et Verdi.

Martin, dans ces moments-là, surtout lorsqu'il chantait des oratorios et des Passions, mais aussi dans des chorales de modestes églises, se sentait porté par la musique et, oubliant qu'il était « retardé », oubliant toute la tristesse et la dureté de sa vie, il avait l'impression d'être un véritable enfant de Dieu, et un homme à part entière.

Mais quel était donc le monde de Martin – son monde intérieur ? Il avait très peu de connaissance du monde dans son ensemble, ou du moins très peu de connaissance directe, et d'ailleurs le monde ne l'intéressait pas du tout. Si on lui lisait une page de journal ou d'encyclopédie, si on lui montrait une carte des fleuves d'Asie ou un plan du métro de New York, il l'enregistrait instantanément dans sa mémoire eidétique. Mais il n'avait pas de rapport avec ces enregistrements eidétiques – ceux-ci étaient « a-centriques », pour reprendre les termes de Richard Wollheim : ni lui, ni rien, ni personne ne constituait un noyau de vie. Sa mémoire ne semblait pas plus porteuse d'émotion qu'un plan des rues de New York – elle ne connectait rien, ne ramifiait rien, et ne pouvait généraliser en aucune façon. Aussi sa mémoire eidétique – cette part monstrueuse de lui-même – ne formait-elle ou ne portait-elle aucun « monde ». Elle n'avait pas d'unité, pas d'affect, pas de rapport avec lui. C'était physiologique, probablement, comme une mémoire d'ordinateur ou une banque de données : pas de place pour la réalité personnelle d'un « soi ».

Et pourtant il y avait là une exception frappante, ou en tout cas ce qui constituait son acte mnémonique le plus personnel, le plus prodigieux et le plus religieux : il connaissait par cœur le *Dictionnaire de la musique et des musiciens*, de Grove, l'énorme édition en neuf volumes publiée en 1954 – il était un véritable « Grove ambulant ». Son père ayant vieilli et étant un peu souffrant ne pouvait plus chanter régulièrement ; il passait maintenant le plus clair de son temps à la maison à écouter sa collection d'enregistrements vocaux en chantant les partitions de son répertoire – ce qu'il faisait avec son fils désormais âgé de trente ans (dans une communion d'esprit qui était sans doute la plus étroite et la plus affectueuse de toute leur vie). Il lisait aussi à voix haute le Dictionnaire Grove – six mille pages –, lequel s'imprimait au fur et à mesure de manière indélébile sur le cortex infiniment fidèle, bien qu'illettré, de son fils. Martin « entendait » Grove *par la voix de son père* – aussi s'en souviendrait-il toujours avec émotion.

Des hypertrophies aussi prodigieuses de la mémoire eidétique, surtout lorsqu'elles sont exploitées « professionnellement », semblent évincer le soi réel, ou rivaliser avec lui et faire obstacle à son développement. Et, si ces souvenirs n'ont pas de profondeur, de sentiment, ils n'ont pas non plus de caractère douloureux – et peuvent donc servir d'échappatoire à la réalité. C'est ce qui s'est passé, dans une large mesure, chez le « mnémoniste » de Louriia, et qui se trouve décrit d'une façon si poignante dans le dernier chapitre de son livre. C'est manifestement ce qui est arrivé, dans une certaine mesure, à Martin A., à José et aux jumeaux, mais il y avait *aussi* chez eux, dans chaque cas, un sens exceptionnel, intense et mystique du monde – lequel servait de réalité, et même de « sur-réalité »...

L'eidétique mis à part, qu'en était-il de son monde en général ? C'était un monde bien petit, insignifiant, sombre et méchant – le monde d'un retardé mental dont on s'est moqué et que l'on a rejeté durant son enfance ; d'un homme qui s'est vu engagé pour des tâches mineures et que l'on a ensuite renvoyé avec mépris : le monde de quelqu'un qui n'a que très rarement été pris en considération, de quelqu'un qui ne s'est que très rarement senti un enfant ou un homme à part entière.

Martin était souvent enfantin, quelquefois méchant et sujet à des accès de colère – dans ces moments-là, son langage devenait celui d'un enfant : « Je vais te jeter une motte de boue à la figure ! » Parfois il se querellait ou frappait quelqu'un, une fois même je l'entendis hurler. Il était sale, il reniflait, s'essuyait le nez sur sa manche – dans ces moments-là, il avait l'air d'un petit enfant morveux (et se sentait certainement comme cela). Ces aspects enfantins, auxquels s'ajoutait un côté irritant, poseur, ne le rendaient pas aimable. Il devint rapidement impopulaire et beaucoup de résidents de l'hospice le fuyaient. On voyait Martin régresser de jour en jour et de semaine en semaine : une crise se préparait et personne ne savait, de prime abord, que faire. On imputa cela aux « difficultés d'adaptation » comme en connaissent tous les patients lorsqu'ils abandonnent une vie extérieure indépendante pour entrer dans un hospice. Mais la sœur infirmière pensa qu'il se passait quelque chose de plus spécifique – « il y a quelque chose qui le ronge, une sorte de faim, une faim dévorante que nous ne pouvons pas apaiser ». « Cela le détruit, poursuivit-elle. Il faut faire quelque chose. »

Aussi, en janvier, allai-je voir Martin pour la seconde fois. Je trouvai un homme complètement changé : ce n'était plus cet être poseur et suffisant, mais quelqu'un de manifestement nostalgique qui semblait plongé dans une sorte de douleur à la fois spirituelle et physique.

– Que se passe-t-il ? Qu'y a-t-il ?

– Il faut que je chante, dit-il d'une voix rauque, sinon je ne peux pas vivre. Et ce n'est pas seulement la musique – je ne peux pas non plus prier. » Un souvenir lointain lui revint dans un éclair : « “ La musique était pour Bach l'appareil du culte ”, article de Grove sur Bach, p. 304... » Puis il continua plus doucement, pensivement : « Je n'ai jamais passé un seul dimanche sans aller à l'église, sans chanter dans le chœur. J'ai commencé par y aller avec mon père lorsque j'étais à peine en âge de marcher et j'ai continué ensuite, après sa mort en 1955. *Il faut que j'y retourne*, dit-il violemment. Sinon j'en mourrai.

– Vous y retournerez, dis-je. Nous ne savions pas que cela vous manquait. »

L'église n'était pas loin de l'hospice et Martin y fut bien accueilli – non seulement en tant que fidèle membre du chœur et de la congrégation, mais aussi – ce que son père avait été avant lui – comme le cerveau et le conseiller du chœur.

Sa vie en fut brusquement et radicalement changée. Martin avait repris la place qu'il considérait comme la sienne. Il pouvait de nouveau chanter et prier sur la musique de Bach chaque dimanche et jouir ainsi de l'autorité tranquille qui lui était impartie.

– Vous voyez, me dit-il à la visite suivante, sans la moindre impertinence, comme un simple constat, ils savent que je connais toute la musique chorale et liturgique de Bach. Je connais toutes ses cantates d'église – les deux cent deux œuvres de la liste Grove –, chaque dimanche et jour de fête auxquelles elles correspondent. Nous sommes la seule église du diocèse qui ait un orchestre et un chœur, la seule où toute l'œuvre vocale de Bach soit régulièrement chantée. Nous donnons une cantate chaque dimanche et nous donnerons *la Passion selon saint Matthieu* à Pâques !

Je trouvais curieux ce grand amour d'un simple d'esprit pour une musique qui semblait si intellectuelle. Il fallut que je commence à enregistrer des cantates et le *Magnificat,* au cours des visites que je lui fis, pour comprendre que, en dépit de ses handicaps, l'intelligence de Martin était pleinement en mesure d'apprécier la complexité technique de Bach ; et qu'au fond ce n'était nullement une question d'intelligence. Il vivait en Bach et Bach vivait en lui.

Martin avait en fait des capacités musicales « monstrueuses » – mais elles n'étaient monstrueuses que si on les retirait de leur contexte naturel.

Ce qui était central pour Martin, comme cela l'avait été pour son père, et qu'ils avaient tous deux intimement partagé, c'était l'*esprit* de la musique, spécialement de la musique religieuse et de la voix considérée comme un instrument divin permettant de se hausser jusqu'à la prière et à la jubilation par l'intermédiaire du chant.

Martin fut un autre homme lorsqu'il recommença à chanter à l'église – il se reprit, se reconstitua, retrouva son côté réel. Ses fausses personnalités – le retardé, le gamin morveux qui crachait – disparurent ; de même l'eidétique agaçant, indifférent, impersonnel. La vraie personnalité refit surface : celle d'un homme digne, décent, respecté et désormais apprécié des autres résidents.

Il était merveilleux de voir Martin chanter, ou communier avec la musique. Il l'écoutait avec une intensité qui touchait à l'extase – « un homme au plus fort de son intégrité ». Dans ces moments-là, comme Rebecca lorsqu'elle jouait, José lorsqu'il dessinait ou les jumeaux lorsqu'ils étaient plongés dans leur étrange communion numérique, Martin était littéralement transformé. Tout ce qu'il pouvait y avoir en lui de pathologique ou d'arriéré disparaissait, pour ne plus laisser place qu'à la concentration, l'animation, l'intégrité, la santé.

Post-scriptum

Lorsque j'écrivis ce chapitre et les deux suivants, je me fondai sur ma propre expérience, en ignorant presque tout ce qui avait été écrit sur le sujet, sans savoir en tout cas qu'il existait une vaste documentation (voir, par exemple, les cinquante-deux références dans Lewis Hill 1974). Je n'avais fait que l'entrevoir, après la première publication des « Jumeaux », quand je fus inondé de lettres et de tirés-à-part sur le sujet, qui me déroutèrent ou excitèrent ma curiosité.

Mon attention fut notamment attirée par une belle étude détaillée de David Viscott (1970). Nombreuses sont les similitudes entre Martin et sa patiente, Harriet G. Chez tous deux on trouve des pouvoirs extraordinaires – qu'ils utilisent de façon souvent négative, mais parfois positive et créative : par exemple, si son père lui en faisait la lecture, Harriet retenait les trois premières pages de l'annuaire téléphonique de Boston (et pouvait pendant des années donner n'importe quel numéro extrait de ces pages à qui le lui demandait). De plus, elle avait la faculté de composer et d'improviser dans le style de n'importe quel compositeur.

Tous deux étaient manifestement – comme les jumeaux (voir le prochain chapitre) – poussés ou attirés par ces exploits purement mécaniques, typiques des « idiots savants » – exploits aussi prodigieux que dépourvus de sens ; mais tous deux aussi (comme les jumeaux), lorsqu'ils échappaient à cette attirance, manifestaient un véritable plaisir dans l'ordre et la cohérence, qu'il soit de nature musicale ou spirituelle comme une cantate, ou bien de nature encyclopédique comme le Grove. Bach et Grove sont tous deux *un monde.* Martin, en fait, n'a pas d'autre monde que la musique – comme la patiente de Viscott –, mais c'est un monde réel, dans lequel il trouve sa propre réalité et peut se transformer. C'est une chose merveilleuse à voir chez Martin – et qui ne l'était sans doute pas moins chez Harriet G. :

> Cette femme disgracieuse, balourde, avec ses cinq ans d'âge mental, fut absolument transformée le jour où je lui demandai de jouer dans un séminaire du Boston State Hospital. Elle s'assit d'un air posé devant le piano qu'elle fixa jusqu'à ce que le silence se fasse dans la salle ; ensuite elle leva lentement les mains vers le clavier et les laissa reposer un moment. Puis elle inclina la tête et se mit à jouer avec la sensibilité et le style d'une concertiste. A partir de ce moment-là, nous avions devant nous quelqu'un d'autre.

On parle des « idiots savants » comme s'ils avaient un « truc » ou un talent spécial, une sorte de mécanisme dépourvu d'intelligence ou de compréhension réelles. C'était ce que j'avais d'abord pensé en voyant Martin – et je continuai à le penser jusqu'à ce que j'enregistre le *Magnificat.* A ce moment-là seulement je vis qu'il pouvait saisir la pleine complexité d'une œuvre de ce genre, et que ce talent ne révélait pas seulement chez lui une mémoire prodigieuse, ou l'habile usage d'un « truc », mais une véritable et puissante intelligence musicale. Il fut donc particulièrement intéressant pour moi de recevoir, après la première édition de ce livre, un fascinant article de L.K. Miller de Chicago, intitulé « Sensibilité à la structure tonale chez un savant musical atteint d'une infirmité de développement » (article présenté à la Société psychonomique de Boston en novembre 1985 ; sous presse actuellement). L'étude méticuleuse de ce prodige de cinquante ans – qui présentait de graves handicaps mentaux et autres dus à une rubéole maternelle – montrait qu'il n'avait aucune mémoire mécanique, « par cœur », mais « une sensibilité impressionnante aux règles présidant à la composition, en particulier au rôle des différentes notes dans la structure clé déterminante (diatonique) (...) [impliquant] une connaissance implicite des règles structurelles en un sens génératif : c'est-à-dire les règles non limitées à des exemples spécifiques fournis par son expérience propre ». C'est aussi le cas de Martin, j'en suis convaincu. Et l'on peut se demander si ce n'est pas le cas de *tous* les « idiots savants » : ceux-ci peuvent en effet avoir une véritable intelligence créatrice qui ne se limite pas à un « truc » machinal dans certains domaines spécifiques – musical, numérique, visuel ou autre – en lesquels ils excellent. C'est l'*intelligence* d'un Martin, d'un José, des jumeaux, qui finit par s'imposer, même si son champ d'action est étroit et spécialisé. C'est cette intelligence-là qu'il nous faut reconnaître et soutenir.

23

Les jumeaux

Lorsque je rencontrai pour la première fois les jumeaux, John et Michaël, en 1966 dans un hôpital public, ils étaient déjà célèbres. Ils avaient fait l'objet d'émissions de télévision et de radio, et l'on avait écrit sur eux des rapports scientifiques sérieux et des articles de vulgarisation [1]. Je crois même que leur cas, un peu « romancé », avait été pris pour thème de certains récits de science-fiction [2].

Depuis l'âge de sept ans, les jumeaux, qui avaient alors vingt-six ans, vivaient dans des établissements spécialisés où ils étaient considérés, selon les cas, comme autistes, psychotiques ou gravement retardés. La plupart des rapports concluaient que, étant donné leur état d'*idiots savants,* il n'y avait « pas grand-chose à en tirer » – sauf en ce qui concernait la remarquable mémoire qu'ils avaient des détails les plus infimes de leur vie et leur usage d'un algorithme inconscient qui était leur calendrier et leur permettait de donner exactement le jour de la semaine correspondant à n'importe quelle date du passé ou de l'avenir lointain. Steven Smith, par exemple, dans son livre très complet et imaginatif sur le sujet, *The Great Mental Calculators* (1983), partage ce point de vue. A ma connaissance, il n'existait pas d'autres études sur les jumeaux depuis le début des années soixante, le bref intérêt qu'ils avaient soulevé étant retombé avec la « solution » apparente des problèmes qu'ils présentaient.

Il y avait là, je pense, une erreur d'appréciation, sans doute

1. W.A. Horwitz *et al.* 1965, Hamblin 1966.
2. Voir le roman de Robert Silverberg, *Un jeu cruel*, Paris, « J'ai Lu », 1977.

assez naturelle étant donné la manière stéréotypée (cadre fixe des questions, concentration sur des « tâches » précises) dont les premiers enquêteurs interrogèrent les jumeaux, réduisant ainsi leur psychologie, leur façon de procéder, leur vie, à presque rien.

Cette façon de questionner les jumeaux par un « test » formel, agressif, ne donnait pas le moindre aperçu d'une réalité en fait beaucoup plus étrange, beaucoup plus complexe et beaucoup moins facile à expliquer que ces études ne le laissent entendre.

Non que ces études ou émissions télévisées soient « erronées ». Elles sont aussi raisonnables et instructives que possible, mais elles s'arrêtent à la « surface » accessible par le test, sans aller au fond des choses – ne permettant pas d'entrevoir ni même d'imaginer qu'il puisse exister chez les jumeaux une intériorité.

Pour avoir une idée de cette profondeur, il faut cesser de leur faire passer des « tests » et commencer à les considérer comme des sujets. Il faut laisser de côté notre tendance à établir des limites et des critères, et faire connaissance avec eux – les observer ouvertement, calmement, sans idées préconçues, avec une ouverture phénoménologique et une sympathie totale : les voir tels qu'ils vivent, pensent et agissent l'un sur l'autre tranquillement, menant leur vie à leur guise. A ce moment-là apparaît quelque chose d'extrêmement mystérieux – une dimension, des pouvoirs d'une nature peut-être fondamentale – que je n'ai jamais pu « élucider » au cours des dix-huit années durant lesquelles je les ai suivis.

Certes, à la première rencontre ils sont peu engageants – des Dupont et Dupond grotesques, impossibles à distinguer l'un de l'autre, dont les visages, les mouvements, les personnalités, les pensées et même les stigmates laissés par les lésions cérébrales et nerveuses sont absolument identiques. Ils sont tout petits ; leurs têtes et leurs mains sont disproportionnées ; ils ont le palais ogival, les pieds cambrés, des voix monotones et criardes, toutes sortes de tics et de maniérismes et une très forte myopie dégénérative, exigeant des verres si épais que leurs yeux en paraissent déformés ; le tout leur donnant l'air de ridicules petits professeurs qui porteraient sur le monde un regard perçant à la concentration gênante, obsédée et absurde. Cette impression se confirme si on les interroge et si on les laisse commencer spontanément, comme des marionnettes, l'un de leurs « numéros ».

C'est ainsi qu'on les présente dans les articles et sur scène – en particulier lors de la représentation annuelle dont ils sont les « vedettes » à l'hôpital où je travaille – et aussi au cours de leurs fréquentes, et plutôt embarrassantes, apparitions télévisées.

Les choses se déroulent alors de façon assez monotone. « Donnez-nous une date – n'importe laquelle des quarante mille ans passés ou à venir. » Vous leur donnez une date et, presque instantanément, ils vous disent le jour de la semaine correspondant à cette date. « Une autre date ! » s'écrient-ils et l'exploit se renouvelle. Ils peuvent aussi vous donner la date de Pâques sur une période de quatre-vingt mille ans. Au cours de l'opération, on peut observer, même si les rapports ne le mentionnent pas, que leurs yeux bougent et se fixent d'une manière particulière – comme s'ils déroulaient ou scrutaient un paysage intérieur, un calendrier mental. Même si l'on a conclu qu'il s'agissait d'un calcul pur et simple, ils donnent l'impression de « voir », d'être dans un état d'intense visualisation.

Leur mémoire des chiffres est remarquable – et probablement sans limite. Ils répéteront avec une égale facilité un nombre de trois, trente ou trois cents chiffres. Là aussi, on a parlé de « méthode ».

Mais, si l'on commence à tester leur aptitude à réellement calculer – le point fort habituel des prodiges en arithmétique et calcul mental –, le résultat est étonnamment mauvais, il correspond bien à leur QI de 60. Ils sont incapables de réussir à coup sûr l'addition ou la soustraction la plus simple, et ne comprennent même pas le sens d'une multiplication ou d'une division. Qui sont donc ces « calculateurs » incapables de calculer, dépourvus des facultés arithmétiques les plus élémentaires ?

On les appelle pourtant des « calculateurs de calendriers » – et, faute de preuve, on admet en général que c'est l'utilisation pour les calculs chronologiques d'un algorithme inconscient qui est en jeu chez eux, et non pas, à proprement parler, la mémoire. On se souvient que Carl Friedrich Gauss, l'un des plus grands mathématiciens et calculateurs de tous les temps, avait la plus extrême difficulté à calculer un algorithme pour déterminer la date de Pâques, comment est-il possible, alors, que ces jumeaux incapables d'employer les méthodes arithmétiques les plus simples aient pu déduire, calculer et utiliser de tels algorithmes ? De très nombreux calculateurs, il est vrai, ont un très vaste répertoire de méthodes et d'algorithmes qu'ils ont élaborés pour leur propre usage ; c'est peut-être ce qui a conduit W.A. Horwitz et consorts à conclure que c'était aussi le cas des jumeaux. Steven Smith quant à lui, prenant ces premières études à la lettre, fait ce commentaire :

> Quelque chose de mystérieux, quoique banal, est ici en jeu – la mystérieuse aptitude de l'homme à former des algorithmes inconscients à partir d'exemples.

Si tout commençait et finissait là, on pourrait dire en effet qu'il s'agit d'un fait banal, dépourvu de tout mystère – car le calcul des algorithmes, qui peut tout aussi bien être fait par une machine, est essentiellement mécanique et appartient à la sphère des « problèmes » plutôt qu'à celle des « mystères ».

Et pourtant, certaines de leurs performances, certains de leurs « tours » vous laissent pantois. Les jumeaux sont capables de vous donner le temps et les événements correspondant à n'importe quel jour de leur vie depuis l'âge de quatre ans. Leur façon de parler – que Robert Silverberg a bien rendue chez le personnage de Melangio – est enfantine, détaillée, dépourvue de toute émotion. Dites-leur une date et leurs yeux rouleront pendant un moment avant de se fixer ; ils vous donneront alors, d'une voix plate et monotone, le temps qu'il faisait, les événements politiques précis dont ils auront entendu parler et des épisodes de leur propre vie – lesquels reflètent souvent l'angoisse douloureuse et poignante de leur enfance, le mépris, les moqueries et les mortifications qu'ils ont endurées –, tout cela débité sur un ton monocorde, sans l'once d'une émotion ou d'une inflexion personnelle. Ici, on a manifestement affaire à des souvenirs de type « documentaire », dépourvus de toute espèce de référence personnelle.

On dirait que l'implication et l'émotion ont été supprimées de leur mémoire par une sorte de réaction défensive propre aux natures obsessionnelles ou schizoïdes (et les jumeaux peuvent certainement être considérés comme des obsessionnels et des schizoïdes). Mais on peut dire aussi, et ce serait tout aussi plausible, que ce type de mémoire n'a *jamais* de caractère personnel : c'est précisément la caractéristique principale d'une mémoire eidétique comme la leur.

Il faut insister sur l'amplitude de la mémoire des jumeaux (même si elle est enfantine et banale), sur son étendue apparemment sans limites et sur la façon dont ils retrouvent leurs souvenirs – tous aspects qui échappent à ceux qui les étudient, mais sont parfaitement évidents pour un spectateur naïf, prêt à s'étonner. Si vous leur demandez comment ils parviennent à retenir autant de choses – un nombre de trois cents chiffres ou un trillion d'événements correspondant à quatre décades – ils vous répondent très simplement : « Nous les voyons. » A la clé de tout cela, il y a donc une « vision » – une « visualisation » – d'une intensité extraordinaire, d'une étendue illimitée et d'une fidélité parfaite. Leur esprit paraît être pourvu d'une capacité physiologique naturelle qui n'est pas sans analogies avec ce que « voyait » le fameux patient de Louriia dans *Une prodigieuse mémoire,* même si les jumeaux manquent peut-être de cette puissante organisation synthétique et consciente que l'on trouve dans les souvenirs du « mnémoniste ». Mais il ne fait aucun doute, du moins pour moi, qu'ils ont à leur disposition un prodigieux panorama, une sorte de paysage ou de physionomie de tout ce qu'ils ont pu voir, entendre, pensé ou fait, et qu'il leur suffit d'un mouvement de l'œil – roulement ou brève fixation –, visible par tous, pour retrouver (« avec les yeux de l'esprit ») et « voir » pratiquement n'importe quel élément de ce paysage.

Des capacités mnémoniques pareilles sont extrêmement rares, mais elles ne sont pas uniques. Nous ignorons tout ou presque de la raison pour laquelle les jumeaux, ou d'autres, ont de tels pouvoirs. Trouve-t-on chez eux quelque chose de particulièrement intéressant, comme j'en ai l'intuition ? Il me semble que oui.

On raconte une anecdote à propos de sir Herbert Oakley,

professeur de musique à Édimbourg au XIXe siècle. Un jour où on l'avait emmené dans une ferme, il entendit un cochon couiner et s'écria immédiatement : « Sol dièse ! » Quelqu'un courut au piano, c'était bien un sol dièse. C'est un peu de la même façon spontanée que j'eus un premier aperçu plutôt amusant (je ne peux m'empêcher de le penser) des pouvoirs et de la façon de procéder des jumeaux « au naturel ».

Une boîte d'allumettes tomba de la table et son contenu se renversa sur le sol. Tous les deux s'écrièrent alors d'une même voix : « 111 » ; John dit ensuite dans un murmure : « 37 », Michaël répéta le nombre ; John le reprit une troisième fois et s'arrêta. Je comptai les allumettes – cela me prit du temps : il y en avait cent onze.

– Comment pouvez-vous compter si vite ces allumettes ? demandai-je.

– Nous ne comptons pas, dirent-ils. Nous avons *vu* les cent onze.

Des histoires du même genre courent sur le compte de Zacharie Dase, le prodige des nombres qui énonçait instantanément « 183 » ou « 79 » si on versait une pile de petits pois devant lui ; il essayait d'expliquer (il était assez lourdaud) qu'en fait il ne comptait pas les petits pois, mais voyait leur nombre globalement en un éclair.

– Et pourquoi murmurez-vous « 37 » et le répétez-vous trois fois ? demandai-je aux jumeaux.

Ils répondirent à l'unisson :

– 37, 37, 37, 111.

Je trouvai cela, si possible, encore plus curieux. Qu'ils puissent *voir* le 111 – le « 111 en soi » – était déjà extraordinaire, comme le « sol dièse » d'Oakley – c'était avoir, si l'on peut dire, une sorte d'« oreille absolue » des nombres. Mais qu'ils puissent « mettre en facteurs » le nombre 111 – sans avoir la moindre méthode et sans même « savoir » (au sens courant du terme) ce qu'est un facteur, voilà qui était proprement renversant. J'avais observé en effet qu'ils étaient incapables d'effectuer les calculs les plus simples et qu'ils ne « comprenaient » pas (ou ne semblaient pas comprendre) une multiplication ou une division. Et pourtant ils venaient de diviser un nombre composé en trois parties égales.

– Comment faites-vous ? leur demandai-je, plutôt vivement.

Ils tentèrent alors de me faire comprendre comme ils purent, avec de pauvres mots insuffisants (mais peut-être n'existe-t-il pas ici de mot adéquat) qu'ils ne « calculaient » pas mais qu'ils se contentaient de « voir ». John fit un geste en tendant le pouce et deux doigts pour montrer qu'il avait spontanément *divisé* le nombre en *trois* et que cette division tripartite s'était faite sans son accord, par une sorte de « fission » numérique spontanée. Tous deux parurent étonnés de ma surprise – comme si j'étais aveugle ; le geste de John exprimait une extraordinaire immédiateté *sentie.* Ils ont peut-être, pensais-je, une sorte d'aptitude à « voir » immédiatement, concrètement, les propriétés, non pas d'une façon abstraite ou conceptuelle, mais comme des qualités ressenties, sensuelles même ; non comme de simples qualités isolées (« la cent-onzité », si l'on peut dire) mais comme des qualités attachées à des relations. Tout comme, si l'on veut, sir Herbert Oakley aurait pu dire : c'est une « tierce », ou une « quinte ».

Je commençais à me demander si, à travers leur « vision » des événements et des dates, ils ne gardaient pas en pensée, ils ne *retenaient* pas une immense tapisserie mnémonique, un panorama, peut-être infini, dans lequel tout pouvait être vu, soit isolément, soit en relation. Ce qui apparaissait lorsqu'ils déroulaient au hasard leur implacable « documentaire », c'était surtout des propriétés isolées. Avec des pouvoirs de visualisation aussi prodigieux – pouvoirs essentiellement concrets et tout à fait distincts de la capacité de conceptualiser – se pouvait-il qu'ils voient des relations formelles, des rapports de forme, signifiants ou arbitraires ? Si la « cent-onzité » leur apparaissait en un clin d'œil (s'ils pouvaient voir une « constellation » entière de nombres), ne pourraient-ils pas « voir » aussi d'un seul coup – voir, reconnaître, faire le rapport et comparer d'une manière entièrement sensitive et non intellectuelle – des formations et des constellations de nombres étonnamment complexes ? Pouvoir finalement ridicule, handicapant. Je pense ici au Funes de Borges :

> D'un coup d'œil, nous percevons trois verres sur une table ; Funes, lui, percevait tous les rejets, les grappes et les fruits qui composent une treille... Une circonférence sur un tableau, un triangle rectangle, un losange, sont des formes que nous pouvons percevoir pleinement ; de même Irénée percevait les crins embroussaillés d'un poulain, quelques têtes de bétail sur un coteau... Je ne sais combien d'étoiles il voyait dans le ciel [1].

Les jumeaux, qui semblaient avoir une passion pour les nombres et les comprenaient particulièrement bien, pouvaient-ils, eux qui avaient vu en un coup d'œil les « 111 » allumettes, voir une « treille » numérique, avec toutes les feuilles, les rejets, les fruits qui la composent ? Pensée étrange, absurde peut-être, presque impossible... mais ce qu'ils m'avaient déjà montré dépassait en étrangeté tout ce que l'on peut imaginer. Et ce n'était, pour autant que je sache, qu'un simple aperçu de leurs possibilités.

Je pensais à cette question, mais cela valait à peine de se mettre martel en tête. Alors je l'oubliai jusqu'au jour où je fus témoin à l'improviste d'une autre scène tout à fait magique.

Cette fois-là, ils étaient assis dans un coin tous les deux avec un sourire mystérieux au coin des lèvres, sourire que je ne leur avais encore jamais vu et qui semblait témoigner d'une paix et d'un plaisir étranges. Je m'approchai sans bruit pour ne pas les déranger. Ils semblaient enfermés dans une communication singulière, d'ordre purement numérique. John donnait un nombre – un nombre à six chiffres. Michaël l'écoutait, hochait la tête, souriait en ayant l'air de le savourer. Puis, à son tour, il donnait un autre nombre à six chiffres que John recevait et appréciait pleinement. On aurait dit deux chevaliers du taste-vin en train d'apprécier ensemble un bouquet rare. Je m'assis non loin d'eux, sans qu'ils me voient. J'étais stupéfait, hypnotisé.

Qu'étaient-ils en train de faire ? Que se passait-il donc ? Je ne voyais pas. Il s'agissait peut-être d'une sorte de jeu d'une gravité, d'une densité, d'une intensité sereine, méditative et presque

1. Borges, *Fictions*, « Funes ou la mémoire », Paris, Gallimard, coll. « Folio », 1983, p. 114-115.

sacrée que je n'avais encore jamais vue dans aucun jeu ordinaire, et en tout cas jamais chez ces jumeaux habituellement agités et distraits. Je me contentai de noter les nombres qu'ils formulaient et dont ils semblaient retirer un tel plaisir – comme s'ils les « contemplaient », les savouraient, les partageaient dans une véritable communion.

Sur le chemin du retour, je me demandai si ces nombres avaient une signification, un sens « réel » ou universel, ou du moins un sens purement privé, l'un de ces « codes » secrets et un peu stupides qui s'élaborent parfois entre frère et sœur. Tout en conduisant, je pensais aux jumeaux de Louriia – Liosha et Yura –, de vrais jumeaux atteints de lésions cérébrales et de difficultés de parole : eux aussi jouaient et bavardaient dans un langage bien à eux, une sorte de babillage primitif (Louriia et Yudovitch 1959). Mais John et Michaël ne parlaient même pas à demi-mots – ils s'envoyaient simplement des nombres. S'agissait-il de nombres « borgésiens » ou « funésiens », de treilles, de crinières de poulains ou de constellations numériques, de formes-nombres – un argot numérique, en quelque sorte, connu d'eux seuls ?

A peine rentré chez moi, je compulsai les tables de puissances, de racines, de logarithmes et de nombres premiers – reliques d'une époque singulière et fugitive de ma propre enfance où j'avais été un « voyeur » et « ruminateur » de nombres, véritablement passionné par eux. J'avais déjà un pressentiment, qui était en train de se confirmer. *Tous les nombres que s'échangeaient les jumeaux, ces nombres à six chiffres, étaient des nombres premiers,* c'est-à-dire des nombres qui ne pouvaient pas être divisés par un autre qu'eux-mêmes ou l'unité. Avaient-ils été en possession d'un livre comme le mien – ou bien étaient-ils, par un phénomène invraisemblable, capables de « voir » les nombres premiers, un peu comme ils avaient vu le « 111 en soi », ou le triple « 37 » ? Ils ne pouvaient certainement pas les *calculer*, puisqu'ils ne pouvaient rien calculer.

Le lendemain, je retournai à la clinique en emportant la précieuse table des nombres premiers. Les jumeaux étaient toujours plongés dans leur tête-à-tête numérique. Cette fois, sans rien dire, je me joignis à eux. Au début, ils restèrent interdits, mais, comme je ne les interrompais pas, ils reprirent leur « jeu » sur les nombres premiers à six chiffres. Au bout de quelques minutes, je décidai de me joindre à eux et proposai un nombre premier à huit chiffres. Tous deux se tournèrent alors vers moi et s'immobilisèrent soudain avec un air dénotant une concentration intense et peut-être un certain étonnement. Il y eut une longue pause – la plus longue que je leur ai jamais vu faire car elle dura peut-être une demi-minute ou plus – puis, brusquement, leur visage s'illumina d'un sourire.

Au bout d'un inimaginable cheminement interne, ils avaient soudain vu mon nombre à huit chiffres comme un nombre premier – ce qui fut manifestement une grande joie pour eux, une double joie : d'abord parce que j'avais inauguré un nouveau jouet merveilleux, un nombre premier d'un ordre qu'ils n'avaient encore jamais rencontré ; ensuite parce qu'il était évident que j'avais compris ce qu'ils étaient en train de faire, et que, l'aimant et l'admirant, je pouvais m'y associer.

Ils s'écartèrent un peu pour faire place à ce nouveau camarade de jeu, à cette troisième personne qui entrait dans leur monde. Puis John, qui était toujours le meneur, réfléchit pendant un très long moment – peut-être au moins cinq minutes durant lesquelles je ne soufflai mot, osant à peine respirer – et il émit un nombre à neuf chiffres ; au bout du même délai, son jumeau Michaël répondit avec un nombre analogue. Ensuite, à mon tour, après avoir jeté un regard discret à mon livre, j'apportai ma propre (et quelque peu malhonnête) contribution : un nombre premier à dix chiffres, trouvé dans mon livre.

Il se fit un nouveau silence, d'un calme étonnant, plus long encore ; puis John, après une prodigieuse contemplation intérieure, énonça un nombre à douze chiffres. Je ne pus vérifier ni poursuivre le jeu, car mon livre – qui était, autant que je sache, unique en son genre – n'allait pas au-delà des nombres à dix chiffres. Mais Michaël le pouvait, bien que cela lui prenne cinq minutes – et, une heure plus tard, les jumeaux échangeaient des nombres premiers de vingt chiffres, ou du moins le supposai-je, n'ayant aucun moyen de le vérifier. A cette époque, en 1966, il n'y avait pas de moyen simple de le vérifier, à moins d'avoir à sa disposition un ordinateur sophistiqué. Et, même en ce cas, en utilisant le crible d'Ératosthène ou tout autre algorithme, ce n'aurait pas été facile, car *il n'existe pas de méthode simple pour calculer les nombres premiers de cet ordre* – et pourtant les jumeaux le pouvaient (voir le post-scriptum).

Je repensai à Dase, le personnage de ce livre enchanteur de F.W.H. Myers, *Human Personality* (1903), que j'avais lu quelques années auparavant.

> Nous savons que Dase (peut-être le plus réussi de ces prodiges) était curieusement dépourvu de connaissances mathématiques... Pourtant, en douze ans, il établit des tables de facteurs et de nombres premiers pour le septième et presque tout le huitième million – tâche que peu d'hommes pourraient accomplir sans l'aide d'une machine au cours d'une vie ordinaire.

On peut le considérer, conclut Myers, comme le seul homme qui ait jamais rendu un service valable aux mathématiques bien qu'étant incapable de traverser le pont aux ânes *.

Myers ne dit pas – mais ce n'était peut-être pas clair – si Dase avait une méthode pour construire ses tables ou bien si, à la manière, semble-t-il, des jumeaux, il « voyait » en quelque sorte les grands nombres premiers, comme pourraient le laisser croire ses expériences de simple « vision numérique ».

Je pouvais observer tranquillement les jumeaux, car je disposais d'un bureau dans le service où ils étaient hébergés : je les voyais se livrer à toutes sortes de jeux et de communications numériques dont je ne pouvais ni affirmer ni même deviner la nature.

Mais il est probable, ou même certain, qu'ils ont affaire à des propriétés ou qualités « réelles », car l'arbitraire (comme des numéros donnés au hasard) ne leur procure pratiquement aucun plaisir. Il faut que leur nombre ait un « sens », c'est évident – comme il faut que le musicien ait une base harmonique. Me

* Pont aux ânes : nom donné à la démonstration graphique du théorème sur le carré de l'hypoténuse. Par extension : banalité connue de tous [*NdT*].

voilà en train de les comparer à des musiciens – ou à Martin (chapitre XXII), retardé comme eux, qui trouvait dans les somptueuses et sereines architectures de Bach une expression sensible de l'harmonie et de l'ordre ultime du monde, lesquels lui étaient par ailleurs tout à fait inaccessibles conceptuellement du fait de ses handicaps intellectuels.

> Quiconque est composé de manière harmonique, écrit sir Thomas Browne, s'enchante de l'harmonie (...) et d'une profonde contemplation du Premier Compositeur. Il y a dans l'harmonie quelque chose qui relève du divin et va au-delà de ce que l'oreille seule peut découvrir ; c'est une lecture du Monde Entier sous forme symbolique et secrète (...) un écho sensible de cette harmonie qui retentit intellectuellement aux oreilles de Dieu (...) L'âme (...) est harmonique et trouve sa sympathie la plus profonde dans la Musique.

Dans son livre *The Thread of Life* (1984), Richard Wollheim fait une distinction radicale entre les calculs et ce qu'il appelle les états mentaux « iconiques ». Il devance ainsi l'objection possible à une telle distinction :

> On pourra contester le fait que les calculs ne sont pas de nature iconique en soutenant qu'il nous arrive de visualiser le calcul sur la page lorsque nous faisons un calcul. Mais cela ne réfute en rien mon argument, car, ce qui est alors représenté, ce n'est pas le calcul lui-même, mais sa reproduction : ce sont les *nombres* qui sont calculés, mais ce sont les *chiffres*, représentant les nombres, qui sont visualisés.

Leibniz, quant à lui, voit une analogie frappante entre les nombres et la musique : « Le plaisir que nous retirons de la musique vient du fait que nous comptons inconsciemment. La musique n'est rien d'autre qu'une arithmétique inconsciente. »

Que se passe-t-il donc, autant que nous puissions en juger, chez les jumeaux et chez d'autres peut-être ? Ernst Toch, le compositeur, était capable – selon son petit-fils Lawrence Weschler – de retenir une longue suite de nombres en les ayant entendus une seule fois ; mais, pour ce faire, il devait « convertir » la suite de nombres en air de musique (en une mélodie à laquelle il donnait lui-même une forme « correspondant » aux nombres). Jedediah Buxton, l'un des plus laborieux et opiniâtres calculateurs de tous les temps, un homme qui avait une véritable passion, presque pathologique, pour le calcul et les comptes (il pouvait « s'enivrer de calculs », pour reprendre ses propres termes) convertissait en nombres la musique et le théâtre. « Au cours d'une danse, disait à son propos un rapport de l'époque, en 1754, il fixait son attention sur le nombre de pas ; après un beau morceau de musique, il déclarait que la multitude de sons produits par la musique l'avait embarrassé outre mesure et qu'il ne suivait monsieur Garrick * que pour compter les mots qu'il allait prononcer, ce en quoi il réussissait parfaitement. »

Voilà deux exemples intéressants, quoique extrêmes : le musicien qui transforme les nombres en musique et le calculateur qui transforme la musique en nombres. On pourrait difficilement trouver deux types de pensée, ou du moins deux modes de pensée, plus opposés [1].

Je crois que les jumeaux, qui ont un « sens » extraordinaire des nombres, tout en étant incapables du moindre calcul, sont plus proches de Toch que de Buxton à cet égard, mis à part le fait – si difficile à imaginer pour nous autres, gens ordinaires – qu'ils ne « convertissent » pas les nombres en musique mais les éprouvent en eux-mêmes, comme des « formes », comme des « sons », comme ces innombrables figures qui composent la nature. Ce ne sont pas des calculateurs, et leur aptitude au calcul est « iconique ». Ils rassemblent d'étranges scènes de nombres, et se meuvent en elles ; ils évoluent à leur guise dans de vastes champs de nombres, et créent, dramaturgiquement, tout un univers. Leur imagination est des plus singulières – et le fait de ne pas pouvoir imaginer autre chose que des nombres n'est pas la moindre de leurs singularités. Ils n'ont pas l'air d'« opérer » avec les nombres,

* Célèbre acteur anglais du XVIIIe siècle [*NdT*].

1. Ma patiente Miriam H., dans *Cinquante Ans de sommeil*, présentait un phénomène comparable à la méthode de Buxton (qui peut sembler la plus « artificielle » des deux) au cours de ses crises d'« arithmomanie ».

comme des calculateurs ; ils les « voient » au contraire directement, comme une vaste scène naturelle.

Et, si l'on se demande s'il existe des analogies à une « iconicité » de ce genre, on pourra peut-être la trouver dans certains cerveaux scientifiques. Dmitri Mendeleïev, par exemple, portait sur lui, inscrites sur des cartons, les propriétés numériques des éléments jusqu'à ce qu'elles lui deviennent parfaitement familières – si familières qu'il n'y pensait même plus comme des agrégats de propriétés, mais « comme des visages familiers » (selon son expression). Les éléments lui apparaissaient iconiquement, physionomiquement, comme des « visages » liés entre eux comme les membres d'une famille et constituant *in toto* la face formelle de l'univers disposée dans un ordre périodique. Un esprit scientifique comme le sien est essentiellement « iconique » et « voit » la nature entière sous forme de visages ou de scènes, peut-être même comme de la musique. Cette « vision », tout intérieure et presque surnaturelle, est néanmoins parfaitement intégrée à l'ordre physiologique et la tâche secondaire, ou externe, d'une telle science, consiste à opérer un retournement et à passer du psychique au physique. (« Le philosophe cherche à entendre en lui-même les échos de la symphonie du monde, écrit Nietzsche, et à les re-projeter sous forme de concepts. ») Je suppose que les jumeaux, tout en étant idiots, entendent la symphonie du monde, mais ils l'entendent uniquement sous forme de nombres.

Quel que soit notre QI, la nature de l'âme est « harmonique » et, chez certains, comme les mathématiciens et les physiciens, le sens de l'harmonie est avant tout intellectuel. Cependant, j'ai peine à m'imaginer que l'intellectuel ne soit pas aussi, d'une certaine façon, sensible – le mot « sens » a toujours, en effet, cette double connotation. Sensible et personnel aussi, car nous disons qu'une chose est « sensible » dans la mesure où elle se rapporte à nous d'une façon ou d'une autre. Ainsi donc, les puissantes architectures de Bach pourront bien être pour Martin A. « une lecture du Monde Entier sous une forme hiéroglyphique, secrète », mais elles seront aussi uniques, reconnaissables entre toutes, chères à notre cœur, en tant que musique de Bach ;

Martin A. éprouvait aussi cela de façon poignante et l'associait à l'amour qu'il portait à son père.

Les jumeaux, à mon avis, n'avaient pas seulement une étrange « faculté », mais aussi une sensibilité, une sensibilité harmonique, liée peut-être à celle de la musique. On pourrait tout naturellement la qualifier de sensibilité « pythagoricienne » – et le plus étrange n'est pas tant qu'elle existe mais qu'elle soit si rare. Notre âme est harmonique, quel que soit son QI, et le besoin de trouver ou de ressentir un ordre ou une harmonie ultimes est un besoin universel de l'esprit humain, quelles que soient ses facultés et quelle que soit la forme que peut prendre ce besoin. Les mathématiques ont toujours été considérées comme la « reine des sciences », et les mathématiciens ont toujours considéré les nombres comme le mystère par excellence, et le monde comme mystérieusement organisé sous leur pouvoir. Bertrand Russell l'a magnifiquement exprimé dans le prologue de son *Autobiographie* [1] :

> Non moins passionnément, j'ai aspiré à la connaissance. J'ai voulu comprendre les cœurs humains. J'ai voulu savoir ce qui fait briller les étoiles. J'ai tenté de capter la vertu pythagoricienne qui maintient au-dessus de l'universel devenir le pouvoir des nombres.

Il pourrait paraître étrange de comparer ces jumeaux idiots à un esprit comme celui de Bertrand Russell. Et pourtant je ne pense pas que la comparaison soit abusive. Les jumeaux vivent exclusivement dans la pensée des nombres. Ils ne s'intéressent ni à ce qui fait briller les étoiles ni au cœur humain. Mais les nombres sont pour eux plus que de simples nombres : ils sont, je pense, des significations, des signifiants dont le signifié est le monde.

Ils n'abordent pas l'univers des nombres avec légèreté, comme la plupart des calculateurs mentaux. Ils n'éprouvent pas d'intérêt et ne possèdent pas d'aptitude à comprendre les calculs.

1. Bertrand Russell, *Autobiographie 1872-1914*, trad. fr. de Michel Berveiller, Paris, Stock, 1968.

Ce seraient plutôt des contemplateurs sereins, abordant les nombres avec crainte et respect. Pour eux, les nombres sont sacrés, lourds de signification : ils leur permettent – tout comme la musique le permet à Martin – d'approcher le Grand Compositeur.

Mais les nombres sont aussi des amis pour eux – peut-être les seuls amis qu'ils aient connus au cours de leur vie isolée d'autistes. C'est un sentiment assez répandu chez ceux qui ont le don des nombres. Steven Smith, tout en considérant leur « méthode » comme étant de toute première importance, en donne beaucoup d'exemples charmants : ainsi George Parker Bidder écrivait à propos de sa petite enfance numérique : « Je me familiarisai parfaitement avec les nombres jusqu'au 100 ; on aurait dit qu'ils étaient mes amis et je connaissais toutes leurs relations et connaissances » ; ou notre contemporain indien Shyam Marathe : « Lorsque je dis que les nombres sont mes amis, je veux dire que j'ai eu parfois affaire à un nombre particulier de bien des façons différentes et qu'à chaque fois je lui découvrais des aspects nouveaux et fascinants (...) C'est pourquoi maintenant, lorsque je rencontre un nombre connu au cours d'un calcul, je le considère tout de suite comme un ami. »

Hermann von Helmholtz dit à propos de la perception musicale que nous entendons généralement les tons composés comme des qualités uniques, comme des touts indivisibles, même si ceux-ci peuvent être analysés et décomposés en leurs éléments. Il veut parler ici d'une « perception synthétique », qui, transcendant l'analyse, se trouve être l'essence de tout sens musical. Il compare ces sons à des visages et imagine que nous pouvons les reconnaître de la même manière, comme des personnes. En bref, il laisse à penser que les sons et certains airs de musique sont *en fait* « des visages » pour les oreilles, visages que nous reconnaissons et ressentons comme des « personnes » (ou « pseudo-personnes ») en établissant avec eux une relation chaleureuse, émotionnelle, personnelle.

Ainsi semble-t-il en être de ceux qui aiment les nombres et les reconnaissent tels qu'ils sont – dans une sorte d'identification immédiate, intuitive, personnelle [1]. Le mathématicien Wim Klein l'a fort bien exprimé : « Les nombres sont d'une certaine façon pour moi des amis. Pour vous, ce n'est pas la même chose. Par exemple 3 844, pour vous, ce sera seulement un trois, un huit, un quatre et un quatre. Tandis que je dirai : " Salut, 62 au carré ! " »

Je pense que les jumeaux, apparemment si isolés, vivent dans un monde peuplé d'amis, dans lequel ils reconnaissent et saluent des millions et des billions de nombres qui leur rendent leur salut. Mais aucun de ces nombres n'est arbitraire – comme le 62 au carré – ni accessible (et c'est là le mystère) par une méthode usuelle ou autre, pour autant que je puisse le prouver. Les jumeaux emploient, semble-t-il, une cognition directe – comme les anges. Ils voient directement un univers, un ciel faits de nombres. Cela peut paraître bizarre – mais de quel droit dirions-nous que c'est « pathologique » ? C'est, en tout cas, ce qui confère à leur vie une autonomie et une sérénité singulières dans lesquelles il pourrait être tragique de s'ingérer, qu'il pourrait être tragique de détruire.

Cette sérénité fut en fait brisée dix années plus tard, lorsqu'on estima qu'il fallait séparer les jumeaux – « pour leur bien » – pour interrompre leur « communication malsaine » et les amener à « sortir d'eux-mêmes et à confronter le monde (...) d'une façon appropriée et socialement acceptable » (pour reprendre le jargon médical et sociologique). On les sépara donc en 1977 – un acte dont les résultats peuvent être considérés soit comme satisfaisants soit comme désastreux. Tous deux sont maintenant placés dans des « maisons de réadaptation » où ils se font de l'argent de

1. La perception et la reconnaissance des visages soulèvent des problèmes fondamentaux et particulièrement fascinants – car il est évident que nous reconnaissons directement les visages (du moins les visages familiers), et non pas par un processus d'analyse ou de reconstitution fragmentaire (morceau par morceau). La « prosopagnosie », nous l'avons vu, en est un exemple des plus dramatiques : à la suite d'une lésion du cortex occipital droit, les patients deviennent incapables de reconnaître les visages comme tels et sont obligés de se livrer à des stratagèmes indirects et absurdes, à une laborieuse analyse de détails insignifiants et fragmentaires (chapitre I).

poche en accomplissant des tâches domestiques sous une surveillance étroite. Ils peuvent prendre l'autobus si on les oriente soigneusement et si on leur donne un ticket ; ils restent à peu près propres et présentables, même si on peut voir tout de suite qu'ils sont idiots et psychotiques.

Voilà pour l'aspect bénéfique de leur séparation ; mais il y a un envers au décor, qui n'est pas mentionné dans leurs dossiers car il n'a jamais été pris en considération : privés de leur « communion » numérique, n'ayant plus même l'occasion ou le temps de « contempler » ou de « communier », car ils sont toujours bousculés d'un travail à l'autre, les jumeaux ont, semble-t-il, perdu leur étrange pouvoir numérique et avec lui tout ce qui faisait le sens et la joie de leur vie. Mais c'est, dit-on, un faible prix à payer si l'on songe qu'ils ont acquis une semi-indépendance et sont devenus « socialement acceptables ».

Ceci n'est pas sans rappeler le traitement infligé à Nadia, une enfant autiste douée d'un talent prodigieux pour le dessin (voir plus loin, p. 279). Nadia, elle aussi, fut soumise à des préceptes thérapeutiques « afin d'essayer d'amplifier au maximum ses possibilités dans d'autres domaines ». L'effet fut immédiat : elle commença à parler – et cessa de dessiner. Nigel Dennis fait ce commentaire : « Une fois que l'on a retiré au génie son génie, il ne nous reste plus que son arriération générale. Que penser d'une cure aussi étrange ? »

Il faudrait ajouter – c'est un point sur lequel insistait F.W.H. Myers, qui commence son chapitre sur le « Génie » par une réflexion sur les calculateurs prodiges – que cette faculté géniale est « étrange » et peut aussi bien disparaître d'elle-même que durer une vie entière. Chez les jumeaux, bien sûr, il ne s'agissait pas seulement d'une « faculté », mais du centre personnel et émotionnel de leur vie. Maintenant qu'ils sont séparés, que cette faculté a disparu, leur vie a perdu son centre et son sens [1].

1. Au cas où ce débat paraîtrait trop singulier ou pervers, il est important de savoir que la séparation fut en revanche essentielle pour les jumeaux étudiés par Louriia : cette séparation leur permit en effet de se développer, elle les « débloqua » d'une liaison et d'un bavardage insignifiant et stérile et rendit possible chez eux une évolution saine et créative.

POST-SCRIPTUM

Lorsqu'il lut le manuscrit de cet article, Israël Rosenfield me fit remarquer qu'il existait d'autres arithmétiques, supérieures à l'arithmétique « conventionnelle » et plus simples qu'elle ; il se demandait si les singuliers pouvoirs (et les limites) des jumeaux ne pouvaient pas correspondre à leur utilisation d'une arithmétique « modulaire ». Il m'adressa une note où il expliquait comment les algorithmes modulaires décrits par Ian Stewart dans *Concepts of Modern Mathematics* (1975) pourraient expliquer les pouvoirs des jumeaux à calculer les dates.

> Leur aptitude à déterminer les jours de la semaine sur une période de quatre-vingt mille ans correspond à un algorithme assez simple. On divise par sept le nombre total de jours qui nous sépare du jour en question. S'il n'y a pas de reste, cela veut dire que cette date tombe le même jour qu'aujourd'hui ; si le reste est un, ce sera un jour plus tard; etc. Observez que cette arithmétique modulaire est cyclique : elle est constituée de modèles répétitifs. Les jumeaux visualisaient peut-être ces modèles, soit sous forme de tableaux faciles à construire, soit sous forme de « paysage », comme la spirale des nombres entiers que l'on peut voir à la p. 30 du livre de Stewart.
>
> Cela ne répond pas à la question de savoir pourquoi les jumeaux communiquaient en nombres premiers. Mais le calendrier arithmétique a besoin du nombre premier qu'est le sept. Et, si l'on pense à l'arithmétique modulaire en général, la division modulaire produit de purs modèles cycliques à la *seule condition* d'utiliser les nombres premiers. Le nombre sept aidait les jumeaux à retrouver les dates, et par conséquent les événements qui s'étaient produits à tel jour précis de leur vie ; de la même façon, d'autres nombres premiers, qu'ils avaient dû découvrir, devaient leur fournir des modèles similaires à ceux qui leur sont utiles lorsqu'ils veulent se remémorer. (A propos des allumettes, lorsqu'ils

disent « 111 – 3 fois 37 », notez qu'ils prennent le nombre premier 37 et le multiplient par 3.) En fait, seuls les modèles des nombres premiers peuvent être « visualisés ». Les différents modèles produits par les différents nombres premiers (les tables de multiplication, par exemple) peuvent être les morceaux d'information visuelle qu'ils se communiquent l'un à l'autre lorsqu'ils répètent un nombre premier donné. Bref, l'arithmétique modulaire peut les aider à retrouver leur passé et, par conséquent, les modèles créés par l'utilisation de ces calculs (qui n'ont lieu qu'avec les nombres premiers) peuvent être chargés d'une signification particulière pour eux.

En utilisant cette arithmétique modulaire, fait remarquer Ian Stewart, on doit pouvoir arriver rapidement à une solution unique dans des situations où l'arithmétique « ordinaire » se trouve dépassée – en particulier en ce qui concerne des nombres premiers extrêmement grands et impossibles à calculer (par des méthodes conventionnelles).

Si l'on considère de tels procédés, de telles visualisations comme des algorithmes, ce sont des algorithmes bien particuliers – dont l'ordonnance n'est pas algébrique mais spatiale, comme celle des arbres, des spirales, des architectures, des « paysages mentaux » – des configurations d'un espace mental formel et pourtant quasi sensoriel. Les commentaires d'Israël Rosenfield et les exposés de Ian Stewart sur les arithmétiques « supérieures » (et spécialement l'arithmétique modulaire) m'ont vivement intéressé, car, à défaut de donner une « solution », ils mettent puissamment en lumière des pouvoirs qui sans eux resteraient inexplicables, comme ceux des jumeaux.

En 1801, Gauss, dans ses *Disquisitiones Arithmeticae,* avait déjà conçu des arithmétiques supérieures ou profondes, mais celles-ci n'ont été mises en pratique que récemment. On peut s'étonner qu'aucune arithmétique « conventionnelle » (c'est-à-dire arithmétique d'opérations) – souvent si agaçante pour les professeurs et les élèves parce qu'« artificielle » et difficile à apprendre –, ni aucune arithmétique profonde comme celle décrite par Gauss, ne soit innée dans notre cerveau comme le sont les

« structures profondes » et la « grammaire générative » de Chomsky. Dans des esprits comme ceux des jumeaux, une arithmétique de ce genre serait dynamique et presque vivante – agglomérats globulaires et nébuleuses de nombres se déroulant en spirale dans un ciel mental en constante expansion.

Comme je l'ai déjà signalé, j'ai reçu une foule de communications, tant scientifiques que personnelles, après la publication de mon article sur les jumeaux. Certaines de ces communications étaient relatives à des thèmes particuliers comme celui de la « vision » ou de l'appréhension des nombres, certaines avaient trait au sens ou à la signification que l'on peut attribuer à ces phénomènes, d'autres portaient sur le caractère général des dispositions et sensibilités autistiques et sur la question de savoir comment celles-ci peuvent être favorisées ou inhibées, d'autres encore portaient sur le sujet des vrais jumeaux. Les lettres de parents dont les enfants entraient dans ces catégories étaient particulièrement intéressantes, les plus rares et les plus remarquables d'entre elles émanant de parents qui avaient été forcés à la réflexion et à la recherche et avaient réussi à allier l'émotion et l'engagement personnel le plus profond à une réelle objectivité. Parmi eux, il y avait les Park : ils étaient les parents étonnamment doués d'enfants éminemment doués mais autistes (voir C.C. Park 1967, et D. Park 1974, p. 313-323). Leur fille Ella était une dessinatrice de talent, très douée également pour les nombres, surtout dans sa jeunesse. L'« ordre » des nombres, spécialement des nombres premiers, la fascinait. Ce goût particulier pour les nombres premiers n'est pas rare. C.C. Park m'écrivit à propos d'un autre enfant autiste qu'elle connaissait et qui couvrait « compulsivement » de nombres des feuilles de papier. « Tous étaient des nombres premiers », notait-elle, ajoutant un peu plus loin : « Ce sont les fenêtres qui donnent sur un autre monde. » Par la suite, elle me signala une expérience récente faite avec un jeune homme autiste qui était, lui aussi, fasciné par les diviseurs et les nombres premiers, et percevait immédiatement leur caractère « spécial ». Il fallait d'ailleurs utiliser le mot « spécial » pour provoquer chez lui une réaction :

– Quelque chose de spécial, Joe, à propos de ce nombre (4 875) ? Joe :
– Il est divisible par 13 et par 25.
A propos d'un autre (7 241) : « Il est divisible par 13 et 557. »
Et de 8 741 : « C'est un nombre premier. »

Park fait ce commentaire : « Personne dans sa famille n'encourage son goût pour les nombres premiers ; c'est un plaisir solitaire. »

Dans ces cas-là, il est difficile de savoir *comment* les réponses peuvent être données presque instantanément : sont-elles « calculées », « connues » (remémorées) ou simplement « vues » d'une façon ou d'une autre ? Mais il est évident qu'un plaisir et une signification particulière s'attachent aux nombres premiers. Cela correspond en partie à un sens de la symétrie et de la beauté formelle, mais il semble y avoir aussi une « signification » ou une « puissance » d'association spécifique. Dans le cas d'Ella, on a souvent parlé de « magie » : les nombres, et plus spécialement les nombres premiers, évoquaient pour elle des pensées, des images, des sensations, des rapports précis – dont certains trop « spéciaux » ou « magiques » pour être mentionnés. L'article de David Park décrit fort bien cela.

Kurt Gödel, quant à lui, a débattu d'une façon tout à fait générale de la manière dont les nombres, surtout ceux qui sont premiers, peuvent servir de « jalons » qu'on associera à des idées, des personnes, des lieux, n'importe quoi ; un « marquage » gödelien pourrait jalonner la voie d'une « arithmétisation » ou « numéralisation » du monde (voir E. Nagel et J.R. Newman 1958). Si tel était le cas, il serait possible que des êtres comme les jumeaux ne vivent pas simplement dans un monde *de* nombres, mais dans le monde *mis en nombres ;* leur méditation ou jeu numérique étant une méditation existentielle, en quelque sorte – et une communication, étrange et précise, lorsque l'on parvient à la comprendre ou à en trouver la clé (comme le fait parfois David Park).

24

L'artiste autiste

– Dessinez-moi cela, dis-je en tendant à José ma montre de gousset.

Il devait avoir dans les vingt et un ans ; on le considérait comme à tout jamais retardé, et il sortait d'une de ces violentes crises dont il souffrait. Il était mince et semblait fragile.

Sa distraction et son agitation cessèrent soudain. Il prit soigneusement la montre, comme s'il s'agissait d'un talisman ou d'un joyau, la posa devant lui et la fixa longuement.

– Il est idiot, interrompit le surveillant. Ce n'est pas la peine de lui demander ça. Il ne sait pas ce que c'est qu'une montre – il est incapable de dire l'heure. Il ne sait même pas parler. D'après eux, il est « autiste », mais en fait ce n'est qu'un idiot.

José pâlit, peut-être davantage au ton du surveillant qu'à ses mots – le surveillant venait de dire qu'il n'avait pas l'usage des mots.

– Allez, dis-je, je sais que vous en êtes capable.

José dessina avec une tranquillité absolue, entièrement absorbé par la petite montre qui se trouvait devant lui, excluant tout le reste. Pour la première fois, je le voyais confiant, calme, sans la moindre trace d'hésitation ou de distraction. Il dessina rapidement, mais avec minutie, sans jamais effacer, d'une seule traite.

Je demande presque toujours à mes patients d'écrire et de dessiner, d'une part pour avoir une idée générale de leurs diverses compétences, mais aussi pour leur donner l'occasion d'exprimer leur « caractère » ou leur « style ».

José avait dessiné la montre avec une remarquable fidélité, y mettant tous les éléments essentiels (mais non « *Westclox, shock*

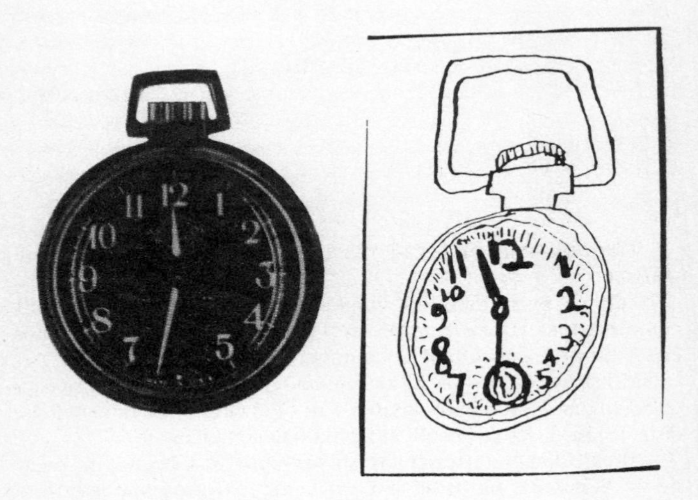

resistant, made in USA ») : non seulement l'heure, 11 h 31, qu'il avait soigneusement marquée, mais aussi les secondes, le cadran des secondes, le remontoir et la petite poignée trapézoïdale qui servait à accrocher la montre à une chaîne. La poignée était beaucoup plus grosse que nature, tandis que le reste de la montre respectait les proportions du modèle. Quant aux chiffres, si on y prêtait attention, ils avaient des tailles, formes et styles différents – les uns épais, les autres minces ; certains alignés, d'autres décalés ; certains simples, d'autres plus élaborés, voire un peu « gothiques ». Le cadran des secondes, plutôt discret dans l'original, avait pris une épaisseur étonnante, de même que le petit cadran interne des astrolabes.

L'appréhension générale des choses, son « toucher » se révélaient là de façon frappante – d'autant plus frappante que José n'avait pas la notion du temps, comme l'avait signalé le surveillant. A côté de cela, il y avait chez lui un étrange mélange de précision parfaite, voire obsessionnelle, et d'inventions ou variations curieuses (et même amusantes).

J'étais intrigué, tourmenté, en rentrant chez moi au volant de ma voiture. Un « idiot », simplement ? De l'autisme ? Non. Il y avait autre chose.

Je ne reçus pas de nouvel appel à revoir José. La première fois, un dimanche soir, il s'était agi d'un appel d'urgence. Il avait été en crise durant tout le week-end et j'avais prescrit un changement d'anticonvulsif, par téléphone, dans l'après-midi. Maintenant que ses crises étaient « maîtrisées », un conseil neurologique plus poussé n'était plus nécessaire. Mais j'étais encore troublé par les problèmes soulevés par la montre et j'avais l'impression d'un problème non résolu à son sujet, d'une sorte de mystère. Il me fallait le revoir. Je m'arrangeai donc pour le revoir de façon plus approfondie sous prétexte d'examiner son dossier médical, car, lors de ma première visite, on ne m'avait donné qu'une fiche de consultation très peu détaillée.

José passa à la clinique – il n'avait aucune idée (et ne se souvenait peut-être pas) de la raison pour laquelle on l'avait convoqué, mais son visage s'éclaira d'un sourire lorsqu'il me vit. Son air indifférent, engourdi, le masque dont je me souvenais, disparurent. Il avait un sourire timide, fugitif, comme un filet de lumière sous une porte.

– J'ai pensé à vous, José », dis-je. Il ne comprenait peut-être pas mes mots, mais il comprenait mon ton. « Je voudrais d'autres dessins » – et je lui tendis mon stylo.

Qu'allais-je bien pouvoir lui demander de dessiner cette fois-ci ? J'avais à côté de moi un exemplaire de l'*Arizona Highways*, une revue dont j'apprécie particulièrement les somptueuses illustrations et que j'utilise à des fins neurologiques pour tester mes patients. Sur la couverture, on voyait une scène idyllique : deux personnes en train de faire du canoë sur un lac, avec des montagnes et un lever de soleil en arrière-plan. José commença par dessiner le premier plan avec une précision extrême : c'était une masse sombre, presque noire, bordant l'eau. Mais il lui aurait

fallu un pinceau et non le stylo fin dont il se servait. « Ça va, continuez avec le canoë », lui dis-je en montrant le canoë du doigt. Rapidement, sans hésiter, José dessina les silhouettes des personnages dans le bateau. Il les regarda, puis détourna son regard une fois que leurs formes furent fixées dans son esprit – et, tenant le stylo presque couché, traça une esquisse rapide.

Là encore, je fus surpris par la rapidité et la précision minutieuse de sa reproduction, d'autant plus qu'il s'agissait cette fois de toute une scène et que José, après avoir observé le canoë, après l'avoir enregistré, s'en était détourné. Ce qui montrait qu'il ne se contentait pas de recopier, contrairement à ce que le surveillant disait quelques instants plus tôt (« ce n'est qu'un Xerox »), mais tendait à prouver qu'il avait appréhendé la scène en tant qu'image, faisant ainsi preuve d'une étonnante faculté

non seulement de copier mais de percevoir. Car son dessin avait un caractère dramatique que n'avait pas l'original. Les minces personnages, agrandis, étaient plus intenses, plus vivants, donnant une impression d'engagement et de détermination qui était loin d'être claire dans la photographie originale. Toutes les traces de ce que Richard Wollheim appelle l'« iconicité » – subjectivité, intentionnalité, dramatisation – étaient là. José semblait donc avoir, en dehors de ses capacités à copier, déjà frappantes en elles-mêmes, une imagination et une créativité évidentes. Ce n'était pas le dessin d'*un* canoë, mais celui de *son* canoë.

Je tournai les pages de la revue et m'arrêtai à un article sur la pêche à la truite, illustré d'une aquarelle dans les tons pastel représentant une rivière qui se détachait sur un fond d'arbres et de rochers ; au premier plan, une truite arc-en-ciel était en train

d'attraper une mouche. « Dessinez-moi ça », dis-je à José en lui montrant le poisson. Il le regarda attentivement, esquissa un sourire et se détourna – puis, avec un plaisir évident, son sourire s'épanouissant de plus en plus, il se mit à dessiner un poisson bien à lui.

Je souriais, moi aussi, involontairement, en le voyant dessiner, car, maintenant qu'il se sentait à l'aise avec moi, il se laissait aller, et je voyais sournoisement se profiler un poisson au « caractère » bien marqué.

Autant l'original manquait de caractère, semblait inanimé, réduit à deux dimensions, voire empaillé, autant le poisson de José était cambré, équilibré, tout à fait tridimensionnel et beaucoup plus réel que le dessin de la revue. Il avait gagné non seulement en animation et en vraisemblance, mais aussi en richesse expressive, même si ce n'était plus tout à fait un poisson avec sa grande gueule caverneuse comme celle d'une baleine, son museau pareil à celui d'un crocodile, son œil résolument humain et son air tout à fait coquin. C'était un très curieux poisson – le sourire de José n'avait rien d'étonnant –, une sorte de poisson-personne tel qu'on en voit dans les contes pour enfants, comme la grenouille-valet de pied d'*Alice aux pays des merveilles.*

Il fallait maintenant que je passe à autre chose. Le dessin de la montre m'avait intrigué tout en éveillant mon intérêt, mais on ne pouvait en tirer aucune réflexion, aucune conclusion ; le dessin du canoë avait montré que José avait une mémoire visuelle impressionnante ; le poisson révélait une imagination vive et sélective, un sens de l'humour et une disposition d'esprit s'apparentant à l'art des contes de fées. Ce n'était certes pas du grand art, mais un art « primitif », enfantin peut-être ; de l'art, en tout cas. Or l'imagination, l'espièglerie, l'art, sont précisément les dernières choses auxquelles on s'attend chez les idiots, les *idiots savants* ou les autistes. Telle est du moins l'opinion courante.

Ma collègue et amie Isabelle Rapin avait vu José quelques années auparavant, lorsqu'on l'avait admis à une clinique neurologique pour enfants à la suite de « crises itératives », et elle ne doutait pas un instant qu'il fût « autiste ». A propos de l'autisme en général, elle avait écrit la réflexion suivante :

> Quelques enfants autistes ont de remarquables capacités à décoder des langages écrits et deviennent hyperlexiques ou obsédés par les nombres (...) Les capacités extraordinaires de certains enfants autistes à reconstituer des puzzles, à démonter des jeux mécaniques ou à décoder des textes écrits peuvent découler d'une attention et d'un apprentissage anormalement concentrés sur des tâches non verbales, spatio-visuelles, au détriment de l'apprentissage de facultés verbales et peut-être faute de demande de ce côté-là [1982, p. 146-150].

Dans son livre étonnant intitulé *Nadia* (1978), Lorna Selfe fait des observations du même genre, spécialement à propos du dessin. Toutes les compétences et performances d'idiots savants ou d'autistes que le docteur Selfe a recueillies dans la littérature étaient apparemment fondées sur le seul calcul et la seule mémoire, jamais sur quelque chose d'ordre personnel ou imaginatif. Et, lorsque ces enfants pouvaient dessiner – chose tenue pour rarissime –, leurs dessins restaient mécaniques. Dans la littérature, on parlera d'« îlots d'aptitudes » et de « talents clivés ». On ne tient aucun compte de l'existence d'une personnalité propre, encore moins créative.

Quelle sorte d'être était donc José ? me demandai-je. Que se passait-il en lui ? Comment en était-il arrivé à un état pareil ? De quoi s'agissait-il et pouvait-on faire quelque chose pour lui ?

L'information dont je disposais m'aidait et me désorientait en même temps. Une masse de « données » avaient été rassemblées depuis les premiers assauts de sa maladie et l'apparition de son étrange « état ». J'avais un épais dossier à ma disposition, contenant des descriptions de ses symptômes originels : une très forte fièvre à l'âge de huit ans, associée à des crises incessantes et à l'apparition rapide d'une lésion cérébrale ou d'un état autiste. (Au début, une certaine incertitude avait régné sur la nature de ce qui se passait exactement.)

Pendant toute la phase aiguë de la maladie, son liquide céphalo-rachidien était resté anormal. On s'était accordé à penser que José avait été atteint d'une sorte d'encéphalite. Ses crises pouvaient prendre des formes très variées : *petit mal, grand mal* *, crises « acinétiques » et « psychomotrices », ces dernières étant des épilepsies d'un type exceptionnellement complexe.

Les crises d'épilepsie temporale pouvaient aussi s'accompagner de violences et de passions soudaines et, parfois même entre les crises, de comportements et d'états particuliers (ce que l'on appelle la personnalité psychomotrice). Ces crises sont invariablement liées à des dérèglements ou à des lésions des lobes temporaux et les innombrables électroencéphalogrammes qui ont été faits à José ont bien révélé, en effet, de graves dérèglements des lobes temporaux du côté droit et du côté gauche.

Les facultés auditives, en particulier la perception et l'émission de la parole, dépendent aussi des lobes temporaux. Le docteur Rapin s'est donc demandé si le dérèglement du lobe temporal n'avait pas entraîné chez José une « agnosie verbale auditive » – une incapacité à reconnaître les sons de la voix, qui, perturbant

* En français dans le texte [*NdT*].

sa faculté d'utiliser ou de comprendre le langage parlé, viendrait s'ajouter à son « autisme ». Car il y avait chez lui une perte de la parole, ou du moins une régression frappante, quelle que soit la manière dont on l'interprète (l'interprétation neurologique et l'interprétation psychiatrique étant ici toutes deux possibles) : en effet, José, à partir du moment où il était tombé malade, était devenu progressivement « muet » et avait cessé de parler aux autres, alors qu'il était « normal » avant, du moins d'après ce que ses parents disaient.

En revanche, une aptitude se trouvait chez lui « sauvegardée » et même renforcée par compensation : une passion et un don inhabituels pour le dessin, apparus au cours de son enfance et peut-être, dans une certaine mesure, héréditaire ou familial, car son père avait toujours été passionné de croquis et son frère, beaucoup plus âgé que lui, était un artiste confirmé. Dès le début de sa maladie, José s'était trouvé dans un état tragique et étrange, rythmé de crises apparemment incurables (il pouvait avoir jusqu'à vingt ou trente convulsions majeures par jour, sans compter les « petites crises », les « chutes », les « blancs » ou les « états de rêve ») ; à cela s'ajoutaient une perte de la parole et une régression générale du point de vue intellectuel et émotionnel. Sa scolarité était discontinue, bien que pendant un moment on lui eût trouvé un répétiteur particulier. Finalement, on le rendit définitivement à sa famille, considérant qu'il s'agissait d'un épileptique « chronique », autiste, peut-être aphasique, et retardé. Son état était alors considéré comme incurable et, d'une façon générale, désespéré. A l'âge de neuf ans, il se trouvait « rejeté » – de l'école, de la société, de presque tout ce qui constitue la « réalité » d'un enfant normal.

Pendant quinze ans, il sortit à peine de chez lui sous prétexte qu'il avait des crises à répétition. Sa mère affirmait qu'il aurait vingt ou trente crises par jour si elle le sortait. On essaya toutes sortes d'anticonvulsifs, mais son épilepsie semblait « intraitable » : tel était du moins l'avis émis dans son dossier. José avait d'autres frères et sœurs, mais il était de beaucoup le plus jeune – le « gros bébé » d'une femme approchant de la cinquantaine.

Nous avons beaucoup trop peu d'informations sur ces années-là. José, en fait, disparut de la scène, fut « escamoté » non seulement médicalement mais d'une façon générale, et il aurait pu être à tout jamais perdu, confiné dans sa chambre – au sous-sol –, si son état n'avait pas brusquement « explosé » sous la forme d'une crise si violente qu'il fallut l'amener pour la première fois de sa vie à l'hôpital. Dans son sous-sol, il n'était pas tout à fait privé de vie intérieure. Il se passionnait pour les magazines illustrés, surtout ceux concernant l'histoire naturelle comme le *National Geographic*, et, chaque fois qu'il le pouvait, entre les crises et les réprimandes, il trouvait des bouts de crayons et dessinait ce qu'il voyait.

Ces dessins étaient peut-être son seul lien avec le monde extérieur, en particulier le monde des plantes et des animaux, et avec la nature en général qu'il avait tant aimée lorsqu'il était enfant, surtout lorsqu'il partait faire des croquis avec son père. Cela, et cela seul, il avait droit de le retenir, son dernier et unique lien avec la réalité.

Voilà donc l'histoire que je reconstituai à partir de son dossier et de ses fiches médicales, documents tous aussi remarquables par leur contenu que par leurs manques dus à un « trou » de quinze années – les seuls renseignements sur cette période étant fournis par un travailleur social qui avait rendu visite à la famille de José et s'était intéressé à lui sans pouvoir rien faire ; fournis aussi par ses parents, maintenant âgés et souffrants. Rien de tout cela n'aurait paru au grand jour si José n'avait été pris de cet accès de violence effrayante, sans précédent, au cours duquel il brisa des objets, et qui le conduisit pour la première fois de sa vie à l'hôpital.

Les raisons de cette rage étaient loin d'être claires : était-ce une éruption de violence épileptique (comme on en voit parfois, mais rarement, dans les cas de très graves épilepsies des lobes temporaux) ? S'agissait-il tout simplement d'une « psychose », pour reprendre les termes simplistes de sa fiche d'admission, ou encore d'un appel à l'aide ultime et désespéré, de la part d'un être torturé, privé de parole et n'ayant aucun moyen direct d'exprimer sa détresse et ses besoins ?

A l'hôpital, de nouveaux médicaments puissants permirent pour la première fois de « maîtriser » ses crises, et lui donnèrent en tout cas un peu d'espace et de liberté, une « détente » à la fois physiologique et psychologique qu'il n'avait plus connue depuis l'âge de huit ans – cela, c'était clair.

Souvent les hôpitaux publics sont considérés comme des « institutions totales », dans le sens qu'Erving Goffman donne à ce terme, travaillant essentiellement à la dégradation des malades. C'est très souvent vrai, sans aucun doute. Mais ce sont parfois aussi des « asiles » au meilleur sens du terme, un sens que Goffman prend peut-être trop peu en compte : des lieux où l'être torturé, en pleine tourmente, trouve un refuge et se voit offrir précisément cet alliage d'ordre et de liberté dont il a besoin. José avait souffert d'être plongé dans une confusion et un chaos dus en partie à une épilepsie organique, en partie au désordre de sa vie – il avait souffert d'un confinement et de son esclavage épileptique et existentiel. L'hôpital était bon pour lui à ce moment de son existence : c'était peut-être une planche de salut et, sans aucun doute, il le ressentait comme tel.

Brusquement aussi, après l'étroitesse fébrile de sa maison, il découvrait le monde extérieur : un monde « professionnel », qui s'intéressait à lui ; un monde réellement sensible à ce qu'il était et à ses problèmes, mais gardant le détachement nécessaire pour ne pas le juger, l'accuser ou lui faire la morale. Au bout de quatre semaines d'hôpital, il commença donc à espérer ; il s'anima, se tourna vers les autres pour la première fois de sa vie, en tout cas pour la première fois depuis l'apparition de son autisme, à l'âge de huit ans.

Mais l'orientation vers l'autre, la communication, l'espoir lui étaient « interdits », et représentaient probablement pour lui une complexité et un « danger » effrayants. Pendant quinze années, José avait été surveillé, enfermé dans ce que Bruno Bettelheim a appelé, dans son livre sur l'autisme, une « forteresse vide ». Mais, dans son cas, la forteresse n'avait jamais été tout à fait vide : il n'avait jamais perdu son amour pour la nature, les animaux et les plantes. Cette part de lui-même, cette *porte-là* était toujours restée ouverte. Quoi qu'il en soit, José risquait maintenant d'être tenté par le « mouvement inverse » – mouvement dont la pression est toujours trop forte et vient toujours trop tôt. Il connaîtrait alors une « rechute », reviendrait, par confort et sécurité, à son isolement premier, et ses mouvements de balancier reprendraient.

La troisième fois que je vis José, je ne l'envoyai pas chercher à la clinique, mais je montai sans prévenir en salle d'admission. Il était assis, là, dans cette affreuse salle, se balançant sur sa chaise, le visage et les yeux fermés – l'image même de la régression. A le voir ainsi, j'eus une nausée d'horreur, car je m'étais persuadé qu'il allait connaître une « guérison durable ». Il me fallait le voir dans cet état (comme cela devait arriver à maintes reprises) pour comprendre qu'il n'était pas simplement en train de se « réveiller », mais qu'il était tout à la fois excité par sa terreur et terrorisé par son excitation : il avait fini par aimer les barreaux de sa prison.

Dès que je l'appelai, il sursauta, et me suivit, avec une sorte d'avidité, dans la salle réservée aux travaux artistiques. Une fois encore, je pris dans ma poche un stylo à plume fine, car il semblait avoir une aversion pour le type de crayon que l'on utilisait, à l'exclusion de tout autre, dans le service. « Ce poisson que vous avez dessiné, lui fis-je comprendre d'un geste, ne sachant pas ce qu'il comprenait de mes mots, ce poisson, vous vous en souvenez, pouvez-vous le dessiner à nouveau ? » Il fit signe que oui avec empressement et me prit le stylo des mains. Cela faisait trois semaines qu'il l'avait vu. Qu'allait-il bien pouvoir dessiner ?

Il ferma les yeux pendant un moment – faisait-il appel à une image ? –, puis se mit à dessiner. C'était toujours une truite arc-en-ciel, avec des nageoires à franges et une queue fourchue, mais cette fois ses traits étaient remarquablement humains : elle avait des narines étranges (quel est le poisson qui a des narines ?) et des lèvres humaines, empreintes de sensualité. Je m'apprêtais à reprendre le stylo, mais il n'avait pas fini. Qu'avait-il en tête ? L'image était complète. Mais la scène ne l'était pas : auparavant le poisson existait isolément – telle une icône ; il faisait maintenant partie d'un ensemble, d'une scène plus vaste. José dessina rapidement un compagnon à la truite, un poisson plus petit en

train de s'enfoncer dans l'eau. Puis il esquissa la surface de l'eau, qui s'éleva en une vague soudaine : alors, saisi d'excitation, José poussa un cri étrange, mystérieux.

Je ne pus m'empêcher de penser, un peu facilement peut-être, que le dessin était symbolique – le petit poisson et le grand... Lui et moi, peut-être ? Mais l'essentiel était qu'il avait introduit cet élément nouveau – ce jeu dans ce qu'il dessinait –, non pas sur ma suggestion mais de lui-même, spontanément. Jusque-là, la communication avait toujours été absente de ses dessins comme de sa vie. Désormais, même si c'était seulement comme un jeu ou un symbole, elle était de nouveau possible. Mais l'était-elle vraiment ? Que voulait dire cette colère, cette vague vengeresse ?

Revenons à des terrains plus sûrs, pensai-je ; finies les associations libres. J'avais vu un potentiel apparaître, mais j'avais aussi vu – et entendu – un danger. Revenons à Mère Nature et à ses sécurités édéniques. Je trouvai une carte de Noël sur la table, représentant un rouge-gorge perché sur un tronc d'arbre, parmi la neige et les branches nues. Je désignai l'oiseau à José et lui

tendis le stylo. Il dessina finalement l'oiseau en utilisant un stylo rouge pour la poitrine. Ses pattes, un peu griffues, s'accrochaient à l'écorce (à ce moment-là et par la suite, je fus frappé par son besoin d'exagérer la faculté appréhensive des pieds et des mains, de toujours représenter un contact sûr, presque un agrippement, comme si c'était chez lui une obsession). Mais – que se passait-il ? La brindille sèche partant du pied du tronc d'arbre avait brusquement poussé, dans son dessin, jusqu'à s'épanouir en une floraison ouverte. D'autres éléments du dessin avaient peut-être un caractère symbolique, je n'en étais pas sûr. Mais le changement véritable, celui qui était le plus significatif et le plus passionnant, était bien là, sous mes yeux : *de l'hiver, José avait fait un printemps.*

Il se mit finalement à parler – si « parler » n'est pas un terme trop fort pour les sons étranges, hésitants, presque inintelligibles qui sortaient de temps en temps de sa bouche, à son étonnement et au nôtre, car nous l'avions tous considéré (et José lui-même se considérait) comme à tout jamais muet, par manque de capacité, par manque d'inclination à parler, ou les deux ensemble (on trouvait chez lui à la fois un mutisme effectif et l'*attitude* d'une personne qui ne parle pas). Et, là aussi, il nous était impossible de dire s'il s'agissait d'une cause « organique » ou bien d'une question de « motivation ». Nous avions diminué ses dérèglements du lobe temporal, mais sans les faire disparaître. De fait, les électroencéphalogrammes ne furent jamais normaux ; il y eut toujours dans les lobes une sorte de murmure électrique sourd et, de temps en temps, des pointes, de la disrythmie, de faibles vagues. L'amélioration était certes considérable par rapport à ce qu'il était à son entrée, ses convulsions avaient disparu, mais les dégâts commis n'en étaient pas moins irréversibles.

Nous avions amélioré, sans aucun doute, ses *potentiels* physiologiques dans le domaine de la parole, même si sa faculté de les employer, de comprendre et de reconnnaître les mots, restait altérée – une altération avec laquelle il lui faudrait sans doute toujours compter. Tout aussi important était le fait qu'il s'employait maintenant à récupérer sa faculté de comprendre et de parler (guidé en cela par un orthophoniste et encouragé par nous tous), là où, auparavant, il acceptait sa situation avec un certain désespoir et un certain masochisme, fuyant toute communication, verbale ou non, avec les autres. L'altération de la parole et le refus de parler s'étaient jusque-là unis pour donner une double virulence à sa maladie ; maintenant, au contraire, le recouvrement de la parole et ses tentatives pour parler s'unissaient avec succès dans une amélioration doublement bienfaisante de son état. Même pour le plus optimiste d'entre nous, il était évident que José ne pourrait jamais parler avec une véritable aisance, que la parole ne serait jamais pour lui le véhicule effectif de l'expression de soi, qu'elle ne lui servirait qu'à exprimer ses besoins les plus élémentaires. Lui aussi semblait en convenir et, tout en continuant à s'efforcer de parler, il se tournait avec beaucoup plus d'acharnement vers le dessin.

Pour finir, un dernier épisode : José avait changé de service. Il était passé de l'affolante salle des admissions à un service spécial plus calme, plus tranquille, plus chaleureux, ressemblant moins que le reste de l'hôpital à une prison ; un service disposant d'un personnel particulièrement important et qualifié, particulièrement destiné, comme dirait Bettelheim, à être « un lieu où renaître » pour des patients atteints d'autisme et requérant une attention aimante et dévouée, ce que bien peu d'hôpitaux peuvent offrir. Lorsque je montai dans ce nouveau service, José agita vigoureusement les mains dès qu'il me vit – geste d'ouverture au monde dont on ne l'aurait pas cru capable auparavant. Il me montra du doigt la porte fermée : il voulait l'ouvrir et sortir.

Il descendit le premier, sortit dans le jardin ensoleillé, envahi d'herbes. Pour autant que je sache, il n'était jamais sorti de son plein gré depuis qu'il avait huit ans, depuis le début de sa maladie et de son retrait du monde. Comme je ne lui avais pas proposé de stylo, il en prit un lui-même. Nous marchâmes autour de l'hôpital ; José regardait de temps en temps le ciel et les arbres, mais il regardait surtout par terre, le tapis de trèfles et de pissenlits dont les tons mauve et jaune s'étendaient sous nos pas. Prompt à reconnaître les formes et les couleurs des plantes, il avait l'œil rapide et cueillait ici et là un rare trèfle blanc ou,

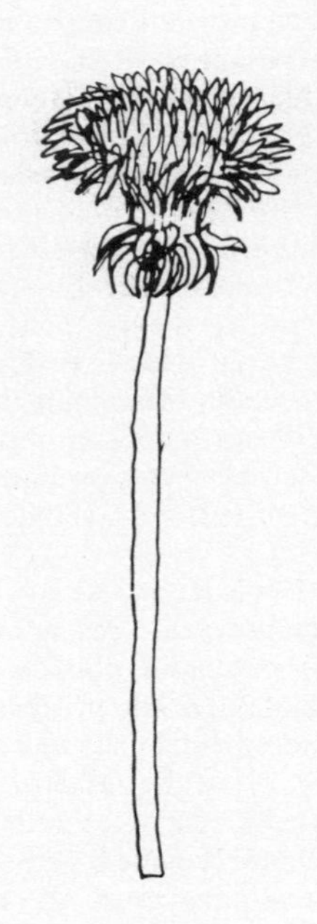

plus rare encore, un trèfle à quatre feuilles. Il ne découvrit pas moins de sept espèces d'herbes différentes, qu'il semblait reconnaître et saluer comme des amies. Les grands pissenlits jaunes, avec leurs fleurons ouverts au soleil, l'enchantaient par-dessus tout. C'était sa plante à lui – voilà ce qu'il pensait – et pour bien le montrer il allait la dessiner. Le besoin de dessiner, de révérer par le dessin, s'imposait immédiatement à lui : il s'agenouilla, plaça sa tablette à croquis sur le sol et, tenant le pissenlit dans sa main, le dessina.

Il s'agit là, je pense, du premier dessin que José ait réalisé à partir de la vie réelle depuis l'époque où, enfant, avant de tomber malade, il accompagnait son père lorsqu'il partait faire des croquis. C'est un dessin splendide, précis et vivant. Il montre son amour pour la réalité, pour une autre forme de vie. Il s'apparente, dans mon esprit, sans y être en rien inférieur, à ces fines fleurs très nettes que l'on trouve dans les herbiers ou les livres botaniques médiévaux – il est d'une précision presque exagérée, bien que José n'ait aucune connaissance en botanique et ne puisse ni apprendre ni comprendre cette discipline, à supposer qu'il en fasse l'essai. Son esprit n'est pas fait pour l'abstrait, pour le conceptuel. Ce n'est pas là son chemin vers la vérité. Sa passion et son don pour le particulier sont réels – il l'aime, s'y sent à l'aise et peut le recréer. Or, le détail, si l'on y est soi-même assez attentif, est aussi un chemin – une route donnée par la nature, si l'on veut – qui mène à la réalité et à la vérité.

L'abstrait, le catégoriel, n'ont pas d'intérêt pour une personne autiste – tandis que le concret, le particulier seront tout pour elle. Que ce soit une question de capacité ou de disposition, c'est en tout cas frappant. N'ayant guère d'aptitude à généraliser, les autistes donnent l'impression de composer leur tableau du monde uniquement avec des détails. Ils ne vivent pas dans un univers, mais dans ce que William James a appelé un « multivers » constitué d'innombrables particularités, à la fois précises et passionnément intenses. C'est un mode de pensée tout à fait opposé à la généralisation scientifique, mais non moins « réel », bien que sa réalité soit radicalement différente. Borges a imaginé un esprit de ce genre dans l'histoire de « Funes ou la mémoire » (lequel Funes ressemble beaucoup au « mnémoniste » de Louriia) :

> Celui-ci, ne l'oublions pas, était presque incapable d'idées générales, platoniques (...) Dans le monde surchargé de Funes il n'y avait que des détails, presque immédiats (...) Personne (...) n'a senti la chaleur et la pression d'une réalité aussi infatigable que celle qui le jour et la nuit convergeait sur le malheureux Irénée [1].

1. Borges, *op. cit.*, p. 258.

Il en est de José comme de l'Irénée de Borges. Mais ce n'est pas nécessairement une circonstance malheureuse : les détails peuvent être sources de vives satisfactions, surtout s'ils brillent d'un éclat symbolique comme ils le font pour José.

Je pense que José, tout autiste et simple d'esprit qu'il soit, a un tel don pour le concret, pour la *forme*, qu'il se trouve être à sa façon un naturaliste et un artiste-né. Il appréhende le monde par ses formes, qu'il ressent directement et intensément, et qu'il reproduit. Il prendra très facilement les choses à la lettre, mais il a en même temps des aptitudes métaphoriques. Il dessinera avec une remarquable précision une fleur ou un poisson, mais il pourra tout aussi bien les personnifier, les symboliser, en faire le sujet d'un rêve ou d'une plaisanterie. Et l'on dit que les autistes manquent d'imagination, de sens de la plaisanterie ou de sens artistique !

On ne peut pas imaginer que des enfants autistes et artistes comme José ou Nadia puissent exister. Sont-ils donc si rares ou bien néglige-t-on tout simplement de les voir ? Nigel Dennis, dans un brillant essai sur Nadia dans la *New York Review of Books* (4 mai 1978), se demande combien de Nadia au monde sont rejetées ou négligées, et voient leurs remarquables productions froissées et jetées à la poubelle, ou bien sont simplement traitées avec désinvolture, comme José, et leur talent considéré comme bizarre, absurde, sans intérêt. Mais l'art autistique ou (pour être moins grandiloquent) l'imagination autistique est un phénomène qui n'a rien de rare. J'en ai vu des douzaines d'exemples au fil des ans sans jamais faire un effort particulier pour les découvrir.

Les autistes, de par leur nature même, ne sont guère ouverts aux influences extérieures. C'est leur « destin » de rester isolés et par là originaux. Leur « vision », si l'on peut s'en faire une idée, vient de l'intérieur, et fait l'effet d'être primitive. Plus je les connais, plus ils m'apparaissent comme une espèce étrange au milieu de la nôtre – une espèce bizarre, originale et dirigée par une logique intérieure, contrairement à tout le monde.

L'autisme a été considéré comme un début de schizophrénie

mais, phénoménologiquement, c'est le contraire. Le schizophrène se plaint toujours de recevoir une « influence » de l'extérieur : il est passif, manipulé, il ne parvient pas à être lui-même. Les autistes, au contraire, se plaindront quant à eux – s'ils se plaignent – d'absence d'influence et d'isolement absolu.

« Nul homme n'est une île, qui forme un tout en soi », écrit Donne [1]. Mais l'autisme est précisément cela – une île coupée du continent. Dans l'autisme « classique », qui se révèle souvent dans toute son ampleur vers la troisième année de la vie, la coupure est si précoce qu'il peut très bien n'y avoir aucun souvenir du continent. Dans l'autisme « secondaire », comme celui de José, causé par une maladie cérébrale survenue à une époque plus tardive de la vie, quelques souvenirs, une certaine nostalgie du continent peut-être, demeurent. Cela pourrait expliquer la raison pour laquelle José était plus accessible que d'autres autistes et pourquoi, tout au moins dans le dessin, l'amorce d'une réciprocité se faisait sentir chez lui.

Être une île, être coupé du reste du monde, est-ce nécessairement une forme de mort ? C'est possible, mais pas toujours. Car, si des connexions « horizontales » avec les autres, avec la société et la culture, se trouvent perdues, en revanche des connexions « verticales » essentielles, dans leur immédiateté, avec la nature et la réalité, connexions qui ne sont pas influencées ni touchées par autrui, peuvent se trouver préservées, voire renforcées. Ce contact « vertical » est très frappant chez José – d'où la franchise pénétrante, la clarté absolue de ses perceptions et de ses dessins, dépourvus d'une ombre ou même d'un soupçon d'ambiguïté ou de détour, d'où sa solidité de roc face aux autres, qui ne peuvent l'influencer.

Nous voici parvenus à notre question finale : y a-t-il dans le monde une « place » pour un homme qui, telle une île, ne peut être ni adapté ni intégré au groupe ? Le « groupe » peut-il faire place en son sein à l'être singulier ? On se heurte ici aux mêmes réactions sociales et culturelles que celles qui se manifestent face

1. John Donne, *Devotions upon Emergent Occasions*, in *John Donne*, Cahiers de l'Herne, Lausanne, L'Âge d'Homme, 1983 ; trad. fr. de J. Fuzier et Y. Denis.

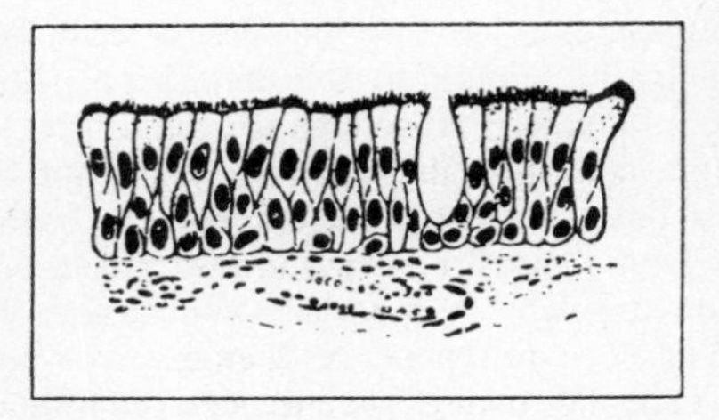

Épithélium cilié de la trachée d'un chaton (agrandi 255 fois).

au génie. (Je ne veux pas dire par là, bien entendu, que tous les autistes ont du génie, mais je veux dire qu'ils partagent avec le génie le problème de la singularité.) Pour être plus précis : quel sort l'avenir réserve-t-il à José ? Y a-t-il une « place » pour lui dans le monde, une place où il trouverait à *utiliser* son autonomie, tout en la gardant intacte ?

Avec son œil vif et son grand amour des plantes, ne pourrait-il illustrer des ouvrages de botanique ou des herbiers ? Ou encore des études zoologiques ou anatomiques ? (Voir ci-dessus le dessin qu'il fit pour moi d'après l'illustration d'un manuel sur le tissu stratifié que l'on appelle l'« épithélium cilié ».) Ne pourrait-il pas accompagner des expéditions scientifiques et dessiner des espèces rares (il peint et reproduit des modèles avec une égale facilité) ? Sa concentration parfaite sur ce qui se trouve devant lui en fait une personne toute désignée pour de telles situations.

Ou bien encore, par une transposition étrange mais non dépourvue de logique, ne pourrait-il pas, avec ses particularités et ses idiosyncrasies, dessiner des contes de fées, des contes pour enfants, des histoires bibliques ou des mythes ? Ou alors (comme il ne peut pas lire, mais voit dans les lettres leurs seules beauté et pureté formelles), ne pourrait-il pas illustrer et même concevoir les magnifiques capitales des bréviaires et missels manuscrits ? Il a déjà réalisé pour des églises de beaux retables en mosaïque et en bois peint. Il a gravé d'élégantes inscriptions sur des pierres tombales. Son travail habituel consiste à imprimer à la main diverses notices pour le service, qu'il agrémente de fioritures et de compositions dignes d'une *Magna Carta* [1] des temps modernes. Il est parfaitement capable d'accomplir ces tâches. Ce serait à la fois utile et agréable pour lui et pour les autres. Il en est capable – mais il ne fera hélas ! rien s'il ne trouve pas sur son chemin quelqu'un de très compréhensif qui ait à la fois l'occasion et les moyens de le guider et de l'employer. Au point où en sont les choses, il ne fera probablement rien de sa vie et passera une existence inutile, stérile comme celle de beaucoup d'autres autistes déconsidérés, oubliés au fin fond d'un hôpital.

Post-scriptum

A la suite de la publication de ce texte, j'ai de nouveau reçu beaucoup d'imprimés et de lettres, la plus intéressante de toutes provenant du docteur C.C. Park. Même si « Nadia » était unique – une sorte de Picasso –, il est évident (comme Nigel Dennis s'en doutait) que des dons artistiques relativement étonnants ne sont pas rares chez les autistes. Il est presque inutile de tester leurs potentiels artistiques par le test de Goodenough (le « dessin

1. *Magna Carta* : Grande Charte de 1215 en Angleterre.

du Bonhomme »), par exemple, car ces enfants – « Nadia », José et l'« Ella » des Park – inventent *spontanément* des dessins étonnants.

Dans une revue importante et fort bien illustrée sur « Nadia », le docteur Park (1978) met au jour, à partir de l'expérience faite avec son propre enfant et à partir d'une lecture de la littérature mondiale sur le sujet, ce qui lui semble principalement caractériser ces dessins. On y trouve des composantes « négatives » comme la stéréotypie et le manque d'originalité, et des composantes « positives » comme un don inhabituel pour le suspens interprétatif et la représentation de l'objet *tel qu'il est perçu* (et non tel qu'il est conçu) : d'où cette espèce de naïveté si particulière chez eux. Le docteur Park note aussi une relative indifférence à la manifestation d'autres réactions, laquelle pourrait laisser penser que ces enfants sont impossibles à éduquer. Ce n'est pourtant pas nécessairement le cas. Ces enfants ne sont pas forcément indifférents à tout enseignement ou attention, même si ceux-ci doivent revêtir avec eux un type très particulier.

En plus de son expérience avec son propre enfant, qui est maintenant adulte, et un artiste accompli, le docteur Park cite aussi des expériences japonaises, fascinantes et trop peu connues, notamment celles de Morishima et Motzugi qui ont obtenu des résultats remarquables avec des autistes, faisant évoluer un talent enfantin et informel (apparemment impossible à éduquer) vers la maturité d'un art consommé tant d'un point de vue professionnel que d'un point de vue humain. Morishima donne sa préférence aux techniques spéciales de formation (« technique hautement structurée d'éclosion de talent »), une sorte d'apprentissage dans la lignée de la tradition culturelle japonaise classique, et il encourage le dessin comme étant un moyen de communication. Mais une éducation formelle de ce type, même si elle est décisive, ne suffit pas. Il faut une relation à la fois plus intime et plus énergique. Les mots par lesquels le docteur Park conclut son compte rendu peuvent parfaitement servir de conclusion à notre quatrième partie intitulée « Le monde du simple d'esprit » :

Le secret réside peut-être ailleurs, dans l'attachement qui pousse Motzugi à habiter avec un artiste arriéré mental et à écrire : « Le secret du progrès du talent de Yanamura était de partager son esprit en deux. Il fallait que le professeur aime la personne même de l'arriéré mental, qu'il lui trouve de la beauté et de la sincérité ; il fallait qu'il aime vivre dans le monde purifié du retardé. »

Bibliographie

Références générales

Hughlings Jackson, Kurt Goldstein, Henry Head, A.R. Louriia sont les pères de la neurologie. Leur vie et leur pensée furent tout entières orientées vers les problèmes qui sont les nôtres. Tout neurologue les a présents à l'esprit et ils hantent les pages de ce livre. Il existe une tendance à réduire les caractères complexes à des stéréotypes, à ne pas admettre la plénitude et souvent la richesse contradictoire de leur pensée. Je parle souvent de la neurologie classique « jacksonienne », mais le Jackson qui écrivait sur les « états de rêve » et sur la « réminiscence » était très différent de celui qui voyait toutes les pensées sous forme de calcul propositionnel. Le premier était poète, le second logicien, et pourtant il s'agit d'un seul et même homme. Le Henry Head qui se passionnait pour les schémas et les diagrammes était très différent du Head qui écrivait des pages poignantes sur la « qualité hédonique ». Goldstein, qui écrivait des pages si abstraites sur l'« Abstrait », s'enchantait de la richesse concrète des cas individuels. C'est chez Louriia, pour finir, que cette double vision des choses fut consciente : il éprouva le besoin d'écrire deux sortes de livres – des ouvrages formels, structurels comme *les Fonctions corticales supérieures de l'homme*, et des « romans » biographiques, comme *Une prodigieuse mémoire*. Il désignait le premier sous le nom de « science classique », le second sous le nom de « science romantique ».

Jackson, Goldstein, Head et Louriia constituent l'axe essentiel de la neurologie et ils représentent certainement l'axe de ma propre pensée et de celle de ce livre. C'est d'abord à eux que je me réfèrerai. Il faudrait, idéalement, que figurent tous leurs travaux, car les traits dominants d'une recherche imprègnent l'œuvre d'une vie entière ; mais, pour des raisons pratiques, je me contenterai de mentionner leurs livres clés, qui sont aussi les plus accessibles aux lecteurs anglophones ou francophones.

Hughlings Jackson

Il existe de belles descriptions de cas avant Hughlings Jackson – tel l'*Essai sur la paralysie tremblante* de Parkinson, écrit dès 1817 –, mais aucune vision d'ensemble ni systématisation de la fonction nerveuse. Jackson est le fondateur de la neurologie comme science. On peut feuilleter ses œuvres fondamentales réunies dans *Selected Writings of John Hughlings Jackson* (édition de James Taylor, Londres, 1931 ; reprint New York, 1958). Ces écrits ne sont pas d'une lecture facile, bien qu'ils soient souvent évocateurs et, par moments, d'une clarté éblouissante. Une sélection plus poussée de ses écrits, à laquelle s'ajoutaient des enregistrements de conversations avec lui et une biographie, avait été presque achevée par Purdon Martin au moment de sa mort, et sera publiée, il faut l'espérer, au moment de l'anniversaire de la naissance de Jackson.

Henry Head

Head, comme Weir Mitchell (voir plus loin, chap. VI), est un merveilleux écrivain, et ses gros volumes sont un plaisir à lire :

Studies in Neurology, 2 vol., Oxford, 1920.
Aphasia and Kindred Disorders of Speech, 2 vol., Cambridge, 1926.

Kurt Goldstein

L'ouvrage le plus accessible de Goldstein est :

La Structure de l'organisme : introduction à la biologie à partir de la pathologie humaine, texte augmenté de fragments inédits, trad. fr. du docteur E. Burkhardt et de Jean Kuntz, préface de Pierre Fedida, Paris, Gallimard, 1983.

BIBLIOGRAPHIE

Les anamnèses fascinantes de Goldstein, dispersées dans des livres et des journaux, exigeraient d'être rassemblées dans un recueil.

A.R. Louriia

Le trésor neurologique le plus précieux de notre époque, tant par sa pensée que par sa description de cas, est l'œuvre d'A.R. Louriia. La plupart des livres de Louriia ont été traduits en anglais et certains en français. Les plus accessibles sont les suivants :

The Man with a Shattered World, New York, 1972.
Une prodigieuse mémoire, étude psychobiographique, trad. fr. de Nina Rausch de Traunenberg, avec la collaboration de madame Mary Chaveneff, préface de R. Zazzo, Paris, Delachaux et Niestlé, 1970.
L'Enfant retardé mental, trad. fr. d'Anne Kugener-Deryckx et Jacques Kugener, Toulouse, Privat, 1974.
Les Troubles de la résolution des problèmes, analyse neuropsychologique, trad. fr. de R. L'Hermitte, Paris, Gauthier-Villars, 1967.
The Neuropsychology of Memory, New York, 1976.
Les Fonctions corticales supérieures de l'homme, trad. fr. de Nina Heissler et Gabrielle Semenov-Segur, Paris, PUF, 1978. La grande œuvre neurologique de notre siècle.

RÉFÉRENCES PAR CHAPITRES

1 *L'homme qui prenait sa femme pour un chapeau*

Macrae, D., et Trolle, E., « The Defect of Function in Visual Agnosia », *Brain,* 1956, nº 77, p. 94-110.
Kertesz, A., « Visual Agnosia : The Dual Deficit of Perception and Recognition », *Cortex,* 1979, nº 15, p. 403-419.
Marr, D., voir plus loin, chap. XV.

Damasio, A.R., « Disorders in Visual Processing », *in* Mesulam, M.M., 1985, p. 259-288 (voir plus loin, chap. VIII).

2 *Le marin perdu*

L'article original de Korsakov (1887) et ses œuvres postérieures n'ont pas été traduits. Louriia, dans *The Neuropsychology of Memory, op. cit.*, donne une bibliographie complète de ses œuvres, accompagnée d'extraits traduits et de discussion. Louriia lui-même donne beaucoup d'exemples frappants d'amnésie analogue à celle du « marin perdu ». Là encore, comme dans l'histoire qui précède, je me réfère à Anton, Pötzl et Freud. Parmi ceux-ci, seule la monographie de Freud – du reste œuvre de grande importance – a été traduite en français.

Anton, G., « Über die Selbstwarnehmung der Herderkrankungen des Gehirns durch den Kranken »,*Arch. Psychiat.*, 1899, n° 32.
Freud, S., *Contribution à la conception des aphasies : une étude critique,* préface de Roland Kuhn, trad. fr. de Claude van Reeth, Paris, PUF, 1983.
Pötzl, O., *Die Aphasielehre vom Standpunkt der klinischen Psychiatrie : Die Optische-agnostischen Störungen,* Leipzig, 1928. Le syndrome que décrit Pötzl n'est pas seulement visuel mais peut prendre l'ampleur d'une inconscience partielle ou totale du corps. En ce sens, il concerne aussi les thèmes traités aux chap. III, IV et VIII. J'y fais aussi allusion dans mon livre *Sur une jambe,* Paris, Éd. du Seuil, 1987.

3 *La femme désincarnée*

Sherrington, C.S., *The Integrative Action of the Nervous System,* Cambridge, 1906, spécialement p. 335-343.
– *Man on His Nature,* Cambridge, 1940, chap. XI, spécialement p. 328-329, concerne directement l'état de cette patiente.
Purdon Martin, J., *The Basal Ganglia and Posture,* Londres, 1967. Cet ouvrage important est plus largement cité au chap. VII.
Weir Mitchell, S. : voir plus loin, chap. VI.

Sterman, A.B., *et al.*, « The Acute Sensory Neuronopathy Syndrome », *Annals of Neurology*, 1979, nº 7, p. 354-358.

4 *L'homme qui tombait de son lit*

Pötzl, O., *op. cit.*

5 *Mains*

Leont'ev, A.N., et Zaporozhets, A.V., *Rehabilitation of Hand Function*, trad. angl., Oxford, 1960.

6 *Fantômes*

Sterman, A.B., *et al.*, *op. cit.*
Weir Mitchell, S., *Des lésions des nerfs et de leurs conséquences*, trad. fr. de M. Dastre, Paris, Masson, 1874. Ce grand livre contient les récits classiques de Weir Mitchell sur les membres fantômes, les paralysies réflexes, etc., qui furent les conséquences de la guerre de Sécession. Il est magnifiquement vivant et facile à lire, car Weir Mitchell était tout autant un romancier qu'un neurologue. En fait, certains de ses écrits neurologiques les plus imaginatifs (comme « The case of George Dedlow ») furent publiés non dans des journaux scientifiques, mais dans *Atlantic Monthly*, dans les années 1860 et 1870, et ne sont donc plus guère accessibles maintenant, en dépit du succès immense qu'ils remportèrent à l'époque.

7 *Au niveau*

Purdon Martin, J., *op. cit.*, spécialement chap. III, p. 36-51.

8 *Tête à droite*

Battersby, W.S., *et al.*, « Unilateral " Spatial Agnosia " (Inattention) in Patients with Cerebral Lesions », *Brain*, 1956, nº 79, p. 68-93.
Mesulam, M.M., *Principles of Behavioral Neurology*, Philadelphie, 1985, p. 259-288.

9 *Le discours du président*

La meilleure discussion sur la « tonalité », se trouve dans Dummett, M., *Frege : Philosophy of Language*, Londres, 1973, spécialement p. 83-89.

La discussion de Head sur la parole et le langage, en particulier sur la « qualité hédonique », est fort claire dans son traité sur l'aphasie *(op. cit.)*. L'œuvre d'Hughlings Jackson sur la parole fut largement diffusée, mais une grande partie en fut regroupée après sa mort dans : « Hughlings Jackson on Aphasia and Kindred Affections of Speech, Together with a Complete Bibliography of His Publications of Speech and a Reprint of Some of the More Important Papers » in *Brain*, 1915, nº 38, p. 1-190.

Sur le sujet complexe des agnosies auditives, voir Hecaen, H., et Albert, M.L., *Human Neuropsychology*, New York, 1978, p. 265-276.

10 *Ray, le tiqueur blagueur*

En 1885, Gilles de la Tourette publia un article en deux parties dans lequel il décrivait avec une grande acuité (il était dramaturge autant que neurologue) le syndrome qui porte maintenant son nom : « Étude sur une affection nerveuse caractérisée par l'incoordination motrice accompagnée d'écholalie et de coprolalie », *Arch. Neurol.*, nº 9, p. 19-42, 158-200.

Meige, H., et Feindel, E., *Les Tics et leurs Traitements*, préface de M. le professeur Brissaud, Paris, Masson, 1902. Cette étude s'ouvre sur le souvenir personnel d'un patient, « Les confidences d'un tiqueur », qui est unique en son genre.

11 *Maladie de Cupidon*

Tout comme pour le syndrome de Tourette, il nous faut revenir à une littérature plus ancienne pour trouver des descriptions cliniques complètes. Kraepelin, le contemporain de Freud, donne beaucoup de brèves descriptions frappantes de la neurosyphilis. Le lecteur intéressé peut consulter son ouvrage :

Kraepelin, E., *Lectures on Clinical Psychiatry*, trad. angl., Londres, 1904, en particulier les chap. X et XII sur la mégalomanie et le delirium dans la paralysie générale.

12 *Une question d'identité*

Voir Louriia, A.R., 1976.

13 *Oui, père-sœur*

Voir Louriia, A.R., 1966.

14 *Les possédés*

Voir plus haut, chap. X.

15 *Réminiscence*

Alajouanine, T., « Dostoievski's Epilepsy », *Brain*, 1963, n° 86, p. 209-221.

Critchley, M., et Henson, R.A., *Music and the Brain : Studies in the Neurology of Music,* Londres, 1977, spécialement chap. XIX et XX.

Penfield, W., et Perot, P., « The Brain's Record of Visual and Auditory Experience : A Final Summary and Discussion », *Brain,* 1963, n° 86, p. 595-696. Je considère ce magnifique article, point culminant d'une trentaine d'années d'observation, d'expérience et de réflexion, comme l'un des plus importants et originaux de toute la neurologie. Il me stupéfia lorsqu'il sortit en 1963 et je l'avais constamment à l'esprit en écrivant *Migraine* en 1967. Il est la référence et l'inspiration essentielles de toute cette partie de mon livre. Plus lisible que n'importe quel roman, son matériau est d'une singularité et d'une profusion que tout romancier lui envierait.

Salaman, E., *A Collection of Moments,* Londres, 1970.

Williams, D., « The Structure of Emotions Reflected in Epileptic Experiences », *Brain,* 1956, n° 79, p. 29-67.

Hughlings Jackson fut le premier à s'intéresser aux « crises psychiques », à décrire leur phénoménologie quasi romanesque, et à les localiser dans l'anatomie du cerveau. Il écrivit de nombreux articles sur le sujet. Les plus pertinents d'entre eux sont publiés dans le volume I de ses *Selected Writings,* 1931, p. 251 *sq.* et 274 *sq.*, sauf :

Jackson, J.H., « On Right-or Left-Sided Spasm at the Onset of Epileptic Paroxysms, and on Crude Sensation Warnings, and Elaborate Mental States », *Brain,* 1880, n° 3, p. 192-206.

– « On a Particular Variety of Epilepsy (" Intellectual Aura ") », *Brain,* 1888, n° 11, p. 179-207.

Purdon Martin a curieusement suggéré qu'une rencontre aurait eu lieu entre Henry James et Hughlings Jackson, avec lequel James aurait discuté de ce type de crises. James aurait ensuite repris le thème dans sa description de mystérieuses apparitions que l'on trouve dans *le Tour d'écrou* :

« Neurology in Fiction : *The Turn of the Screw* », *British Medical Journal,* 1973, n° 4, p. 717-721.

Marr, D., *Vision : A Computational Investigation of Visual Representation in Man,* San Francisco, 1982. Il s'agit d'une œuvre d'une extrême originalité et importance, publiée à titre posthume (Marr avait contracté une leucémie lorsqu'il était jeune). Penfield nous montre les formes de représentation finales du cerveau – voix, visages, airs, scènes, tout ce qui relève de l'« iconique » ; Marr nous montre ce qui n'est pas intuitivement évident, ni même normalement expérimenté – la forme des représentations cérébrales initiales. J'aurais peut-être dû donner cette référence dans mon premier chapitre, car le docteur P. avait certainement des déficits appartenant au genre évoqué par Marr, des difficultés à former ce qu'il appelle le « croquis primitif » *(« primal sketch »)* en plus de, ou sous-jacentes à, ses difficultés physiognomoniques. Il est probable qu'aucune étude neurologique des images ou de la mémoire ne peut se dispenser des considérations de Marr.

16 *Nostalgie incontinente*

Jellife, S.E., *Psychopathology of Forced Movements and Oculogyric Crises of Lethargic Encephalitis*, Londres, 1932, spécialement p. 114 *sq.* à propos de l'article de Zutt publié en 1930.

Voir également le cas de Rose R. dans *Cinquante Ans de sommeil*, Paris, Éd. du Seuil, 1987.

17 *Route des Indes*

Je ne suis pas au courant de la littérature sur ce sujet. J'ai connu cependant une autre patiente atteinte d'un gliome, s'accompagnant de crises sous l'effet d'une pression intercrânienne croissante, et mise sous stéroïdes. Cette patiente eut, peu avant sa mort, des visions et des réminiscences nostalgiques du Midwest.

18 *Dans la peau du chien*

Bear, D., « Temporal-Lobe Epilepsy : A Syndrome of Sensory-Limbic Hyperconnection », *Cortex*, 1979, n° 15, p. 357-384.

Brill, A.A., « The Sense of Smell in Neuroses and Psychoses », *Psychoanalytical Quarterly*, 1932, nº 1, p. 7-42. Le long article de Brill touche un domaine beaucoup plus vaste que ne l'indique son titre. Il contient en particulier une étude détaillée de l'intensité et de l'importance de l'odorat chez de nombreux animaux, chez les « sauvages » et chez les enfants, dont les étonnants pouvoirs et potentiels semblent s'être perdus chez l'homme adulte.

19 *Meurtre*

Je n'ai pas connaissance de récits véritablement analogues à celui-ci. Il m'est arrivé d'assister, dans de rares cas de blessure du lobe frontal, de tumeur du lobe frontal, d'attaque et de lobotomie du lobe frontal (antérieur cérébral), à la précipitation d'une « réminiscence » obsessionnelle. Les lobotomies, bien sûr, étaient destinées à guérir de telles « réminiscences » – mais parfois aussi elles les aggravaient considérablement. Voir aussi Penfield et Perot, *op. cit.*

20 *Les visions de Hildegarde*

Singer, C., « The Visions of Hildegard of Bingen », in *From Magic to Science*, Dover Repr., 1958.

Voir aussi *Migraine*, Paris, Éd. du Seuil, 1986, spécialement le chapitre III sur l'aura migraineuse.

A propos des transports et visions épileptiques de Dostoïevski, voir Alajouanine, T., *op. cit.*

Introduction à la quatrième partie

Bruner, J., « Narrative and Paradigmatic Modes of Thought », présenté à l'Assemblée annuelle de l'American Psychological Association, Toronto, août 1984 ; publié sous le titre « Two

Modes of Thought » in *Actual Minds, Possible Worlds*, Boston, 1986, p. 11-43.
Scholem, Gershom, *La Kabbale et sa Symbolique*, trad. fr. de Boesse, J., Paris, Payot, 1975.
Yates, F., *L'Art de la mémoire*, trad. fr. de Daniel Arasse, Paris, Gallimard, 1975.

21 *Rebecca*

Bruner, J., *ibid.*
Peters, L.R., « The Role of Dreams in the Life of a Mentally Retarded Individual », *Ethos*, 1983, p. 49-65.

22 *Un dictionnaire musical ambulant*

Hill, L., « Idiots-Savants : A Categorization of Abilities », *Mental Retardation*, décembre 1974.
Viscott, D., « A Musical Idiot Savant : A Psychodynamic Study, and Some Speculation on the Creative Process », *Psychiatry*, 1970, vol. XXXIII, nº 4, p. 494-515.

23 *Les jumeaux*

Hamblin, D.J., « They Are " Idiots Savants " – Wizards of the Calendar », *Life*, nº 60, 18 mars 1966, p. 106-108.
Horwitz, W.A., *et al.*, « Identical Twin " Idiots Savants " – Calendar Calculators », *American J. Psychiat.*, 1965, nº 121, p. 1075-1079.
Louriia, A.R., et Yudovich, F., *Speech and the Development of Mental Processes in the Child*, trad. angl., Londres, 1959.
Myers, F.W.H., *La Personnalité humaine, sa Survivance, ses Manifestations supranormales*, trad. fr. et adaptation par le docteur S. Jankélévitch, Paris, Alcan, 1905. Voir le chap. III, « Génie ». Myers était en partie un génie et ce livre est en partie un chef-d'œuvre. C'est évident dans le premier volume qui est souvent comparable aux *Principes de psychologie* de

William James – il était d'ailleurs un ami intime de James. Le second volume, « Fantasmes de mort », etc., m'embarrasse.
Nagel, E., et Newman, J.R., *Gödel's Proof*, New York, 1958.
Park, C.C. et D., : voir plus loin, chap. XXIV.
Selfe, L., *Nadia ;* voir plus loin, chap. XXIV.
Silverberg, R., *Un jeu cruel*, trad. fr. de Michel Deutsch, Paris, « J'ai lu », 1977.
Smith, S.B., *The Great Mental Calculators : The Psychology, Methods, and Lives of Calculating Prodigies, Past and Present*, New York, 1983.
Stewart, I., *Concepts of Modern Mathematics*, Harmondworth, 1975.
Wollheim, R., *The Thread of Life*, Cambridge, Mass., 1984. Voir en particulier le chapitre III sur l'« iconicité » et la « centricité ». Je venais de lire ce livre lorsque je commençai à écrire sur Martin A., sur les jumeaux et sur José ; mes trois chapitres (XXII, XXIII, XXIV) y font donc souvent référence.

24 *L'artiste autiste*

Buck, L.A., *et al.*, « Artistic Talent in Autistic Adolescents and Young Adults », *Empirical Studies of the Arts*, 1985, n° 3, p. 81-104.
– « Arts as a Means of Interpersonal Communication in Autistic Young Adults », *JPC*, 1985, n° 3, p. 73-84.
(Ces deux articles sont publiés sous l'égide du Talented Handicapped Artist's Workshop, fondé à New York en 1981.)

Morishima, A., « Another Van Gogh of Japan : The Superior Art Work of a Retarded Boy », *Exceptional Children*, 1974, n° 41, p. 92-96.
Motsugi., K., « Shyochan's Drawing of Insects », *Japanese Journal of Mentally Retarded Children*, 1968, n° 119, p. 44-47.

Park, C.C., *The Siege : The First Eight Years of an Autistic Child*, New York, 1967 ; en livre de poche : Boston et Harmondsworth, 1972.
Park, D., et Youderian, P., « Light and Number : Ordering Principles in the World of an Autistic Child », *Journal of*

Autism and Chidhood Schizophrenia, 1974, vol. IV, nº 4, p. 313-323.

Rapin, I., *Children with Brain Dysfunction : Neurology Cognition, Language and Behaviour*, New York, 1982.

Selfe, L., *Nadia : A Case of Extraordinary Drawing Ability in an Autistic Child*, Londres, 1977. Cette étude fort bien illustrée sur un enfant au don unique fit grand bruit au moment de sa publication et donna lieu à des critiques importantes et à des articles dans des revues. Le lecteur pourra consulter Nigel Dennis dans la *New York Review of Books*, 4 mai 1978, et C.C. Park, *Journal of Autism and Childhood Schizophrenia*, 1978, nº 8, p. 457-472. Ce dernier article contient une discussion fertile et une bibliographie du travail fascinant des Japonais avec les artistes autistes sur lequel je conclus mon ouvrage.

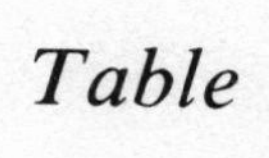

III
Transports

IV
Le monde du simple d'esprit

IMPRIMERIE BRODARD ET TAUPIN À LA FLÈCHE
DÉPÔT LÉGAL MARS 1992. N° 14630 (1350F-5)

Collection Points

SÉRIE ESSAIS

DERNIERS TITRES PARUS

186. Le Langage du changement, *par Paul Watzlawick*
187. Lettre ouverte à Freud, *par Lou Andreas-Salomé*
188. La Notion de littérature, *par Tzvetan Todorov*
189. Choix de poèmes, *par Jean-Claude Renard*
190. Le Langage et son double, *par Julien Green*
191. Au-delà de la culture, *par Edward T. Hall*
192. Au jeu du désir, *par Françoise Dolto*
193. Le Cerveau planétaire, *par Joël de Rosnay*
194. Suite anglaise, *par Julien Green*
195. Michelet, *par Roland Barthes*
196. Hugo, *par Henri Guillemin*
197. Zola, *par Marc Bernard*
198. Apollinaire, *par Pascal Pia*
199. Paris, *par Julien Green*
200. Voltaire, *par René Pomeau*
201. Montesquieu, *par Jean Starobinski*
202. Anthologie de la peur, *par Éric Jourdan*
203. Le Paradoxe de la morale
    par Vladimir Jankélévitch
204. Saint-Exupéry, *par Luc Estang*
205. Leçon, *par Roland Barthes*
206. François Mauriac
    1. Le sondeur d'abîmes (1885-1933), *par Jean Lacouture*
207. François Mauriac
    2. Un citoyen du siècle (1933-1970), *par Jean Lacouture*
208. Proust et le Monde sensible, *par Jean-Pierre Richard*
209. Nus, Féroces et Anthropophages, *par Hans Staden*
210. Œuvre poétique, *par Léopold Sédar Senghor*
211. Les Sociologies contemporaines, *par Pierre Ansart*
212. Le Nouveau Roman, *par Jean Ricardou*
213. Le Monde d'Ulysse, *par Moses I. Finley*
214. Les Enfants d'Athéna, *par Nicole Loraux*
215. La Grèce ancienne, tome 1
    par Jean-Pierre Vernant et Pierre Vidal-Naquet
216. Rhétorique de la poésie, *par le Groupe* μ
217. Le Séminaire. Livre XI, *par Jacques Lacan*

218. Don Juan ou Pavlov
par Claude Bonnange et Chantal Thomas
219. L'Aventure sémiologique, *par Roland Barthes*
220. Séminaire de psychanalyse d'enfants (tome 1)
par Françoise Dolto
221. Séminaire de psychanalyse d'enfants (tome 2)
par Françoise Dolto
222. Séminaire de psychanalyse d'enfants
(tome 3, Inconscient et destins), *par Françoise Dolto*
223. État modeste, État moderne, *par Michel Crozier*
224. Vide et Plein, *par François Cheng*
225. Le Père : acte de naissance, *par Bernard This*
226. La Conquête de l'Amérique, *par Tzvetan Todorov*
227. Temps et Récit, tome 1, *par Paul Ricœur*
228. Temps et Récit, tome 2, *par Paul Ricœur*
229. Temps et Récit, tome 3, *par Paul Ricœur*
230. Essais sur l'individualisme, *par Louis Dumont*
231. Histoire de l'architecture et de l'urbanisme modernes
1. Idéologies et pionniers (1800-1910)
par Michel Ragon
232. Histoire de l'architecture et de l'urbanisme modernes
2. Naissance de la cité moderne (1900-1940)
par Michel Ragon
233. Histoire de l'architecture et de l'urbanisme modernes
3. De Brasilia au post-modernisme (1940-1991)
par Michel Ragon
234. La Grèce ancienne, tome 2
par J.-P. Vernant et P. Vidal-Naquet
235. Quand dire, c'est faire, *par J. L. Austin*
236. La Méthode
3. La Connaissance de la Connaissance, *par Edgar Morin*
237. Pour comprendre *Hamlet*, *par John Dover Wilson*
238. Une place pour le père, *par Aldo Naouri*
239. L'Obvie et l'Obtus, *par Roland Barthes*
240. Mythe et Société en Grèce ancienne
par Jean-Pierre Vernant
241. L'Idéologie, *par Raymond Boudon*
242. L'Art de se persuader, *par Raymond Boudon*
243. La Crise de l'État-providence, *par Pierre Rosanvallon*
244. L'État, *par Georges Burdeau*
245. L'Homme qui prenait sa femme pour un chapeau
par Oliver Sacks